北京古籍叢書

[清]周家楣 [清]繆荃孫 編纂

左笑鴻 點校

光緒順天府志

第十六册

圖書在版編目（CIP）數據

光緒順天府志．第十六册 /（清）周家楣，（清）繆荃孫編纂；左笑鴻點校．— 北京：北京出版社，2018. 2

（北京古籍叢書）

ISBN 978-7-200-13611-1

Ⅰ．①光… Ⅱ．①周… ②繆… ③左… Ⅲ．①北京—地方志—清代 Ⅳ．①K291

中國版本圖書館 CIP 數據核字（2017）第 282309 號

項目策劃：安　東　　項目統籌：許　可

責任編輯：喬天一　許　可　　責任印製：宋　超

裝幀設計：郭　宇

北京古籍叢書

光緒順天府志

第十六册

［清］周家楣　［清］繆荃孫　編纂

左笑鴻　點校

出　　版　北京出版集團公司

　　　　　北京出版社

地　　址　北京北三環中路六號

郵　　編　一〇〇一二〇

網　　址　www.bph.com.cn

總 發 行　北京出版集團公司

經　　銷　新華書店

印　　刷　北京京華虎彩印刷公司

開　　本　八八〇毫米×一二三〇毫米　三十二

印　　張　十六點七五

字　　數　三〇二千字

版　　次　二〇一八年二月第一版

印　　次　二〇一八年二月第一次印刷

書號　ISBN 978-7-200-13611-1

定價　128.00 圓

如有印裝質量問題，由本社負責調換

質量監督電話　010-58572393

藝文志二

江陰繆荃孫纂

順天人著述一

燕自韓太傅受易傳詩，修明家法，西京經術，魁能冠倫，盧、高兩家並峙。漢末雖存少佚多，而微言未墮。魏、晉以降，著述滋繁。爰甄采史志，網羅舊聞，以書繫人，以人繫代，略誌體例。不知則闕如。常褱經明出依託，（宋志兵書類：常褱經一卷，燕昭王太子撰，蓋僞託。）燕丹子決非自著，類皆删削無取。坿益兼載刊本者，近人目録學新例也。志順天人著述。

漢

韓嬰：易傳十二篇（漢志：二篇。荃孫按：十二篇，上下經並十翼也，漢志脱十字，今據唐會要補。）

有輯本（張澍二酉堂本，孫彤問經堂本，張惠言易義別録本，馬國翰玉函山房本即二酉堂本。）

嬰事蹟詳先賢傳。此書久佚，今存武威張澍、承德孫彤、武進張惠言三家輯子夏傳本。（張澍據漢志分二篇，孫、張輯各一卷。）按釋文序録，子夏易傳三卷。卜商字子夏，孔子弟子。七略云：漢興，韓嬰傳中經簿録云，丁寬所作。張璠云，或馯臂子弓所作，薛虞記。虞不詳何許人。唐會要，開元七年，劉子元議曰：漢書藝文志，易有十二家，而無子夏。傳至梁，阮氏七録始有子夏易六卷，或云韓嬰作，或云丁寬作。司馬貞議曰：王儉七志，引劉向七略云，易傳子夏韓氏嬰也。是子夏之爲韓嬰，當以七略、七志、七録爲據。嬰爲幼孩，夏爲長大，名與字取相反而相成也。歷城馬國翰云：此書自馯臂傳之子夏。至丁寬、韓嬰得而修之，如毛萇説詩，首列子夏小序之類，故班志易十三家，有丁氏八篇、韓氏二篇，而不云子夏，猶之毛詩但言毛傳，而不别録小序之目也。馬氏欲盡通諸家之不同，其説甚辨。然漢志有韓、丁，無馯臂子弓，則張璠之言不足信。丁寬受易田何，上及馯臂子弓，受之商瞿，非自子夏，則荀勗言丁寬亦非。孫坦周易折藴以爲杜鄴。趙汝楳周易輯聞，徐幾易輯，皆以爲鄧彭祖。近人又以爲韓商。懸空臆度，迄非定論。劉向父子，博學近古，以爲韓嬰，當必有據。儒林傳稱韓生亦以易授人，推易意而爲之傳，不聞其所受意者出於子夏與商瞿之傳異邪。今仍從七略著録。張弧僞撰，更無論矣。

韓故三十六卷漢志 隋志二十二卷 新舊唐志二十卷

佚

漢書嬰傳云：淮南賁生受之；後有王、食、長孫之學。後書：薛漢世習韓詩，以章句著名。弟子杜撫定韓詩章句，其所作詩題約義，通學者傳之曰，杜君注云。按章懷注後書，李善注文選，引其説尤多。或稱薛君、薛夫子，蓋杜撫尊其師説，卽杜撫所注，世罕知其出于撫矣。

詩内傳四卷漢志

存輯本

原書久佚。餘姚邵晉涵有内傳考，稿亦散失。高郵宋緜初内傳徵，有梓本。

詩外傳六卷漢志　隋志十卷　新舊唐志十卷　宋志十卷　四庫全書總目十卷

存通津草堂刊本　武進趙懷玉校本　新安周廷寀注本　嘉定陳瑑疏證本

漢志本六卷，隋志以後皆十卷，蓋後人所分。或云合内外傳爲一，非也。其書多奄取荀卿書，與賈子、説苑、戴德記相出入，雜引古事古語，證以詩詞，與經義不相比坿，故曰外傳。班固論三家之詩，稱其或取春秋，采雜説，咸非其本義，殆卽指此類與？然其中引荀卿非十二子一篇，删去子思、孟子二條，惟存十子，其去取特爲有識。是書之例，每條必引詩詞。而末引詩者二十八條，又吾語汝一條，起無所因，均疑有闕文。李善注選，引其孔子升泰山觀易姓而王者七十餘家事，及漢皋二女事，今本皆無之，疑並有脱簡。董斯張據文選注、藝文類聚等書，云有逸文。趙懷玉輯成一卷，中有涉訓詁者，恐不盡外傳矣。

韓説四十一卷漢志

佚

隋唐志未著録，近人輯韓詩遺説，有金谿王謨、武進臧庸、歷城馬國翰、陽湖蔣曰豫諸家，而蔣氏爲最詳備。嘉興馮登府、侯官陳樅喬加以疏證，歸安嚴可均韓詩輯二十卷，未見傳本。冥搜遠引，曲證旁通，雖未能盡復韓氏家法，然由孤文隻義推見大略，亦可謂善於考古。馬氏從漢志分：韓故，韓内傳、外傳，韓説各成一卷，終嫌武斷，不如諸家統曰韓詩遺説之爲當也。

徐樂一篇漢志

存

樂事蹟詳先賢傳。漢志入縱横家，即上武帝言世務書，見漢書本傳，史記主父偃傳。

盧慎：盧公範

佚

慎，元和姓纂云：涿郡涿人。盧公範，見御覽二十五、三十三本注：盧公範者，盧慎家之法也，又作盧公家範。御覽二十五引作饋餉儀，疑是子目。隋志不著録。章宗源隋志考證云：盧公範撰，誤。張本御覽作盧懷慎，尤誤。

盧植：尚書章句 范書盧植傳

佚

植事蹟詳先賢傳，范書植傳，魏志盧毓傳。裴注引續漢書，皆云作尚書章句，未詳何家。蔣曰豫兩漢傳經表，列於古文。植傳不云古文，然植事馬融，融治古文，植受治當不異也。

禮記解詁十卷 隋志 新舊唐志十卷

存輯本 武進臧鏞拜經堂刊本 金谿王謨漢魏遺書鈔本 馬國翰玉函山房本

經義雜記云：盧氏校定禮記，今日雖亡，漢唐人偶有稱述，尚可得其略。其一，檀弓下子顯以致命於穆公。鄭注：使者，公子縶也。盧氏云：古者名字相配，顯當作韅。今考詩白駒：縶之維之。傳：縶，絆也。禮記月令則縶騰駒，是縶爲維絆義。説文：顯，頭明飾也，與縶義無涉。韅，著掖韅也。又釋名云：韅，經也，横經其腹下也。與維絆義合，故名縶，字子韅。此校之盡善者。其一，曲禮：猩猩能言，不離禽獸。釋文：禽獸，盧本作走獸。正義曰：別而言之，羽則曰禽，毛則曰獸。通而爲説，鳥不可曰獸，獸亦可曰禽。故易云：王用三驅失前禽。則驅走者亦曰禽也。又周禮司馬職云：大獸公之，小禽私之。

以此而言，則禽未必皆鳥也。又康成注周禮云：凡鳥獸未孕曰禽。周禮又云：以禽作六摯，卿羔，大夫雁。白虎通云：禽者鳥獸之總名。以此諸經證禽名通獸者，以其小獸可擒，故通名禽也。孔氏所據精博；盧氏定爲走獸，失之拘泥，此校之未盡善者。按本傳云：植作三禮解詁。考隋志，植注禮記十卷。經典釋文，植注禮記二十卷。唐藝文志同，而不見三禮之名。即植上書，亦止言今之禮記特多回穴，臣前以周禮諸經發其紕繆耳。今釋文、正義、通典均引植禮記注，而無周禮、儀禮。續漢書所云較是。范云三禮，傳聞誤也。按元行沖曰：小戴禮行於漢末，盧植合二十九篇爲之解，世所不傳。是唐時已佚。今王謨、臧庸、馬國翰均有輯本。余蕭客據釋文别出禮記音，恐即在解詁中，今不録。

補續漢記

佚

玉海卷四十六云：盧植拜議郎，與馬日磾、蔡邕、楊彪、韓説等並在東觀，補續漢記。

冀州風土記

佚

寰宇記六十三，引冀州風土記曰：黄帝以前，未可備聞；唐虞以來，冀州乃聖賢之藪，帝王之舊地。

集二卷隋志　舊唐志二卷

佚

范書本傳云：所著碑誄表記凡六篇。隋志已在亡書之列。唐志卷帙與七録同，大約唐時復出而佚於宋初者。今按始立太學石經、日食上封事、獻書規竇武三篇見本傳，奏事見初學十書鈔九十五，酈文勝誄見書鈔九十九。

植別傳

佚

御覽卷五百五十五引之，事已見本傳。

高誘：禮記注無卷數

佚

誘事蹟詳先賢傳。此書隋志未著録，蓺文類聚引之。

明堂月令四卷

未見

王應麟曰：劉向別録有古文明堂禮、王居明堂禮、明堂圖、明堂大圖、明堂陰陽，並説古明堂之事，其書皆亡。唐會要引禮記明堂陰陽録，牛弘亦引明堂陰陽録，今禮記月令於別録中，屬明堂陰陽記，故謂之明堂月令。朱彝尊經義考云：乙亥二月，於吴興書賈舟中獲月令四卷，題曰明堂月令，乃舊本，讀之，其字句與今本月令頗有不同。如季春行冬令，及孟夏行秋令前均有『行之是令而甘雨至三旬』十字，季夏行春令前有『行之是令是月甘雨至三旬二日』十三字，孟秋行冬令前有『行之是令而涼風至三旬』十字，仲秋行春令前有『行之是令白露降三旬』九字，季冬行秋令前有『行之是令此謂一終三旬二日』一十二字，注：行之是令行是之令也。甘雨至三旬，十日一雨，三旬三雨也。二日者，陰晦朔也。月十日一雨，又二十日一雨，一月中得二日爾，故曰三旬二日。終一歲，十二月終也。三旬二日者，十日一旬，二十日爲二旬，後一旬在□月，故曰三旬二日也。較之吕覽，其文正同，蓋好事者以誘所注吕覽鈔出成書。

孝經解無卷數

佚

隋志未著録，見誘吕氏春秋訓解序。

正孟子章句無卷數

佚

隋志未著録，亦見誘吕氏春秋訓解序，似是正程曾之書也。

戰國策注二十一篇

存　黄丕烈士禮居刊本　盧見曾雅雨堂刊本

案崇文總目云：戰國策篇卷亡闕，第二至第十，第三十一至第三十三闕。又有後漢高誘注本二十卷，今闕第一、第五、第十一至二十，止存八卷。曾鞏校定序曰：此書有高誘注者二十一篇，或曰三十二篇。崇文總目存者八篇，今存十篇。行世本三十三卷，皆題曰高誘注，而有誘注者僅二卷至四卷，六卷至十卷，與崇文總目八篇數合，又最末三十二、三十三兩卷，合前八卷，與曾鞏序十篇數合，而其餘二十三卷皆非誘注，卽所存十卷，略存訓詁兼及地理，恐亦不免闕失。然考秦策姚賈注云：姚賈譏周公誅管蔡不仁不知者，在孟子之篇也。今孟子作陳賈，是誘所見本異也。

吕氏春秋解詁二十六卷　隋志　新舊唐志二十六卷　宋志二十六卷

存　畢沅經訓堂刊本

誘序自言嘗爲孟子章句及孝經解等。今已不見。世所傳誘注國策，亦非真本。唯此書及淮南王書注，最爲可信。誘注二書亦間有不同，有始覽篇大汾冥阨，解云：大汾處未聞冥阨，荆阮、方城皆在楚，而淮南王書注則云大汾在晉，冥阨，淮南作澠阨，注云：

今宏農澠池是也。先識覽篇男女切倚，解云：切，磨；倚，近也。淮南王書倚作踦。注又云：踦，足也。知分篇解云：魚滿二千斤爲蛟。而淮南王書又作二千五百斤。至于音訓，亦時時不同。此蓋隨文生義，或又各依先師舊訓爲解，故錯出而不相害與？

淮南鴻烈解詁二十一篇

存十三篇 明正統道藏本 武進莊逵吉校刊本 會稽陶方琦疏證本

蘇魏公校正淮南子序云：是書有後漢太尉祭酒許慎、東郡濮陽令高誘二家之注。隋唐目録本別傳行。今校崇文舊書與蜀川印本，暨臣某家書，凡七部，並題曰：淮南子二注相參，不復可辨。惟集賢本前賢題云：許標其首，皆是閒詁，鴻烈之下，謂之記上；高題卷首，皆謂之鴻烈解經，解經之下，高氏注每篇之下，皆曰訓。又多數篇爲上下，以此爲異。崇文總目亦如此云。又謂高注更詳于許氏，本書文句亦有小異。臣某據文推次，頗見端緒。高注篇名，皆有故曰因以題篇之語，其間奇字並載音讀。許于篇下粗論大意。互相考證，去其重複，共得高注十三篇，許注八篇。余初讀淮南子，頗怪原道、俶真、天文、墬形、時則、覽冥、精神、本經、主術、氾論、説山、説林、修務十三篇注，何以詳且有音讀？其餘八篇注，何以略且無音讀？截然如出兩手。及讀蘇魏公集，且細繹高氏序，而千載之疑乃釋。案原道、俶真、天文、墬形、時則、覽冥、精神、本經、主術、汜論、説山、説林、修務十三篇，每篇名注，皆有因以題篇四字，注中載音讀，如滑讀曰骨，哥讀曰謳歌之類，甚夥，則此十三篇乃高注也。想魏晉以後，因高書不全，遂以許書補之，猶范曄書無志，以司馬彪補之也。坊本均題許慎，誤矣。

鴻烈音二卷

佚

案：誘注十三篇内，並載音讀，疑卽鴻烈音散入注中。

魏

盧毓：九州人士論一卷

佚

毓事蹟詳先賢傳。此書見隋志名家類，舊唐志同。

通古人論一卷

佚

見隋志名家類。

晉

崔豹：論語集義十卷

佚

敬齋古今黈云：豹字正熊，燕國人，晉惠帝時官至太傅。此書見通志論語集解類。

論語大義解十卷

佚

見同上。

古今注三卷

存

所録皆考證名物，今與馬縞書相混。

盧欽：小道

佚

欽事蹟詳先賢傳。晉書本傳：所著詩賦、論難數十篇，名曰小道。隋志未著録。今魏志徐邈傳，論徐邈曰：徐公志高行潔，才博氣猛。其施之也，高而不狷，潔而不介，博而守約，猛而能寬，聖人以清爲難，而徐公之所易也。或問欽：徐公當武帝時，人以爲通，自在涼州及還京師，人以爲介，何也？欽曰：往者毛孝先、崔季珪用事，貴清素之士，于時皆變易車服，以求名高。而徐公不改其常，故人以爲通。比來天下奢靡，轉相倣效，而徐公雅尚自若，不與俗同，故前日之通，今日之介也。是世人之無常，而徐公有常也。御覽二百四十五亦引之，公羊序見春秋疏。

盧浮：相風賦

佚

浮事蹟詳先賢傳，相風賦見御覽七十四。

盧諶：雜祭法六卷隋志

存輯本玉函山房本

諶事蹟詳先賢傳。案隋書經籍志禮類注載其目，已在亡書之列。新唐書藝文志史部儀注類復以六卷著録，蓋唐時蒐羅得之也。今藝文類聚、北堂書鈔、初學記、御覽等書引之，其記祭品以類詮次，可與周官籩人、醢人諸職參觀古今之變，亦考典禮者所宜會通也。

莊子注

佚

隋志未著録，見晉書本傳。

集十卷隋志　舊唐志十卷

佚

今存感運賦，見類聚三。朝霞賦，見御覽八百九。登鄴臺賦，見類聚六十二。觀獵賦，見書鈔一百五十八。征艱賦，見水經河水五注，又洞過水注，又淇水注，又清漳水注。菊花賦，見類聚八十一，又初學二十七。朝華賦，見類聚八十九，又初學二。鸚鵡賦，見類聚九十一。燕賦，見類聚九十二。蟋蟀賦，見類聚九十七，又御覽九百四十九。理劉司空表，見劉琨傳，又類聚五十四。與司空劉琨書，見文選。尚書武强侯盧府君誄，見類聚四十八。太尉劉公誄，見類聚四十六。

諶别傳

佚

見三國志注引。

張華：博物志十篇晉書本傳隋志十卷　新舊唐志十卷　宋志十卷　四庫全書總目十卷

存黄丕烈士禮居刊本周心如補遺二卷

華事蹟詳先賢傳。此書大略撮取載籍所爲，故自來目録皆入之雜家，其體例之獨創者，則隨所撮取之書，分别部居，不相雜厠。如卷首括地象、畢方，繼以考靈耀是也。以下雖不能條舉所出，然列子、山海經、逸周書等皆顯然可驗。今本强立門類，割裂遷就，遂使蕩析離居，失其指趣，致爲巨謬矣。王嘉拾遺記稱：華好觀秘異圖緯之部，捃采天下遺逸，自書契之始，考驗神怪及世間閭里所説，造博物志四百卷，奏於武帝。亦可爲刺取羣書之證。宋裴松之注三國志，多引博物志；而陳泰、鍾會傳注又引博物記。考其所引，與志皆合。梁劉昭注後漢志，亦採博物記，所云河東少有名人及糜畯事，具見志中，似爲一書。後魏酈道元注水經，唐太子賢注後漢書，李善注文選，多述博物志，未有稱爲記者。宋太平御覽摭拾羣書至一千六百餘種，引博物志最詳，亦無引博物記者。宋周草窗稱博物記秦漢古書，爲唐蒙所造，茂先增改爲志。又謂爲記，未知何本。按後漢郡國志魚泣津注：塹鑿之迹今存，昔唐蒙所造，下接引博物記，或草窗以此誤爲唐蒙所造耶？楊慎丹鉛録，踵草窗之誤，更無容辨。浦江周心如刺郡國志、御覽、類聚等書所引出今本外者，攟集二卷，頗爲完備。

雜記一卷

佚

隋志云，梁有五卷。

雜記十一卷

佚

隋志云，與博物志相似，小小不同，疑是一書。

感應類從志

存

舊題張華撰。

列異傳三卷

佚

隋志未著録，見新唐志小説類。

異物評一卷

佚

隋唐志未著録，見宋志地理類。

神異經注一卷

存龍威秘書本

隋志地理家神異經一卷，東方朔撰，張華注。唐志未著録。

師曠禽經注一卷

未見

隋志未著録，見宋志小説類，世善堂書目尚有之。

小象賦一卷

佚

隋志未著録，見宋志天文類，案通志又有小象千字詩一卷。

乾象録一卷

佚

隋志未著録，見宋志天文類。

三家星歌一卷

佚

隋志未著録，見宋志天文類。

三鑑靈書三卷

佚

隋、唐志未著録，見宋志五行類。案此等疑皆僞託也。

集十卷録一卷隋志

佚

唐志集二卷，宋志集二卷，又詩一卷，已非唐舊。今存廢楊太后議、報雷焕書，見本傳。

永懷賦，見類聚十八，又書鈔一百五十六。歸田賦，見類聚三十六。朽社賦，見類聚三十九，又御覽五百三十二。感婚賦并序，見類聚四十，又初學十相。風賦并序，見類聚六十八。鷦鷯賦并序，見文選，又類聚九十二。王公上壽酒食舉樂歌詩表，見宋書樂志一，又通典一百四十一，又隋書音樂志。晉文王謚議，見類聚四十。封禪議六奏，見宋書禮志三。移書太常薦成公綏，見御覽六百三十二。與褚陶書，見世説賞譽篇注。答某書，見淳化閣帖二。甲乙問，見禮志中。博物誌序，見博物誌。地理讃，見博物志一。大司農箴，見類聚四十九，又初學十二。尚書令箴，見初學十一，又類聚四十八。女史箴，見文選，又御覽一百三十五，又類聚十五，又初學十。杖箴，見書鈔一百三十三。倚几銘，見書鈔一百三十三，又御覽七百十。席前左端銘、席前右端銘，見書鈔一百三十三。章懷皇后誄，見類聚十五。烈文先生鮑玄泰誄，見類聚三十七。魏劉驃騎誄，見類聚四十八。武帝哀策文，見類聚十五。縱横篇，見御覽四百六十四。張溥本瓌材枕賦及箴，爲張紘作，豆羹賦爲張翰作，皆誤編入。

宋

業遵：禮記注十二卷

佚

經典釋文云，遵字長孺，燕人，奉朝請。

梁

張緬：晉書鈔三十卷隋志

佚

緬事蹟詳先賢傳。案梁書張緬傳：緬鈔晉書衆家異同，爲晉鈔三十卷。北齊書宋顯傳曰：後魏時，張緬晉書未入國史。史通雜説曰：臧氏晉書稱苻堅之僭號也，雖疆宇狹於石虎，至於人物則過之。張勔勔字疑誤。抄撮晉史，不求異同，而備揭此言，不從沙汰。唐志，卷同。

後漢略二十五卷 隋志

佚

案梁書本傳云：緬爲後漢紀三十卷。隋書作後漢略二十五卷，入之雜史。次張温三史略之下。袁宏、張璠兩後漢紀則入古史，體例迥殊。今從隋志著録，唐志作後漢書略二十五卷，編年類。又有緬後漢略二十七卷，自是重出。太平御覽州郡部，閬州古有隆城堅險，因置隆州，尋又立盤龍郡，以郡中盤龍山爲名。此題後漢要略。一作後魏，魏字疑誤。人事部，馬騰，扶風馬援後也，長八尺餘，身體洪大而性質厚，人多敬之。此題後漢典略。皆不著張緬名。

集五卷

佚

隋唐志未著録，今存答釋法雲書、難范縝神滅論。見宏明集。

鈔江左集

佚

梁書本傳云：未成。

張綰集十一卷 隋志 唐志十卷

佚

緡事蹟詳先賢傳。案隋志，十一卷，蓋録一卷别數，今存龍樓寺碑，見類聚七十六。

張纘：鴻寶一百卷梁書本傳 隋志十卷

佚

纘事蹟詳雜人傳。梁書本傳云：纘好學，兄緬有書萬餘卷，披讀不輟。秘書郎有四員，宋、齊以來爲甲族起家之選，待次入補，其居職，例數十日便遷。纘固求不徙，欲遍觀閣内圖籍。嘗執四庫書目曰：若讀此畢，南史列傳嘗作帝，若作君，疑誤。可言優仕矣。如此三載方遷。隋書雜家類，鴻寶十卷，不著撰人。

算經異義一卷

佚

見隋志曆數類。

集二十卷隋志十一卷 唐志十卷

佚

隋志，十一卷。唐志，十卷。宋志未著録。南征賦，讓尚書僕射表，均見本傳。詔湘東王書，見本傳，又周書蕭詧傳，又河東王譽傳。秋雨賦，見類聚二。離别賦并序，見類聚三十，又初學十八。懷音賦并序，見類聚三十一。妒婦賦，見類聚三十五。瓜賦，見類聚八十七。擬若有人兮，見類聚五十六。讓吏部尚書表，見類聚四十八，又初學十一。謝東宫賚園啟。見類聚六十五。謝皇太子賚果然褥啟，見類聚九十五。與陸雲公、叔褱兄、晏子書，見陸雲公傳。丁貴嬪哀策文，見高祖丁貴嬪傳。故左民尚書忠子沈憎旻墓誌銘，見類聚四十八。中書令蕭子顯墓誌銘，見類聚二十八。

魏

盧元：韜珠秘訣一卷

佚

元事蹟詳先賢傳，案此書隋志未著録，見宋兵書類。

盧道將：文筆數十篇

佚

道將事蹟詳先賢傳。魏書附盧元傳云：道將涉獵經史，風氣謇諤，頗有文才，爲一家後來之冠。所爲文筆數十篇。

平恒：略注百餘篇

佚

恒事蹟詳先賢傳。魏書儒林傳：恒耽勤讀誦，多通博聞。自周以降，暨於魏世，帝王傳代之由，貴臣升降之緒，皆撰録品第，商略是非，號曰略注，合百餘篇。好事者覽之，咸以爲善焉。

佚

梁祚：魏國統二十卷隋志

祚事蹟詳僑寓傳。後魏書儒林傳，梁祚撰，并陳壽三國志，名曰國統。世説容止篇注，初學記人部、文部，御覽兵部、人事部、四夷部，共引梁祚魏國統十三事。新唐志作魏書國紀，書字誤增，紀宜作統；舊唐志作國紀，脱魏字，皆十卷，入編年類。通志略作魏國紀，誤認爲後魏，遂與盧彥卿後魏紀、元行沖魏典並列。

代都賦

佚

見魏書儒林傳。

高閭：燕志十卷隋志　新唐志十卷　舊唐志十卷，無撰人名

佚

閭事蹟詳先賢傳。志記馮跋事。初學記居處部，太平御覽天部、兵部、人事部，引高閭燕志。舊唐志編年類，有燕志十卷，無撰名。

集三十卷隋志

佚

北史作四十卷。魏書本傳：閭文章富逸，爲顯祖所知，命造鹿苑頌、北伐碑，顯祖善之。文明太后重閭，詔令書檄、碑銘贊頌，皆其文也。胡叟傳：閭作宣命賦，叟爲之序，均亡。惟諫討淮北表、議斷禄表、請築長城表、應詔陳損益表、諫應曹虎表、論淮南不應留戍表、至德頌并表，均見本傳。請使公孫崇，韓顯宗參知音律表，見律曆志。請裁鄴中密后廟應罷應新表，見禮志一。對詔議祫禘，見禮志一，又通典五十六。宗議、五德議，見禮志一。既葬卽吉議，見通典八十。濟陰太守魏悦頌德碑并序，見列女房氏傳。

盧道虔：難喪服集記

佚

道虔事蹟詳雜人傳。北史附盧元傳：道虔好禮學，難齊尚書王儉喪服集記，七十餘條。

盧元明：嵩山記

佚

元明事蹟詳雜人傳，隋志未著録。太平寰宇記河南道，引盧元明嵩山記。水經注禹貢山水釋地、文選洛神賦注，並引嵩高山記，不著撰名。

史子新論

佚

魏書附盧元傳。性好元理，作史子新論數十篇。

集十七卷隋志　唐志六卷

佚

魏書本傳有幽居賦，亡。今存劇鼠賦，見初學記二十七。嵩高山廟記，見隋書崔廓傳。

陽氏譜

佚

無撰人名氏，隋志未著録。水經鮑邱水注陽氏譜叙曰：翁伯是周景王之孫，食采陽樊。春秋之末，爰宅無終而易氏焉。愛仁博施，天祚玉田。按鄧名世古今姓氏書辨證云：陽氏世居無終，今薊州地，陽裕、陽尼皆其族也。酈道元注已見是譜，故次於水經注之前。

酈道元：水經注四十卷隋志　新舊唐志四十卷　宋志四十卷　四庫總目四十卷存武英殿聚珍本　戴震校本　趙一清注釋本

道元事蹟詳先賢傳。水經，桑欽撰，道元爲之注，繁稱博引，淵雅宏通，雖于禹之故道不能一一追溯，而漢、晉以後原委畢悉，尤詳于陂塘堤堰之屬，固有用之書也。所苦唐以後無完書，據崇文總目，則館閣所儲本，亦衹三十五卷。據元祐無名氏跋，則蜀本且衹三十卷。是以歐陽兖公尚未見四十卷之著録，及何聖從本幸復其舊，然已云：篇帙不無小失，而以太平寰宇記諸書校之，則逸文之不見于今本者，不下數百條。趙一清云：唐六典，桑欽水經所引，天下之水百三十七，江河在焉。王應麟玉海云：自河水至斤江水，河、漯、汾、澮、涑、文、原、洞、晉、湛、濟、清、沁、淇、蕩、洹、漳、易、滱、聖、巨馬、濕、沽、鮑邱、濡、遼、貝、洛、穀、甘、漆、滻、沮、渭、漾、丹、汝、潁、洧、潩、潧、陰、汳、睢、瓠子、汶、泗、沂、沭、洋、淄、汶、濰、膠、沔、潛、湍、均、粉、白沘、淮、澺、淯、灃、瀷、溳、潕、溳、漻、蘄、決、沘、泄、肥、施、沮、漳、夏、羌、涪、潼、涔、江、青衣、桓、若、沬、延江、沅酉、存、温、淹、葉榆、夷、油、澧、沅、浪、資、漣、湘、灕、溱、匯、深、鍾、耒、洣、漉、瀏、潩、贛、廬、漸江、斤江，非經水常流在記注之限，末卷載禹貢山水澤地所在，凡六十。深甯曳所記水經之目與今本不殊，以原公爲原，洞渦爲洞，陰溝爲陰，則其所省也。以梓潼爲潼，廬江爲廬，舊本之脱耳。以㶟水爲濕水，瀘水爲沮水，施水爲袘水，洭水爲滙水，寖水爲深水，皆誤文也。經水凡百十六，較唐六典少二十一篇，證以本注及雜採他籍，得滏、洺、滹沱、泒、滋、伊、瀍、澗、洛、豐、涇、汭、渠獲、洙、滁、日南、弱、黑、十八水，而㶟下當有㶟餘、清濁漳、大小遼原分爲二，删去無注無名之沅酉水，合一百三十七水，與唐六典數合也。畢沅序云：嘗疑唐宋諸人所引水經注，不盡出于道元。蓋郭璞三卷之著，杜佑以爲疏略，則必嘗親見之。即如李唐一朝，陸禋既曾續水經，李吉甫又嘗删水經矣。以是推之，注水經者不止道元一人。則諸書所引之水經注，亦不必均據酈書以校其同異。曾歷詢爲地理之學者，頗以爲然。道元之注，足以補經史之闕。趙一清之釋，又足補道元之譌。拾遺糾繆，交推旁通，是書至是，始有定本矣。

本志三篇

佚

隋志未著録，見北史本傳。

七聘

佚

隋書未著録，北史本傳：又爲七聘及諸文，皆行於世。

酈惲：代書

佚

惲事蹟詳先賢傳。魏書本傳：所作文章頗行於世，撰慕容氏書，不成。

陽尼：字釋數十篇

佚

尼事蹟詳先賢傳。魏書本傳：家有書數千卷，所造字釋數十篇，未就而卒。隋志未著録。

陽承慶：字統二十卷

存輯本玉函山房輯佚書本

承慶事蹟詳先賢傳。魏書陽尼坿傳：承慶撰字統二十卷。隋志字統作二十一卷，楊承慶撰。陽誤楊，多一卷者，録別數也。馬國翰據玉篇、廣韻、一切經音義、龍龕手鑑，輯成一卷，以爲齊梁間人，誤。其説衍字云：水朝宗于海，故從水、行。窊字云：懶人不能自起，瓜瓠在地，不能自立，故字从瓜，又懶人恒在室中，故从穴。便字云：人有不善，更之則安，故从更，从人。規字云：丈夫識用必合規矩，故規從夫也。銓解字義，新而不詭於理。王荆公字説，藍本於此，然不及其確當也。

陽固集三卷 隋志 新舊唐志三卷

佚

固事蹟詳先賢傳。魏書陽尼附傳，有南北二都賦，稱恒、代田漁聲樂侈靡之事，節以中京禮儀之式，因以諷諫。著演頤賦，以明幽微通塞之事。又作刺讒、疾嬖幸詩，均無可考。今演頤賦、上讜言表，見本傳。

盧觀：廟制議

佚

觀事蹟詳先賢傳。此書見隋書禮志。

北齊

盧景裕：周易注

佚

景裕事蹟詳先賢傳。魏書儒林傳：少聰敏，專經爲學，居拒馬河，將一老婢作食，妻子不自隨從。又避地大甯山，不營世事，居無所業，惟在注解，注周易、尚書、孝經、論語、禮記、老子。所注易，大行於時。又好釋氏，通其大義，天竺胡沙門道憍每論諸經論，輒託景裕爲之序。隋志未著録。

尚書注

佚

隋志未著録。

禮記注

佚

隋志未著録。

孝經注

佚

隋志未著録。

老子注

佚

隋志道家：老子道德經二卷，盧景裕撰。撰當作注。新唐志道家類：盧景裕、梁曠等注二卷。

毛詩注

佚

本傳云：未訖。

春秋左氏注

佚

本傳云：未訖。

李廣集十卷

佚

廣事蹟詳先賢傳。北齊書本傳：廣博涉羣書，以文章著，曾薦畢義雲於崔暹。廣卒後，義雲集其文筆十卷，北史作七。託魏收爲之序。

盧宗道：魏書音義一卷

佚

宗道事蹟詳鑒誡傳。此書見宋史藝文志。

盧詢祖集十卷

佚

詢祖事蹟詳先賢傳。隋志未著録。今存築長城賦，見北齊書盧文偉坿傳。破蠕蠕賀表，見北史盧觀坿傳。

盧叔武：平西策一卷魏書作叔虔，北史作叔彪。

佚

叔武事蹟詳先賢傳。北齊書本傳：叔武勸討關西，畫地陳兵勢，曰：我强彼弱，我富彼貧，其勢相懸；然干戈不息，不能并吞者，此失於不用强富也。輕兵野戰，勝負難必，是胡騎之法，非萬全之術也。宜立重鎮於平陽，與彼蒲州相對，深溝高壘，運糧積甲。彼閉關不出，則稍蠶食其河東之地，日使窮蹙。若彼出兵，非十萬以上不足爲我敵，所損糧食，咸出關中。我軍士年別一代，穀食豐饒。彼來求戰，我則不應；彼若退去，我乘其弊。自長安以西，民疎城遠，敵兵來往，實自艱難。與我相持，農業且廢，不過三年，彼自破矣。帝深納之。又願自居平陽，成此謀略，帝命元文遥與叔武參謀。撰平西策一卷，隋志未著録。

盧懷仁：中表實録二十卷

佚

懷仁事蹟詳先賢傳。此書見北齊書本傳，蓋永元中表簿之類。

詩賦銘頌二萬餘言

佚

見北齊書本傳。

陽休之：韻略一卷隋志　唐志一卷

存輯本玉函山房本

馬國翰輯廣韻文選注，一切經音義，輯成一卷。

辨嫌音一卷

佚

見新唐志。

幽州人物志詳紀録順天事之書

古今人物記□卷

未見

見世善堂書目。

聖壽堂御覽三百六十卷隋志

佚

隋志無撰人名氏。北齊書本傳：武平三年，與朝士撰聖壽堂御覽。玉海云：陽休之取芳林編略，加十六國春秋、六經拾遺録、魏史，爲玄洲苑御覽，後改爲聖壽堂。祖珽等又改爲修文殿，上之。陳振孫書録云：聖壽者，齊後主所居。

集三十卷新書志三十卷　舊書志二十卷

佚

隋志未著録，唐志有之，今存陶潛集序録，見宋本陶集。

陽俊之：文集十卷

佚

隋志未著録。案北史，休之子俊之位兼通直常侍，聘陳副尚書郎。當文襄時，多作六言，歌辭淫蕩而拙，世俗流傳，名爲陽五伴侣，寫而賣之，在市不絶。俊之嘗過市，取而改之，言其字誤。賣書者曰：陽五，古之賢人，作此伴侣，君何所知，輕敢議論？俊之大喜。後待詔文林館，自言有文集十卷，家兄亦不知吾是才士也。

陽昭集十卷

佚

昭事蹟詳先賢傳，此集隋志未著録，見北史附傳。

北周

盧柔：詩頌碑銘檄表啓數十篇

佚

柔事蹟詳先賢傳。周書薛寘傳云：柔學業優深，文藻華贍，所作詩頌碑銘檄表啓行於世者數十篇。見周書列傳。

盧辯大戴禮注

存雅雨堂本

隋志未著録，注中亦未題姓名。朱子引明堂之説，二九四、七五三、六一八，鄭注白法龜文以注爲康成作，惟王伯厚指爲辯注。按注中引康成、譙周、孫炎、宋均、王肅、范甯、郭象及楊孚異物志，皆魏晉儒者之言，其爲辯注甚明。

墳典三十卷

佚

見隋志周書本傳，云辯依周禮，建六官，置公、卿、大夫、士，并撰次朝儀車服器用，多依古禮，革漢魏之法，事並施行。今存爲安定公告諭公卿。見梅氏文紀。

稱謂五卷

佚

見隋志。

祀典五卷

佚

隋志未著録，見新唐書藝文志。

盧光：道德經章句

佚

光事蹟詳先賢傳。周書列傳：光性崇佛道，又好元言，撰道德經章句行於世。

隋

盧思道：西征記

佚

思道事蹟詳先賢傳。太平寰宇記河北道引盧思道西征記，隋志未著録。

知己傳一卷（隋志　唐志一卷）

未見

胡應麟甲乙剩言曰：余從都下得隋盧思道知己傳二卷，上自伊尹，下至六代，由君相、父子、妻子、友朋以及鬼神、禽畜，涉於知己者，皆録。第諸葛孔明與先主最相知，以爲有君自取之一語，爲大不知己，不録，蓋有激乎其言之也。按此，則是書明時尚存，宋史志不録。

集三十卷（隋志　荃孫按：北史二十卷　新書志二十卷）

佚

案隋書本傳：文宣帝崩，當朝文士各作挽歌十首，擇其善者用之。魏收、陽休之、祖孝徵等不過得三首，唯思道獨得八首。故時人稱爲八米（米應作采。）盧郎。今案：孤鴻賦、奏大理未可除，均見本傳。勞生論見本傳，又英華七百五十八。納涼賦，見初學三。在齊爲百官賀甘露表，見初學二。爲隋檄陳文，見英華六百四十六。爲高僕射與司馬消難書，見英華六百八十三。北齊興亡論，見英華七百五十一。後周興亡論，見英華七百八十一。從駕大慈照寺詩序，見廣弘明集三十下。盧記室誄，見英華八百四十二。祭灤湖文，見初學七。遼陽山寺願文，見廣弘明集二十八上。

盧彦卿：後魏紀二十卷

佚

彦卿事蹟詳先賢傳。此書隋志未著録，新唐志作三十三卷。

榮建緒：齊紀三十卷

佚

建緒事蹟詳先賢傳：榮毗傳。按此書，隋志不著録。唐志編年類有北齊紀二十卷，無撰名，列王邵北齊志之前，疑即其書，惟卷數不符。考杜臺卿傳，亦言著齊紀二十卷。章宗源隋書經籍志考證，以唐志所列爲臺卿撰，雖卷數相符，然究未詳孰是也。

盧賁：樂書

佚

賁事蹟詳鑒戒傳。通典云：賁撰著樂書，爲當時所用。隋書本傳：賁以古樂宫懸七八，損益不同，歷代通儒，議無定準，於是上表曰：殷人以上，通用五音。周武克殷，得鶉火、天駟之應，其音用七。漢興，加應鍾，故十六枚而在一簴。鄭元注周禮，二八十六簴，此則七八之義，其來遠矣。然世有沿革，用捨不同，至周武帝，復改懸七，以林鍾爲宫。夫樂者治之本，移風易俗，所以動天地，感鬼神，情發於中，治亂斯應。周武以林鍾爲宮，蓋將亡之徵也。且林鍾之管，即黄鍾下生之義。黄鍾，君也，而生於臣，明爲王家九五之應，又陰者臣也，而居君位，更顯國家登極之祥，斯實冥數相符，非關人事。臣聞五帝不相沿樂，三王不相襲禮，此蓋隨時改制而不失雅正者也。上竟從之。即改七懸八，以黄鍾爲宮，詔與儀同楊慶和删定周齊音律。

唐

盧照鄰：幽憂子三卷卷數據全唐詩小傳

佚

照鄰事蹟詳先賢傳。唐志未著録。按朝野僉載：照鄰著幽憂子在文集之外。晁公武讀書志列盧照鄰幽憂子集，謂幽憂子乃照鄰之自號，合集爲一，恐誤。

集二十卷唐志　宋志十卷　四庫總目七卷

存七卷項刻四傑集本

舊書文苑傳文集二十卷，志同。宋志十卷，今存七卷，則其散佚者已多。又窮魚賦序稱：嘗思報德，故冠之篇首。則照鄰自編之集，當以是賦爲第一，而此本列秋霖、馴鳶二賦後，其與在朝諸賢書，亦非完本，知由後人掇拾而成，非其舊帙矣。

盧藏用：春秋後語十卷

佚

藏用事蹟詳雜人傳，此書見新書志春秋類。

子書要略一卷

佚

見新書志雜家類。

老子注二卷

佚

見新書志道家類。

注莊子内外篇十二卷

佚

見新書志道家類。

集二十卷

佚

舊書本傳作二十卷，志同，宋志未著録，今存爲姚大夫請致仕歸侍表、諫營興泰宫疏、答毛傑書、右拾遺陳子昂文集序、衡嶽十八高僧序、析滯論、弔紀信文、紀信碑、紀信碑陰、景星寺碑銘、太子少傅蘇瓌神道碑、陳子昂別傳、祭拾遺陳公文，見全唐文二百三十八。

張懷瓘：書祖一卷

佚

懷瓘事蹟詳先賢傳，此書見宋史藝文志。

書法藥石論一卷

佚

見同上。

六體論一卷

佚

見同上。

書斷三卷

存

所録皆古今書體及能書人名，上卷列古文、大篆、籀文、小篆、八分、隸書、章草、行書、飛白、草書十體，各述其源流，系之以贊，末爲總論一篇。中卷、下卷分神、妙、能三品，每品各以體分，凡神品二十五人，除各體重複得十二人，妙品九十八人，除各體重複得三十九人，能品一百七人，除各體重複得三十五人。前列姓名，後爲小傳，傳中附録又三十八人。其紀述頗詳，評論亦允。張彥遠法書要録全載其文，蓋當代以爲精鑒矣。

評書藥石論一卷

佚

見宋史藝文志。

平貞眘孝經義

佚

唐志孝經類云卷亡。

河南巡察記十卷

佚

唐志未著録，見張説平君神道碑。

養德傳一篇

佚

見唐志雜傳記類，云卷亡。

淳孝傳一篇

佚

唐志未著録，見神道碑。

友悌傳

佚

唐志未著録，見神道碑。

先君親友傳十卷

佚

唐志未著録，見神道碑。

家譜十卷

佚

唐志未著録，見神道碑。

家誌十卷

佚

唐志未著録，見神道碑。

集十卷

佚

唐志未著録，見神道碑。

鮮于向：坤樞十卷

佚

向，漁陽人，字仲通，以字行，以鄉貢進士仕至京兆尹。此書見顔真卿鮮于公神道碑銘。

文集十卷

佚

見同上。

盧鴻：嵩嶽記一卷

佚

鴻事蹟詳先賢傳，此書見宋志地理類。寰宇記三引盧氏嵩山記，乃盧元明撰，非此書。

華山記一卷

佚

見宋志地理類。御覽四十九，寰宇記二十九引之。

衡山記一卷

佚

見宋志地理類。

峨眉山記一卷

佚

見宋志地理類。王象之輿地紀勝一百四十六引本山記云，其山周匝千里，有石龕一百一十二，大洞一十二，小洞一十八，南北有臺五，六寺一觀，卽此書。

詩一卷

存全唐詩本

唐志不著録，今全唐詩中得詩十首爲一卷。

帥夜光：三玄異義三十卷

佚

見新志道家類注。夜光，幽州人，開元二十年上授校書郎，直國子監。

楊氏天寶回文詩

佚

書影：范陽盧氏母楊氏撰天寶迴文詩，凡八百十二字，循環無端，若寒暑之遞遷，應變無方，謂陰陽之不測。

盧重元：列子注八卷四庫未收書目八卷

存秦恩復刊本

按宰相世系表，范陽人，官司勳郎中，爲思道元孫。是編唐宋藝文志皆未著録。鄭樵通志、焦竑經籍志始見其目。此則從道藏中，和光散人高守元冲虚至德真經四解之内録出發刊。依張湛注分卷，足以羽翼湛注，卽所徵引各籍，亦多與古本相同。惟楊朱一篇，注佚其半，惜無别本可補耳。

夢書四卷

佚

見新志小説類，注：開元時人。

盧綸集十卷唐志　宋志一卷

存

綸事蹟詳先賢傳。新唐書本傳：憲宗詔中書舍人張仲素訪集遺文，遣中人悉索家笥，得詩五百篇、新書志十卷。晁公武讀書志：僅存一卷，散失已久。今全唐詩編五卷。

盧景亮：三足記

佚

景亮事蹟詳先賢傳。新書本傳云：景亮善屬文，根於忠仁，有經國志，嘗謂人君足食足兵，而又得士，天下可爲也。乃興軒、頊以來至唐，劉治道之要，著上下篇，號三足記。又作答問，言輓運大較，及陳西戎利害，指切當世，公卿伏其達古今云。

盧宏宣：家祭儀

佚

宏宣事蹟詳先賢傳。新書本傳：宏宣患士庶人家祭無定儀，乃合十二家法，損益其當次以爲書。

盧宏正：昭義軍别録一卷

佚

宏正事蹟詳先賢傳。此書唐志未著録，見宋志小説類。

張南史：詩一卷唐志

存

按：南史字季直，幽州人。好奕棊，其後折節讀書，遂入詩境。以試參軍，避亂居揚州，再召未赴而卒。詩一卷。

盧仝集一卷唐志　宋志一卷

存席氏百家詩本　全唐詩本

新書志別集類：玉川子詩一卷。按晁公武讀書志云：仝，范陽人，隱少室山，號玉川子，徵諫議，不起。唐史稱：韓愈爲河南令，愛其詩，厚禮之，嘗作月蝕詩以譏元和逆黨。愈稱其工。按其詩云，元和庚寅。蓋五年也。憲宗遇弑在十五年，後十歲也，豈追託庚寅歲事爲詩乎？不然，則史誣也。後死于甘露之禍。今全唐詩編成三卷。

嘯旨一卷

佚

見通志藝文略，云玉川子作。

賈島：長江集十卷唐志　宋志一卷

存

島事蹟詳先賢傳。按晁公武讀書志：唐賈島浪仙詩，共三百七十九首，今存四卷三百七十八首，僅佚其一，蓋猶舊本。唐音統簽載：島送無可上人詩：獨行潭底影，數息樹邊身二句之下，自注一絶云：二句三年得，一吟雙淚流。知音如不賞，歸卧故山秋。晁氏其併此數之下爲三百七十九耶？

小集三卷

佚

見唐志別集類。按宋志云：賈島小集八卷，又賈島詩一卷。多寡不侔，疑有誤。

僧無可集一卷

存全唐詩分二卷

無可，范陽人，姓賈氏，島從弟，居天仙寺。詩名亦與島齊。集一卷。今全唐詩編爲二卷。

慕容宗本：五經類語十卷

佚

見新唐志經解類注。宗本字泰初，幽州人，大中時。

劉蕡：策一卷新書志

存

蕡事蹟詳先賢傳。按唐摭言：太和二年，裴休等二十三人登制科時，劉蕡對策萬餘字，深究治亂之本，又多引春秋大義，雖公孫弘、董仲舒不能肩也。自休已下，靡不斂衽。然亦指斥貴幸，不顧忌諱，有司知而不取。時登科人李郃詣闕進疏，請以己之所得易劉之所失。疏奏留中。蕡期月之間，屈聲播於天下。

盧求：成都記五卷

佚

按宰相世系表，求，范陽别族，西川節度使白敏中從事成都記序云：大中六年四月，詔以丞相太原公有驅制羌戎之成績，由邠甯節度拜司徒同平章事。鎮蜀，蜀爲奥壤，領州十四，縣七十一，户百萬，兵士五萬。外疆接兩蕃，人性勁勇，易化以道，難誣以智。公至，以儉約帥之，以謹廉不伐臨之，以刑賞法制平治之，人歡且舞，旦夕詠公之德矣。先是，西蜀圖經甚備，朝野之士多寄聲寫録，主兹務者不勝其煩，遂盡削而潛焚之。長吏至，即據顯者集爲一軸以獻，繇是百不書一。大中八年，户曹參軍藺宏宗甚好學，且日覩司徒相國之異績，願付以傳示于後；然不以文自任，翦截疎長，蕪言不略。求受命相國乃屬于小子，令刊益之，且曰：不以淹徐疾速，歸於流布，以爲不朽之事。求受命震怖，又不欲以圖經爲目，乃搜訪編簡，自爲成都記五卷，經與圖之附益，願終宏宗之職，庶以此爲助也。宋王象之輿地碑記不載是書，其佚已矣。

襄陽故事十卷

佚

見宋志地理類。

湘中記一卷

佚

見宋志地理類。御覽引湘中記，乃羅含傳，非此書。

金剛經報應記三卷

佚

見宋史釋道類。

盧獻卿：愍征賦一卷

佚

見新書志別集類。按孟棨本事詩：范陽盧獻卿，大中中舉進士，詞藻爲同流所推。作愍征賦數千言，時人以爲庾子山哀江南之亞。諫議大夫司空圖爲之注。

僧利正：長慶人事軍律三卷

佚

見新志兵書類。僧，燕人。

盧若虚：南宫故事三十卷

佚

若虚事蹟詳先賢傳，此書見新志故事類，宋志未著録。

盧光啓：初舉子一卷唐志　宋志一卷

佚

光啓，范陽人。此書見唐志小説類。

盧鋌：武成王廟十哲讃一卷

佚

見新志别集類。按宰相世系表：鋌，尚之後，范陽人。

李景略：南燕梁翰二十卷

佚

景略事蹟詳先賢傳。按此書唐志未著録，見宋志别集類。

高駢：性箴金液頌一卷

未見

駢事蹟詳鑒誡傳。見宋志神仙家類。

集三卷宋志

佚

唐志未著録，見宋志别集類，與詩分列。今全唐文中存請築羅城表、築羅城成表、請開本州海路表、請勒迴長武鄜州河東兵士赴劍南奏、回雲南牒，五篇。

詩一卷唐志　宋志一卷

存

今全唐詩中尚編一卷，然非宋志之舊。

張直方：打毬儀一卷

佚

直方事蹟詳鑒誡傳。此書唐志未著録，見宋志儀注類。

盧僎：家範一卷

佚

盧僎見唐宰相世系表。此書唐志未著録，見宋志儀注類。

盧播：侯真人傳一卷

未見

播見唐宰相世系表。此書見宋志神仙家類。

盧臧：范陽家志一卷

佚

唐志未著録，亦不著何時人。然盧氏家世范陽，臧必其族人也。

邊洞元：升天記一卷

未見

洞元事蹟詳釋道傳。此書見通志藝文略。

後唐

趙鳳：唐懿祖紀年録一卷宋志

佚

鳳事蹟詳先賢傳。按五代會要：四年七月，監修國史趙鳳奏：奉勅修懿祖、獻祖、太祖、莊宗四帝實録，自今年六月一日起手，旋具進呈。伏以凡關纂述，務合品題，承乾御宇之君，行事方云實録，追尊册號之帝，約文祇可紀年。所修前件史書，今欲自莊宗一朝名爲實録，其太祖以上，並自爲紀年録。從之。見宋志編年類。

唐獻祖紀年録一卷宋志

佚

見上。又宋志編年録。

唐太祖紀年録

佚

見上，宋志未著録，無卷數可考。

唐莊宗實録三十卷

佚

見上。又宋志編年類。

周

扈載集十卷

佚

載事蹟詳先賢傳。載文章以辭多自喜，常次歷代有國廢興治亂之迹，爲運源賦，甚詳。又因遊相國寺，見庭竹可愛，作碧鮮賦，題其壁。兩賦亦亡。宋志未著録。今全唐文存景範墓志銘一篇。

南唐

高越：舍利塔記一卷

佚

越事蹟詳先賢傳。按吴任臣十國春秋注云：越好釋氏，著有舍利塔記一卷。

高遠：南唐烈祖實録二十卷世善堂書目作三十卷

佚

遠事蹟詳先賢傳。此書見宋志編年類。陸游南唐書本傳云：遠自保大中預史事，始撰烈祖實録二十卷

吴録二十卷

佚

見宋志霸史類。按陸游南唐書遠傳云：與徐鉉、喬匡舜、潘佑共成吴録二十卷。

元宗實録十卷

佚

按唐餘紀傳云：編輯昇元以來故事，爲一家之言。

潘佑：滎陽集二十卷

佚

佑事蹟詳先賢傳。佑集見宋志。今全唐文存上後主疏、爲李後主與南漢後主兩書、贈別四篇。

後蜀

盧延讓詩集一卷宋志

存

延讓事蹟詳雜人傳。按北夢瑣言云：唐盧延讓業詩，二十五舉方登一第，卷中有句云：狐衝官道過，狗觸店門開。租庸張濬親見此事，每稱賞之。又有餓猫臨鼠穴，饞犬舐魚砧之句，爲成中令汭見賞。又有栗爆燒氈破，猫跳觸鼎翻句，爲王先主建所賞。盧謂人曰：平生投謁公卿，不意得力於猫兒狗子也。今全唐詩存一卷。

武進屠　寄校

藝文志三

光緒順天府志一百二十四

順天人著述二

江陰繆荃孫纂

宋

趙普：藝祖受禪録一卷

存

普事蹟詳先賢傳。舊本題宋趙普、曹彬同撰。記太祖初生及幼時事特詳，末云：先是，晉天福中，兩浙兒童聚戲，率以趙字爲語助，如得曰趙得，可曰趙可云云。亦侈陳符瑞之故智。帝王受命，自有本原，豈以小兆爲驗耶！

龍飛記一卷

存

是書作於建隆元年，記太祖受禪事。普時爲樞密學士，蓋太祖卽位之初也。然普既有受禪録，何以又爲此書？疑與受禪録皆後人所依託，以普及曹彬爲文武佐命，各假借其名耳。

奏議一卷

佚

見宋史藝文志別集類。

趙韓王集三卷

未見

世善堂書目有之。書録解題：韓王開國功臣，不以文著，而彗星、班師二疏，天下至今稱頌。

別傳一卷

佚

見宋藝文志傳記類，不知何人所撰。

竇儀：重詳定刑統三十卷，編敕四卷

未見

儀事蹟詳先賢傳。按玉海云：儀言周刑統科條繁浩，或有未明，請別加詳定，凡削出令式、宣敕一百九條，增入制敕十五條。又録律内餘條准此者，凡四十四條，附於各例之次，並目録成三十卷。取舊削去格令、宣敕及後來續降者，凡一百六十條，爲編敕四卷。通志藝文略作開寶刑統三十卷，宋朝建隆編敕四卷，亦見世善堂書目。

端揆集四十五卷

佚

見宋藝文志。

竇儼：周正樂一百二十卷

佚

儼事蹟詳先賢傳。按宋史本傳，周世宗詔儼考正雅樂，儼校鐘磬筦籥之數，辨清濁上下之節，復舉律吕旋相爲宫之法，迄今遵用。翰苑羣書云：世宗顯德五年冬，將立歲仗前一日，親至於樂懸之下，問雅音於工師，皆不能答。因令儼知太常卿事，與樞使王朴同詳定之。乃用古累黍之法，以審其度，造成律准，其形如琴而巨，凡十三弦，以定六律六吕旋相爲宫之義。世宗善之。是書蓋當時所作。宋藝文志作大周正樂八十八卷，卷數不同。

義訓十卷

佚

見宋史藝文志小學類。

集七十卷

佚

見宋史本傳。

東漢文類三十卷

佚

見宋史藝文志總集類。

趙上交集二十卷

佚

上交事蹟詳先賢傳。宋史本傳云：有集二十卷，張昭爲序。

扈蒙：六家謚法一卷

佚

蒙事蹟詳先賢傳。此書見文獻通考。

周世宗實録四十卷

佚

見書録解題。

周恭帝日曆三卷

佚

見通志藝文略編年類。

鼇山集二十卷

佚

按宋史本傳，蒙開寶中與李穆等同修五代史，詳定古今本草，自張昭、竇儀後，典章儀望皆所刊定。玉壺清話云：乾德九年正月，乾元殿受降王朝，蒙參定其議，有李朴請誅之制甚繁，具本文。蒙繼上聖功頌，次年將東封，又進御劄草。上愛之，批於紙尾奬之云：聖功頌及此文，無一字可議。

劉載文集

佚

載事蹟詳先賢傳。宋史列傳稱其好學，博通史傳，善屬文，嘗受詔撰明憲皇后謚册文，又作弔戰國賦萬餘言，嘗著五論，曰：爲君，爲相，爲將，去讒，納諫。頗爲文士所稱。大中祥符四年，其孫介以文集獻。

趙曮集十卷

佚

曮事蹟詳先賢傳。宋史本傳云：有集十卷，太宗嘗取以入内。

趙良嗣集

佚

良嗣事蹟詳鑒誡傳。按桯史云：余讀北遼遺事，見趙良嗣見王瓌使金，適攻遼上京，城破，有詩云：建國舊碑明月暗，興王故土野風乾。回頭笑謂王公子：騎馬隨軍上五鑾。良嗣其詩中所稱五鑾上京殿名，保機故巢。阿卽會甯，乃契丹所謂西樓者，實耶律氏之咸鎬、豐沛。良嗣世仕其國，身踐其朝，貴爲列卿，一旦决去，視宗國顛覆殊無禾黍之悲，反吟咏以志喜，良可慨也。縱有名篇，亦不足録，况僅爾爾耶！故良嗣自所爲集凡數十卷，時人皆唾去不視，蕩燬無收拾者。

竇漢卿：瘡瘍經驗全書十三卷

未見

卷首署燕山竇漢卿。以瘍醫行於宋慶曆、祥符間。曾治太子疾愈，封爲太師。所著有竇太師全書。宋史藝文志不載，僅有竇太師子午流注一卷，亦不詳竇爲何名。一人、二人？

無從攷證。

遼

耶律儼：皇朝實録七十卷

佚

儼事蹟詳雜人傳。修實録事載遼史，錢大昕元史藝文志載其結銜爲樞密院直學士。攷本傳，壽隆初爲是官，以母憂去，尋召復舊職。六年，遷知樞密院事，實録當修於是時。上遼史表云：耶律儼語多避忌，陳大任辭乏精詳。今閏考、朔考中，謂其以大明法追正乙未月朔，與陳大任紀時多牴牾，蓋遼史取裁於是録及大任書也。世善堂書目存四册。

室昉：統和實録二十卷

佚

昉事蹟詳先賢傳。按統和爲遼聖宗年號，實録進於統和四年，昉時爲北府宰相，同撰有翰林學士邢抱朴等。見千頃堂書目。按金門詔補三史藝文志載，室昉尚書無逸篇一卷，此進書規諫，非昉自撰，今不録。

馬得臣：唐三紀行事

佚

得臣事蹟詳先賢傳。金補三史藝文志云：聖宗時，馬得臣録唐高祖、太宗、元宗三紀行事可法者以進。

得臣詩

佚

見金補三史藝文志詩集類。按遼史本傳，稱其好學博古，善屬文，尤長於詩。

楊晳詩

佚

晳事蹟詳先賢傳。亦見金補三史藝文志詩集類。按遼史本傳云：幼通五經大義，聖宗聞其頴悟，召試詩。

楊佶：登瀛集五卷

佚

佶事蹟詳先賢傳。按遼史本傳云：遷翰林學士，文章號得體。宋遣梅詢賀千秋節，詔佶迎送，多唱酬。詢每見稱賞。是集見本傳、宋藝文志。

王鼎：焚椒録一卷

存

鼎事蹟詳先賢傳。是書紀道宗懿德皇后蕭氏爲宫婢單登搆陷事，前有大安五年自序，稱待罪可敦城，蓋謫居鎮州時也。王士禎居易録曰：契丹國志后妃傳，道宗蕭皇后本傳云：性恬寡欲，魯王宗元之亂，道宗同獵，未知音耗，后勒兵鎮帖中外，甚有聲稱。崩，葬祖州云云而已。焚椒録所紀，絶無一字及之。又録稱后爲南院樞密使惠之少女，而志云贈同平章事顯烈之女。志云勒兵，似嫻武略，而録言幼能誦詩，旁及經子，所載射虎、應制諸詩，及回心院詞，皆極工，而無一語及武事。且本紀道宗在位四十七年，改元者三，清甯、咸雍、壽昌，初無太康之號；而耶律乙辛密奏，太康元年十月云云，皆牴牾不合。按遼史道宗紀、宣懿皇后傳，均與焚椒録所紀同，蓋契丹志之疎耳。遼人書禁甚嚴，傳至中國者，法皆死。是書事涉宫闈，在當日益不敢宣布，宋人自無由而知。士禎又言，道宗無改元太康之號，考之遼史，道宗清甯十年，咸雍十年，太康十年，大安十年，壽隆六年，（國志作壽昌，與石刻合，此則遼史之誤。）宣懿之死，在太康二年，並無牴牾。契丹國志不載太康、太安，以咸雍爲三十年，士禎僅閲國志，未繙遼史，便疑此書，亦可謂失於目睫矣。

王鼎詩

佚

見金補三史藝文志詩集類。

僧行均：龍龕手鑑四卷

存 張丹鳴刊本

行均字廣濟，俗姓于氏。晁公武讀書志謂此書卷首僧智光序，題云：統和十五年丁酉七月一日。沈括夢溪筆談乃謂熙甯中有人自契丹得此書，入傅欽之家，蒲傳正取以刻版，其序末舊云重熙二年五月序，蒲公削去之云云。今案此書，卷首智光原序尚存，其紀年實作統和，不作重熙，與晁公武所説相合，知沈括誤記。又文獻通考載此書三卷，而此本實作四卷。智光原序亦稱四卷，則通考所載，顯然誤四爲三。殆皆隔越封疆，傳聞紀載，故不免失實歟？其書凡部首之字，以平上去入爲序，各部之字，復用四聲列之後。南宋李燾作説文五音韻譜，實用其例而小變之，每字之下必詳例正俗今古；及或作諸體，則又行均因唐顔元孫干禄字書之例而小變之者也。所録凡二萬六千四百三十餘字，註一十六萬三千一百七十餘字，并註總一十八萬九千六百一十餘字，於説文、玉篇之外，多所搜輯，雖行均尊其本教，每引中阿含經、賢愚經中諸字以補六書所未備；然不專以釋典爲主。沈括謂其集備書中字爲切韻訓詁，殊屬不然。不知括何以云爾也！括又謂：契丹書禁至嚴，傳入別國者，法皆死，故有遼一代之遺編、諸家著録者頗罕。此書雖頗參俗體，亦間有舛謁，然吉光片羽，幸而得存，固小學家所宜寶貴也。通志以爲智光作，蓋誤以作序之人爲撰書之人。

貞照：非濁往生集二十卷

佚

貞照事蹟詳釋道傳。是書見奉福寺萬勝陀羅尼石幢記。

劉海蟾：還金丹篇一卷

存

海蟾事蹟詳釋道傳。此書見道藏目録。

海蟾詩集一卷

佚

見通志藝文略，宋藝文志。

金

韓昉：集金源郡王完顔勖諫表

佚

昉事蹟詳先賢傳，此書見金補三史藝文志。

張斛：南游詩北歸詩

佚

斛字德容，漁陽人。仕宋爲武陵守。金索北歸，官秘書省著作郎。今全金詩存共十八首。

韓玉：元勳傳十卷

未見

玉事蹟詳先賢傳。是傳爲玉應詔而作。金史本傳：章宗歎曰：勳臣何幸，得此家作傳耶！見世善堂書目。

應制集

佚

見金補三史藝文志別集類。

東浦詞一卷

佚

見金補三史藝文志詞曲類。

呂貞幹：碣石志

佚

貞幹事蹟詳先賢傳。按中州集云：貞幹酷嗜書籍，著碣石志數十萬言，皆近代以來事蹟，幽隱譎怪，詼諧嘲評，無所不有。

劉中文集

佚

中事蹟詳先賢傳。此集見金門詔、盧文弨、錢大昕補三史藝文志別集類。按中州集云：中詩清便可喜，賦得楚辭句法，尤長于古文，典雅雄放，有韓柳氣象。

王鬱：王子小傳

存

鬱事蹟詳先賢傳。此傳載歸潛志中。

王鬱集

佚

見金補三史藝文志詩集類，今中州集存鬱詩一十三首。

耶律履：乙未元曆

佚

履字履道，東丹王七世孫，楚材之父，謚文獻。見錢大昕元史藝文志。

文獻集十五卷

佚

見盧文弨補遼金元藝文志。

元

耶律楚材：皇極經世義

未見

楚材事蹟詳先賢傳。是書見朱彝尊經義考擬經四。

西游録

未見

見錢大昕元史藝文志地理類，蓋庚午從太祖西征時所記。

西征庚午元曆二卷

未見

按元史曆志，元初承用金大明曆，庚辰歲，太祖西征，五月望，日蝕不效，二月五月朔，微月見於西南。中書令耶律楚材以大明曆後天乃損節氣之分，減周天之秒，去交終之率，治月轉之餘，課兩曜之後，先調五行之出没，以正大明曆之失。且以中元庚午歲國兵南伐而天下略定，推上元庚子歲天正十一月壬戌朔，子正冬至，日月合璧，五星聯珠，同會虛宿六度，以應太祖受命之符。又以西域、中原，地理殊遠，創爲里差以增損之，雖東西萬里，不復差忒，遂題其名曰西征庚午元曆，表上之，然不果頒用。按勿庵攷云：據史，元太祖以己卯親征西域諸國，次年庚辰夏五月駐蹕也石的石河，有西域人與耶律文正王爭月蝕，而西説竝詘，故耶律作曆託始是年也。又以太祖庚午始絶金，次年伐之，不五年天下略定，故推演上元庚午冬至朔旦，七曜齊元，爲受命之符，謂之西征庚午元曆。西征者，謂太祖庚辰也，庚午元者，上元起算之端也。今曆志訛太祖庚辰爲太宗，則太宗無庚辰也。（太宗在位共十有三年，起己丑，畢辛丑。）又訛上元爲庚子，則於積年不合也。（據演紀，積年二千二十七萬五千二百七十算外得庚辰，則起算必庚午。）故特攷而正之。後董祐誠五十三家曆術，亦衍其説。

麻荅把曆

未見

見金門詔三史藝文志天文類。按：楚材依回鶻曆撰。

五星秘語一卷

佚

見錢大昕元史藝文志五行類。

先知大數一卷

佚

見同上

辨邪論

未見

見錢大昕元史藝文志釋道類。

湛然居士文集三十五卷

未見

千頃堂書目云：缺七卷至十二卷，又缺二十二卷、二十三卷。

又十四卷

存鈔本

中書都事宗仲亨輯。是集載詩爲多，惟卷八、卷十三、卷十四稍以書序、碑記錯雜其中，編次殊無體例。王士禎池北偶談摘録其贈李郡王箏、寄平陽潤老、和陳秀玉韻、贈富察元帥、河中遊西園、壬午元日諸詩，以爲頗有風味。雖時時出入内典，而大旨必歸於風教，儒者之詩，故不墮於禪悦也。

郝經：周易外傳八十卷

佚

經事蹟詳僑㝢傳。按是書爲經羈管真州時所作，自孔子以來，諸家注釋，褎其至精，去其重複，義理象數兼采，鉅細不遺，積成八十卷。謂之外傳者，以孔子爲經作傳，後人著作皆傳外之傳也，示不敢同於聖人之作。

太極傳一卷

存

見朱彝尊經義考易類。

太極演二十卷

佚

經自序有云：嘗聞之師，讀易者當先讀繫辭，其次説卦、序卦、雜卦，其次讀乾、坤二卦，既精且熟，然後讀屯、蒙諸卦，此學易之序也。蓋意言象數之本皆在於是矣。故取太極一章以爲學易之標準，類繫辭文言説卦彖象之名義，探諸太極之前，而演其隱；徵諸太極之後，而演其顯，問津洙泗以及河洛，遍參諸儒，庶幾數年之後可以學易，觀道易神之髣髴，不失吾身之極焉。故取道、易神等二十三條爲一類，合爲一圖，以示其序，而各爲之説，謂爲易道藴極，演諸太極之前者也。其次，取太極等六條爲一類，合爲一圖，以示其序，而各爲之説。謂爲易有太極，所以演太極也。其次，取易、書、詩、春秋、論語、大學、中庸、孟子名義，皇極等凡二十四條爲一類，合爲一圖，以示其序，而各爲之説，謂爲人道建極，合隱顯而立極成易也。其次，分易爲四，爲伏羲易、文王易、周公易、孔子易，合爲四聖易，圖以示其序而各爲之説，爲之圖，演太極之後，所以成易者也。其次，爲孔門言易諸儒，擬易傳注疏釋等類，以爲易之支流餘裔。見太極爲易之用，太極而無極，神而明之，存乎其人焉爾矣。凡十類，六十篇，總謂之太極演云。

春秋外傳八十一卷

佚

經在真州，弟子苟宗道以書狀官從行。甲子春，宗道請傳春秋之學，且志其説，而無書以爲據，乃以故所記憶者爲春秋外傳以授宗道。謂之外傳者，自三傳之外而爲是，不敢自同於三傳也。以春秋正經多不同，乃爲論次，作章句音義八卷，求聖人之意者，必探其本以爲綱，乃作制作本原三十一篇，十卷。春秋一書，義在於事，必比事而觀，其義可見，乃爲比類，條目一百三十篇，十二卷。三傳之説不同，故聖經之旨不一，乃爲三傳折衷，俾經之大義定於一，凡五十卷，卷首又著三傳序論，列國序論一卷，共八十一卷，制作本原、三傳折衷各有自序。

通鑑書法

佚

見錢大昕補元藝文志編年類。盧摯曰：公既處幽所，日以立言載道爲務，撰續後漢書，著春秋外傳、易外傳、太極演、原古録、通鑑書法、玉衡貞觀、删三子、一王雅、行人志，各數十卷。

行人志

佚

見錢大昕補元藝文志地理類。

玉衡貞觀十二卷

佚

見錢大昕元史藝文志天文類。

變異事應

佚

見同上。

續後漢書九十卷

存 宜稼堂叢書本

經是書亦拘於真州時所作。其書乃取陳壽三國志，別加删訂，以昭烈上紹漢統，升爲本紀；黜吴、魏，皆爲列傳。三國之臣則以漢、魏、吴別之。又別爲儒學、文藝、行人、義士、高士、死國、死虐、技術、狂士、叛臣、篡臣、取漢、平吴、列女、四夷諸傳。又以壽書無志，作八録以補其闕，各冠以序，而終以義贊。原目九十卷，中間各分子卷，實一百三十卷。自朱子修綱目始，以蜀爲正統，蕭常復本其意作續後漢書，經當時未見常書，乃能獨伸大義，勒成一編，盡祛陳壽以來帝魏寇蜀之謬，識見可謂醇正。其間持議，亦頗有可取。然漢、晉諸臣，以行事間涉三國而收入列傳者，不一而足。又八録之中，往往雜採史記、前後漢書、晉書之文，亦皆失於限斷，揆諸義例，均屬未安。然經敦尚氣節，學有本原，故所論説，多有裨於世教。且經以行人被執，困苦艱辛，不肯少屈其志，故於氣節之士，低徊往復，致意尤深。讀其書者，可以想見其爲人。又非蕭常、謝陞諸家徒推衍紫陽緒論者比也。經所撰尚有陵川集，元延祐戊午，與是書皆官爲刊行。迨明之中葉，陵川集僅存，而是書傳本遂絶。今本於永樂大典録出，缺年表一卷、刑法録一卷，餘序文議贊，亦稍有闕失。而彙次排比，復成完書，經亦可以無憾矣。

陵川文集三十九卷附録一卷一作文忠集

存乾隆戊午壬氏刊本

經深於經術，其文雅健雄深，無宋末膚廓之習。其詩亦神思深秀，天骨挺拔，與其師元好問可以雁行，不但以忠義著也。延祐五年，經門人集賢大學士郭貫請以是集與所作續後漢書官爲刊本，付待制趙穆、編修官浦道源等詳定，得旨允行。卷首所載江西中書省劄付咨文，蓋即其事。後官版散佚，明正德己卯沁水李淑淵重刊於鄂州，陳鳳梧序之。康熙乙酉，武進陶自悦守澤州，得李本於州民武氏家，欲鋟木未果，僅爲製序弁其首。乾隆戊午，鳳臺王鏐始校刊之，而摭諸書之有涉於經者，别爲附録一卷，綴之於末。其誌傳、行狀、官誥、劄咨及元、明人原序，皆仍舊刻冠於首。今所行者，皆鏐刻本云。

一王雅二百五十篇

佚

見錢大昕元史藝文志别集類。

原古録

佚

見錢大昕元史藝文志總集類。

唐宋近體詩選

佚

見同上。

皇朝古賦選一卷

佚

見錢大昕元史藝文志騷賦類。

平慶安：丙子平宋録三卷

存守山閣本

平慶安，燕山人，杭州路司獄。是書上、中二卷紀至元十五年巴顔下臨安，及宋幼主北遷之事，與史多同。下卷紀巴顔賀表，追贈河南路統軍鄭江事，巴顔功德碑，則史所未備也。舊題平慶安撰，千頃堂書目以爲劉敏中作。前人遂徑題劉敏中，以平慶安爲開板印造之人，非著書之人。然大德鄧錡序云：大德七年，杭州路司獄官平慶安建白大丞相太傅巴顏公加封淮安王，謚忠武，創祠立石於武成王廟左。又次第平宋録訖，大路推官王國寶請序其首，周明序云：平獄司録梓王行實傳於世，名之曰丙子平宋録。是書舊題平著，不爲無據。序中明言慶安名之曰丙子平宋録，今亦據以改題。疑劉敏中所撰别是一書，不必奪此予彼也。

楊奂：天興近鑑三卷

佚

奂事蹟詳先賢傳。按天興，金哀宗年號，蓋奂在金時記其朝政，如汝南遺事、天興墨淚之類。元史列傳誤爲大興，近有以爲地志者，則誤之甚矣。還山集中臂僮記作三十卷。

正統書六十卷正統八例序

佚

見錢大昕元史藝文志史鈔類。按陶宗儀輟耕録，稱奂嘗讀通鑑，至論漢、魏正閏，大不平之，遂修漢書，駁正其事，因作詩云：風煙慘淡控三巴，漢燼將燃蜀婦髽。欲起温公問書法，武侯入寇寇誰家？後攻宋軍回，始見通鑑綱目，其書乃寢云云。此書大旨以正統爲名，似本此意。

汴故宫記一卷

佚

見錢大昕元史藝文志地理類。

紫陽東游記一卷

佚

見同上。

北見記三卷

佚

見奂臂僮記。

韓子十卷

佚

見同上。按標題，似有訛脱字，諸家書目亦未載。

槩言二十五篇

佚

見同上。

硯纂八卷

佚

見同上。

還山前集八十一卷，後集二十卷

佚

見同上。元好問作奂神道碑，則稱遷山集一百二十卷，錢大昕元史藝文作六十卷，參差不同。舊本不得，無從考定。

還山遺集二卷，附録一卷

存明宋廷佐刻本

此本明嘉靖初南陽宋廷佐所輯，以掇拾殘賸，故名之曰遺集。凡文一卷，詩一卷，冠以考歲略。又附録傳誌題咏之類爲一卷，併各以採自某書，得自某人，及石刻今在某所注於下。蓋明之中葉，士大夫偶著一書，猶篤實不苟，必求有據如此。

紫陽集八十卷

佚

見錢大昕元史藝文志别集類。

杜瑛：春秋地理原委十卷

佚

瑛事蹟詳先賢傳，此書見馬祖常撰碑。

論語旁通四卷

未見

千頃堂書目云：緱山杜氏論語旁通二卷，或作四卷，中山李桓序之。

語孟旁通八卷

佚

見馬祖常撰碑。按經義攷，別出論語旁通，而不載此書，蓋千頃堂所藏僅論語也。八卷，似每種各四卷。

皇極引用八卷

佚

見同上。

皇極疑事四卷

佚

見同上。

極學十卷

佚

見同上。

律呂律曆禮樂雜説三十卷

佚

元史本傳云：瑛於律則究其始，研其義，長短清濁，周徑積實，各以類分，取經史之説以實之，而折衷其是非。於曆，則謂造曆者皆從十一月甲子朔夜半冬至爲曆元，獨邵子以爲天開於子，取日甲、月子、星甲辰、子爲元會運世之數，無朔無閏，餘率以三百六十爲歲，而天地之盈虚，百物之消長，不能出乎其中矣。論閉物、開物，則曰：開於己，閉於戊，五、天之中也，六、地之中也，戊已、月之中星也。又分卦配之紀年。金之大定庚寅，交小過之初六。國朝之甲寅三月二十有三日寅時，交小過之九四，多先儒所未發。馬祖常撰碑作律曆禮樂雜説，而無律吕。金門詔三史藝文志又分律吕志，禮樂志入禮家，律曆志入天文家，不知何據。

中山文集十卷

佚

見錢大昕元史藝文志别集類。

趙復：傳道圖

佚

復事蹟詳儒厲傳。按元史本傳，復以周程而後，其書廣博，學者未能貫通，乃原羲、農、堯、舜所以繼天立極，孔子、顔、孟所以垂世立教，周、程、張、朱氏所以發明紹續者，作傳道圖，而以書目條列于後。

師友圖

佚

本傳，復以朱子門人散在四方，則以見諸登載與得諸傳聞者，共五十有三人，作師友圖，以寓私淑之志。

伊洛發揮

佚

見元史本傳。

希賢録

本傳，復又取伊尹、顔淵言行，作希賢録，使學者知所嚮慕，然求端用力之防備矣。

梁有：演説文

佚

有事蹟詳先賢傳。此書見盧文弨補元藝文志。

文海英瀾二百卷

佚

天曆間，有奉敕河南北録金石刻於濟州，得漢刻九通於泗水之中，共録金石刻三萬餘通，上進其副類爲二百卷，曰文海英瀾。

續列仙傳三十卷

佚

見金臺集。

耶律鑄：雙溪小藁

佚

鑄事蹟詳先賢傳，此書見四庫全書提要，今已彙入醉隱集。原有趙著、麻革、王萬慶諸序跋。

雙溪醉隱集八卷

存

鑄集久佚，四庫本從大典録出，編爲八卷，有前集、新集、續集、别集、外集諸名。鑄早從征伐，足蹟涉歷，多西北極遠之區，故所述塞外地理典故，往往詳核。如據和林城唐明皇御書闕特勤碑，證新、舊唐書作特勒之誤。處月、丁零二註，辨論頗詳。此類皆有裨於考證。又其家在金、元之間，累世貴顯，諳習朝廷舊聞，集中如瓊林園、龍和宫諸賦，敍述海陵、章宗軼事及宫室制度，多金史所未及。其他題咏，亦多關係燕都故實，而帝京景物略諸書均未紀録，亦足以資博識也。至於金史耶律履傳、元史耶律楚材傳，均不著其里貫，於史例頗爲不合。今攷鑄寓歷亭詩注云：予家遼上，後家醫無閭。又五湖别業詩註云：余先居和林，後寓隗臺，今卜築緡雲五湖别業。敍其遷徙之蹟頗詳，是尤足以補史之闕矣。

雙溪醉隱樂府十一册

未見

盧文弨補元藝文志詞曲類云：分前、續、别、外、新五集，與鑄醉隱集同。

梁曾：學士詩集。

佚

曾事蹟詳先賢傳。是書見錢大昕元史藝文志别集類。

盧摯：疎齋文集

佚

摯事蹟詳先賢傳。按元初能詩者，以摯爲首。錢唐張雨曰：疎齋集據官本，讀之一過，生風凛然。趙郡蘇天爵曰：國家平定中原，士踵金、宋餘習，率皆麤豪衰苶。涿郡盧公始以清新飄逸爲之倡。臨川吴澄曰：涿郡盧學士所作古詩，類晉人清言，古文出入盤誥中，字字土盆瓦缶，而倏有三代虎蜼瑚璉之器，見者莫不改視。

文章宗旨

佚

見錢大昕元史藝文志文史類。

鮮于樞：困學雜録一卷

存 知不足齋本

樞事蹟詳先賢傳。是書所紀，當時詩話、雜事爲多，原本不著名氏，故嘉靖中袁袠跋稱：撰人未詳。曹溶收入學海類編，以鮮于樞自號困學民，題所居曰困學齋，遂以此書爲樞撰。今攷其書，雖隨筆劄録，草草不甚經意，而筆墨之間，具有雅人深致，非俗士所能僞託。且元初諸人，亦别無稱困學齋者，定爲檲作，似乎可信。末有厲鶚跋，謂卷中金源人詩，可補劉祁歸潛志之闕，存之亦可以資採録也。開卷引李平、許褚二事，但録舊文，無所論斷，莫詳其意。卷中趙復初二詩，前後兩見，字句有異同，殆亦偶然雜録，未經編定之本。後人因其墨迹，繕録成書，如蘇軾志林、仇池筆記之類歟？

困學齋集

佚

見錢大昕元史藝文志别集類。

曹鑑文集

佚

鑑事蹟詳先賢傳。按元史本傳，鑑爲詩賦尚騷雅，作文法西漢，篇成，學者争相傳誦。

耶律希亮：愫軒集三十卷

佚

希亮事蹟詳先賢傳。按本傳，希亮爲史官時，乃類次世祖嘉言善行以進。雖疾病不廢書史，或中夜起坐，取燭以書。所著及從軍紀行録三十卷，名之曰愫軒集。

周之翰：朝儀備録五卷

佚

之翰字子宣，大都人，由侍儀舍人至冠州知州。此書見錢大昕元史藝文志儀注類。

朝儀紀原三卷

佚

見同上。

宋本：至治集四十卷

佚

本事蹟詳先賢傳。按本傳云，其文峻潔刻厲，多微辭，每歎近世文體骫骳，爲不足尚，務爲高古以勝之。始以詩歌擅名，及聞貢舉詔下，復習經義策問，就王奎文講明性命義理之學，造詣日深。

宋褧：燕石集十五卷附録一卷

存

褧事蹟見先賢傳。褧博覽羣籍，與兄本後先入館閣，並有集行世，時人以大宋、小宋擬之。褧集爲其姪太常奉禮郎彍所編，凡詩十卷、文五卷。首載至正八年御史臺咨浙江行中書省刊行咨呈一道，歐陽元、蘇天爵、許有壬、吕思誠、危素五序，末附謚議、墓誌、祭文、輓詩。又有洪武中何之權、吕熒二跋，蓋猶舊本。歐陽元序稱其詩務去陳言，燕人凌雲不羈之氣，慷慨赴節之音，一轉而爲清新秀偉。蘇天爵序稱其詩清新飄逸，間出奇古，若盧仝，李賀。危素序則稱其精深幽麗，而長於諷諭。核其所説，亦約近之。至其詞藻焕發，時患才多，句或不檢，韻成牽綴。如正獻公墳所寒食詩，有高墳白打錢句。按韋莊詩：上相閒分白打錢，非紙錢也。張女輓詩：却是真魂埋不得句。序稱其女工於屬對，十歲而夭。按李商隱詩：萬古真魂倚暮霞。非十歲未字之女也。如斯之類，大抵富贍之過，貪多務得，遂不能刮垢磨光。然武庫之兵，利鈍互陳，論其大體，足爲一家，固不以字句累之矣。其文爲作詩之餘事，然温潤而潔凈，亦不失體裁焉。

皇元風雅八卷

佚

見錢大昕元史藝文志總集類。

高彦敬：文簡公文集七卷

佚

彦敬事蹟詳先賢傳。是書見錢大昕元史藝文志别集類。

李衎：息齋老子解四卷

佚

衍事蹟詳方技傳。此書見錢大昕元史藝文志釋道類。

竹譜十卷

存

原本久佚，四庫本於大典中録出，分四門，曰：畫竹譜、墨竹譜、竹態譜、竹品譜。其竹品譜中，又分全德品、異形品、異色品、神異品，似是而非竹品，有名而非竹品。六子目，共爲十卷，卷各有圖，蓋每二卷併一卷矣。其書廣引繁徵，頗稱淹雅。録而存之，非惟游藝之一端，抑亦博物之一助矣。中有有説而無圖者，自序謂與常竹同者，則不復圖，非闕佚也。續宏簡録曰：衎少時見人畫竹，從旁窺其筆法，始若可喜，旋覺不類，輒嘆息舍去。復從黄華子曼慶學，已觀黄華所畫墨竹，又迥然不同，乃復棄去。至元初，來錢塘，得文同一幅，欣然願慰。自後一意師之，兼善加青緑設色。後使交趾，深入竹鄉，於竹之形色情狀，辨析精到，作畫竹、墨竹二譜，凡黏幀、礬絹之法悉備。鄧文原履素齋集有哭衎詩二首，詩末註曰：仲賓近刊竹譜二十卷，其書世罕傳本，浙江鮑氏所傳鈔者僅有一卷，疎略殊甚，不足存矣。

李士瞻：經濟文集六卷

存

士瞻字彦聞，東安人。爲翰林學士承旨，封楚國公。使閩，適海酋據福州城，王師攻之不下，士瞻喻以禍福，酋遂出降。閩人立祠祀之。具載東安李志。四庫提要則云：先世新野人，徙居荆門。至正初，中大都路進士，中書辟充右司掾，除刑部主事，累官户部尚書，出督福建海漕，就拜行省左丞，召入爲參知政事，改樞密副使，拜翰林學士承旨，封楚國公。以至正二十七年卒。不言其爲東安人，於其子繼本一山文集，則云：東安人，占籍北平。而不言其爲士瞻之子。考元之東安有二：一爲湖廣省永州路，一卽大都路之東安州。士瞻由新野徙荆門，與永州不合。惟紀士瞻云：中大都路進士。繼本云：占籍北平。其卽寄北平之東安籍歟？東安志所紀，與提要所云，詳略不同，大致則一。是集爲其曾孫伸所編。一山集亦伸所編，亦可謂賢子孫矣。元史不爲立傳，惟順帝本紀載：至正二十二年，樞密副使李士瞻上疏，極言時政，凡二十事，具列其目，大抵當時急務，蓋亦讜直之士也。集中所録，始於爲右司掾時，而迄於奉使閩中，故元史所載時政疏不在其中，然所載往來簡劄至七十餘通，幾居全集之半，雖多屬一時酬答之作，而當時朝政之姑息，兵事之乖方，藩臣之跋扈，多可藉以考見，其彌縫匡救，委曲周旋，拳拳憂國之忱，亦不在所上時政疏下。元史於順帝時事最稱疏略，存此一集，深足爲攷證之助，正不徒重其文章矣。

李繼本：一山文集九卷

存

繼本，士瞻之子，本名延與，以字行。至正十七年進士，授太常奉禮兼翰林檢討。中原俶擾，隱居不仕。河朔學者多從之，以師道尊於北方。其自敍云：歲壬辰，爲雄邑招致，親夏楚事。又有移教房山留別雄縣周尹詩。繼本辭官設教，士友咸稱廣文先生，不稱故翰林。元季崇師重道，其流風可觀也。又云：洪武乙卯，典邑校於淶，以口耳之學爲童子師。丁巳秋得告還里。戊午夏，永清劉宰招致，攝其鄉學。明初，學官聽郡邑長吏推擇名碩爲之，其詩文俊偉疏達，能不失前人規範，長歌縱横磊落，尤爲擅場，中有學李白不成，流爲盧仝、馬異格調者，好奇之弊，其失不免獷而野，然愈於翦紅刻翠以詞爲詩者多矣。

李有：古杭雜記四卷

佚

有事蹟詳僑寓傳，此書見錢大昕元史藝文志地理類。

何失：得之詩一卷

存

失事蹟詳先賢傳。失能詩文，與尚書高彦敬、太常鮮于樞同學。遺詩一卷，京兆杜伯原敍而傳之。

孟昉：待制文集

未見

昉字天暐，本西域人，寓北平。至正十二年，爲翰林待制，官至江南行臺監察御史。陳基孟待制文集序云：翰林待制孟君，砥礪成均，歇歷省臺。張光弼集多載與孟天暐西湖往還之作，蓋天暐自翰林出，歷官江浙，亦在江淮兵亂之後。入明，未詳所終。

釋邁：至元辨僞録五卷

未見

邁，大都路道者，山雲峰寺僧。此録見元史藝文志釋道類。

儀公：續釋氏通鑑十五卷

未見

儀公字則堂，京師大寶集寺住持。所修續宋僧本覺之書，始宋太祖至今。見同上。

萬松老人：評唱天童覺和尚頌古從容菴録

未見
萬松老人詳釋道傳。此録見同上。
評唱天章拈古請益後録
未見
見同上。
釋氏新聞
未見
見同上。
萬壽語録
未見
見同上。
盤山栖雲大師語録一卷
未見
見盧文弨補元藝文志道家類。

明

董倫：太祖實録

未見

倫事蹟詳僑寓傳。建文元年修。見明史藝文志正史類。

黄潤玉：儀禮載記坿注五卷

未見

潤玉事蹟詳僑寓傳。潤玉著述甚富，以朱子嘗欲作儀禮經傳通解未就，乃取儀禮析爲四卷，以禮記比類附之，不類者附諸卷後。又以五禮獨缺軍禮，取周禮大田禮補之，以禮記載田事者附焉，别爲一卷，皆爲注釋。見明史藝文志禮類。

考定深衣古制一卷

未見

潤玉以禮記深衣制十有二幅，鄭氏誤以爲裳，而玉藻長中繼掩尺注亦謬，因撰此書。

經書補注四卷經譜一卷

未見

見明史藝文志諸經類。楊守陳曰：先生以四書諸經注家或遺或誤，乃撰經書補注。王圻曰：黄公補注，其言多有可采。

庸學通旨一卷

未見

見明史藝文志四書類。楊守陳曰：先生以大學、中庸旨皆淵奥，撰庸學通旨。

四明文獻録一卷

存

是編成於成化丙戌，以四明文獻分爲二類，一曰鄉先生，自漢甪里夏黄公以下三十五人，皆四明産也。一曰鄉大夫，自周文種以下九人，皆官於四明者也。人各有傳，并系以贊。

甯波府簡要志二卷

存

是編以舊志太冗，乃删除繁贅，定爲五卷，體例簡潔，亦康海武功志之亞。

海涵萬象録四卷

存

是書乃潤玉孫溥録其平日言論，分四十類。

南山録

未見

見宛平王志。

南山稿

未見

見同上。

姚廣孝：道餘録二卷

存 鈔本

廣孝事蹟詳釋道傳。廣孝棄儒爲僧，棄僧爲官，禪乘、儒宗，兩無所得。是録極詆儒術，以自張其學，持論尤無忌憚。姑蘇志曰：姚榮國著道餘録，專詆程朱。少師亡後，其友人張洪謂人曰：少師與我厚，今死矣，無以報之，但每見道餘録，輒爲焚棄云云。是其書之妄謬，雖親暱者不能曲諱矣。

佛法不可滅論一卷

未見

見明史藝文志釋道類。

逃虚子集十一卷，類稿補遺八卷

存 鈔本

廣孝爲高啟北郭十友之一，所著初名獨安集，没後，吴人合刻其詩文，曰逃虚子集，後又掇拾放佚，謂之補遺，其詩清新婉約，頗存古調。

李紳：抱犢山人稿

佚

紳字晉卿，宛平人，官至光禄寺少卿，考核京官，調外任，三疏乞退，榜于座曰：五斗懶將雙膝屈；三章乞得一身閑。多蓄道書，手録至盈箱篋，此書見宛平王志。

董方：漷縣志 詳紀録順天事之書

讞獄録

佚

此録寺丞劉瀚所編，學士劉定之序之。

文集

佚

見周洪謨撰墓志。

岳正：深衣注疏一卷

未見

正事蹟詳先賢傳。此書見明史藝文志禮類，經義攷作深衣纂疏，通州高志作深纂，誤。

類博雜言二卷

存 刊本

此書雜論陰陽五行及醫卜星算之説，中間論大衍之數，及皇極經世之數，亦頗有發明。

明史藝文志作二卷，今已編入類博藁中。

類博稿十卷

存

見明史藝文志别集類。是集爲其門人李東陽蒐輯遺稿而成，凡詩二卷，雜文八卷。又附録二卷，前一卷載諸人誌、銘、傳、贊等作，後一卷則東陽以葉盛所作誌銘，多所隱諱，爲正補傳也。其文章天真爛漫，落落自將，史稱所草承天門災諭廷臣詔，剴切感人，舉朝傳誦，足以見其一斑矣。

崔富：鹽政一覽

佚

富字教之，薊州人，正統辛酉舉人，官至兩江運使。此書見薊州沈志，蓋富爲運使時所著。

李東陽：燕對録三卷

存

東陽事蹟詳先賢傳。是書見宏治十三年三月至正德六年八月，凡召見奏對之詞，悉著於編。其中所載，有數大事，若明本紀，宏治十七年三月癸未，定太廟各室一帝一后之制，此書載定制端末甚悉。蓋禮志中所未及詳。又攷本紀，宏治十一年二月己巳，小王子遣使求貢。夏五月戊申，甘肅參將楊翥敗小王子於黑山。此書則載六月小王子求貢甚急，大同守臣以聞，已許二千人入貢，既而不來。六月間走回男子報小王子有異謀，内閣具揭帖以聞。證之本紀，繫求貢於二月，先後差五月。又本紀載楊翥敗小王子在五月，則小王子之叛，已在五月前矣。而此書載六月間始報小王子有異謀，頗爲不合。考本紀載，小王子之敗在五月戊申，而六月首標己酉，次標癸亥。戊申距己酉止一日，則五月戊申乃五月盡日，當六月間，内閣揭帖時，或猶不及聞耳。書末載正德六年四月，命閲會試録一條，八月召對，禦流賊劉七、齊彦明等一條，與楊廷和所著視草餘録全符，似足徵信。又考謝遷、劉健於正德九年十月致仕，楊廷和於二年十月入閣，梁儲於五年九月入閣，故是書於宏治十八年以後皆止書遷、健，至正德六年則書廷和及儲也。

懷麓堂集一百卷坿年譜二卷

存 康熙壬戌茶陵州學正廖方達校刻本

是集詩集二十卷、文稿三十卷、詩後稿十卷、文後稿三十卷，又雜稿十卷：曰南行稿，曰北上録，曰經筵講讀，曰東祀録，曰集句録，曰哭子録，曰求退録，凡七種。東陽文章，平正典雅，爲有明一大宗。李夢陽、何景明倡復古學以掩之，迄不能掩。明藝文志别集類云，前後集九十卷，續稿二十卷，與此不同。明史藝文志，四庫傳記類，均别載東祀録。今已編入雜稿，無煩複列。東陽年譜本爲朱景英編，國朝法式善病其簡略，因采輯各書，編爲七卷，前五卷唐仲冕校補，後二卷謝振定校閲，於東陽事蹟，搜采無遺。式善欲取本集删其重複，一其體例，合前續稿甄録之，未知有定本否也。

懷麓堂詩話一卷

存 知不足齋刊本

東陽論詩，主於法度音調，而極論剽竊摹擬之非，當時奉以爲宗。至何、李既出，始變其體，然贋古之病，適中其所詆訶，故後人多抑彼而伸此。此編所論，多得古人之意，雖詩家三昧不盡於是，要亦深知甘苦之言矣。

顧大章：小容集

佚

大章字天和，號小容，通州人，宏治八年舉人，官西安通判。此集見通州高志。

楊世揚集

佚

世揚事蹟詳先賢傳。通州高志云，有嫗解、潞水之行、東郊風雅、瘿瓢等集，蓋子目也。

車璽：治河總考八卷

存 刊本

璽，宛平人，成化戊戌進士，官至河南按察司僉事。是編考歷代治河之事，以時代先後爲次，始周定王五年河徙砱礫，并歷代修治方略，至明嘉靖十七年。書内言明較詳，又以禹貢、史記河渠書、漢溝洫志、元史河源、附録宋濂治河議、河南總志八條列後，體例未免參差矣。

賈斌：忠義集四卷

佚

斌事蹟詳先賢傳。此集見明史藝文志別集類。

張欽：三疏

存

欽事蹟詳先賢傳。欽巡視居庸，止帝出關三疏，直聲徧海内。曲周王鶚序而刊行。

大同府志十八卷

存

是志乃正德癸酉欽官行人，奉使代藩時所作。凡四十門。其沿革門紀大同晉置始興郡，後魏徙都平城，不知北魏始爲新興，至天興中乃徙平城。山川門白帝山，祇載白登臺爲古蹟，不知白登有繁時、宫室、武廟諸蹟，載於水經注及通典者甚詳。又黄河在大同廢東勝州南八里，自榆林北塞經此，乃折而南。書中僅云自東勝界南流至太原，往往失之舛略，蓋邊地少書，又倉卒脱稿故也。其别立烽堠一門，又卷首圖説中有車營、戰車諸圖，爲他志書所無之例，蓋大同在明代爲嚴邊，故尤詳於武備云。

保定志二十五卷

未見

見明史藝文志地理類。
楊秦：迺巡集十卷
佚
秦事蹟詳先賢傳。此集見王用賓撰志銘。
頓鋭：涿鹿先賢傳
存
鋭事蹟詳先賢傳。此書紀涿州先賢嘉言懿行，以昕後學，惟涿鹿實今之保安州，非涿州也。
鷗汀長古集二卷，前集二卷，别集二卷，續集一卷，漁嘯集二卷，頓詩一卷
存
鋭少負詩名，當時稱涿郡有才一石，鋭得其八斗。晚年卜居懷玉山，吟詠自適。其五言古詩，氣韻清拔，頗爲入格。七言古詩，跌蕩自喜，而少剪裁。近體專尚音節，數篇以外，意境多同，蓋變化之功猶未至也。
戈永齡：太陽太陰通軌
存

永齡，宛平人，正德中官欽天監保章正。是書取元代所輯大統曆七政交食通軌，循其法而重演之。原本不題卷數，僅分三册，蓋其細草稿也。

楊行中：通州志略詳紀録順天事之書

王儀：陝西河南奏議

未見

儀事蹟詳先賢傳。此編爲儀按陝西、河南時奏議。

上谷奏議

未見

此編爲儀巡撫宣鎮時奏議。

吴中田賦録五卷

存

儀守蘇州時，以蘇屬田賦溷亡，遂日沈思擘畫，率僚屬躬循阡陌，計丈數，仞溝洫，縣縣各爲記籍，卒披籍驗之，或然或否，恒懲一以警百，民毫釐不敢有所隱。乃以八事定田賦，而賦平。以十歲編傜役，而役平。以三法考課鈔，而民之灌輸平。令下，初若煩碎，後無不稱便者。是書記事亦極詳贍可法。

王緘：愚谷山人小傳

存文安志本

緘事蹟詳先賢傳，是書見沈涵撰傳。

楊淪：翰林集

存

淪事蹟詳先賢傳，此書見涿州吴志。

南郛集

存

見同上。

陳儒：安邊十事

未見

儒字懋學，復之孫，嘉靖癸未進士，歷官左都御史、巡撫淮揚，此書見宛平王志。

陳堯：醒翁集

佚

堯事蹟詳先賢傳。是集見宛平王志。本傳云：堯所至，輒聚生徒講學，南安人爲之築醒翁亭，咸稱其品詣可當廬陵云。

郝勳：川上草

未見

勳字孟立，號涿川，涿州人，嘉靖丁酉舉人。詩閒遠沖穆，能自言其所得。

余之祥：易經統旨

佚

之祥字鳳梧，宛平人。此書見宛平王志。

詩經統旨

佚

見同上。

四書宗旨要言。

佚

見同上。

張重：詩文集

佚

重，順義人，嘉靖辛丑進士，官至職方司郎中。此書見順義黄志。

蘇志皋：巡撫奏議十八卷

佚

皋字德明，别號寒邨，固安人，嘉靖壬辰進士，官至副都御史。此書見汪來寒邨集後序。

恆言一卷

佚

見同上。

譯語畫跋一卷

佚

見同上。

寒邨集四卷

存

此集凡詩二卷，雜文二卷，有汪來後序。列朝詩選稱其才情富麗，沾沾自喜，並好作長短句。

抱罕集

未見

見浙江采遺書目。

王遴：二鎮疏草八卷

未見

遴事蹟詳先賢傳。此書見霸州朱志，蓋遴任山西苛嵐兵備副使，又任僉都御史，按延綏時奏疏。

奏議十卷

未見

見孫承澤撰傳。

萍踪歲紀

佚

見霸州周志，有崔象小序。

大隱堂詩集

存

有錢達道序。
劉效祖：春秋稿二卷
佚
效祖事蹟詳先賢傳。此書見宛平王志。
四鎮三關志十二卷
存
見抽燬書目。
古文詞雜著七卷
佚
見宛平米志。
詩稿八卷
未見
見明史藝文志別集類。效祖有詩名，隆慶時，曾遣中官索其詩。
今畿輔明詩選存十一首。
李贄：九正易因四卷

存刊本

贊事蹟詳僑寓傳。自序曰：易因一書，予既老，復遊白門而作也。三年就此，封置篋笥；上濟北，讀易於通州馬侍御經綸之精舍，晝夜參詳，更兩年而易因之舊者，存不能一二，改者且至七八矣。侍御曰：樂必九奏而後備，丹必九轉而後成，易必九正而後定，宜仍舊名易因，而加九正二字。予喜而受之，遂定其名曰九正易因也。

藏書六十八卷

存刊本

是書上起戰國，下迄於元，各採摭事蹟，編爲紀傳。紀傳之中，又立名目，亦未盡當。

續藏書二十七卷

存刊本

是編續前編而作。輯明初以來事業較著者若干人，以續前書之未備。其書分開國名臣、開國功臣、遜國名臣、靖難功臣、内閣輔臣、勳封名臣、經濟名臣、理學名臣、忠節名臣、孝義名臣、文學名臣、郡縣名臣諸目，因自記其本朝之事，故議論背誕之處比藏書爲略少。然一劉基也，既列之開國名臣，又列之開國功臣。一方孝孺也，既列之遜國名臣，又列之文學名臣。經濟本無大小，安見守令設施不足以當經濟？乃於經濟名臣外別立郡縣名臣。又王禕殉節滇南，不入之忠義傳中，而列之開國名臣内，亦無義例。

初潭集十二卷

存

是書集説部分五類，曰夫婦，曰父子，曰兄弟，曰君臣，曰朋友。每類之中又各有子目，皆雜採古人事蹟，加以評語。其名曰初潭者，言落髮龍潭時，卽纂此書，故以爲名。

讀升庵集二十卷

存

是編裒集楊慎諸書，分類編次，凡採録詩文三卷，節録十七卷，去取無甚義例。

李温陵集二十卷

存

是集一卷至十三卷爲荅書、雜述，卽焚書也。十四卷至十七卷爲讀史，卽摘録藏書史論也。十八、十九二卷爲道原録，卽説書也。第二十卷則以所爲之詩終焉。前有自序，蓋因刻説書而併摘焚書，藏書，合爲此集也。

李三才：誠恥録

未見
三才事蹟詳先賢傳。此書見通州高志。
雙鶴軒詩集
未見
見同上。今明畿輔詩傳選四十二首。
灼艾集
未見
見同上。
無自欺堂集
未見
見同上。
王嘉謨：薊邱集四十卷
存
嘉謨事蹟詳先賢傳。此書見明史藝文志別集類，今畿輔明詩選六十三首。
李天麟：楚臺記事七卷

存

天麟字公振，大興人，萬曆庚辰進士，官至監察御史，巡按湖廣、浙江。是書卽在湖廣所作，分地理圖説爲四卷，兵糧圖説爲三卷，又雜載章奏、禮儀、堂規、供應等舊例，猥雜煩瑣，與書吏簿籍無異。其載賭餽賀儀銀數多寡，以官階大小爲準，可見當時苞苴陋習，而公然載之簡牘，毫無顧憚，尤足徵明政之不綱也。

詞致録十二卷

存

是集皆載詞命之文，分制詞、進奏、啟劄、祈告、雜著五門，中又各分子目，所採上自漢、晉，下迄宋，頗勝明末之猥濫。

王樂善：扣角集

未見

樂善字存甫，遴子，萬曆壬辰進士，官吏部考功司主事。其詩多自傷不遇之意。

鷃適軒詩集

未見

見畿輔明詩傳小傳。

李本緯：灌蔬園集
未見
本緯字君章，錦衣衛人，萬曆壬辰進士，官布政使。此集見畿輔明詩傳小傳。
楊惟治：香雪齋集
未見
惟治事蹟詳先賢傳，此書見通州高志。
通署詠
未見
見同上。
劉廷諫：年譜紀略
未見
廷諫事蹟詳先賢傳。此書見通州高志。
白雲牘
未見
見同上。廷諫先官刑部廣西司主事，白雲樓卽司署也，蓋編録當時讞牘。

司銓奏草
未見
見同上。廷諫官吏部郎中所編。
退谷囈言
佚
見同上。
雲庵初集二集
佚
見同上。
都下草
佚
見同上。
米萬鍾：易義四卷
未見
萬鍾事蹟詳先賢傳。此書見宛平王志。

篆隸考略二卷
佚
見同上。
象緯兵鈐十二卷
佚
見同上。
石史十六卷
未見
見同上。
琴史八卷
未見
見同上。
奕史四卷
未見
見同上。

澄澹堂文集十二卷
未見
見同上。
詩集十二卷
未見
見同上。
南北史宮詞二卷
未見
見同上。
湛園雜詠一卷
存
萬鍾嘗構漫園、勺園，又構湛園。標園中佳勝爲十八題，因裒集一時賦詠，類爲此編。
梁應澤：國朝文獻考
未見
應澤事蹟詳先賢傳。此書見大興張志。

人物志

未見

見同上。

朝政記

未見

見同上。

涇原攷

未見

見同上。應澤爲鳳邠道時，均理韓藩宗田，巡行固原、涇州、平涼州時所攷。

宋韓忠獻李忠定經濟略

未見

見同上。

守徽録

未見

見同上。應澤先守徽州時編録。

關西末議

未見

見同上。此亦應澤巡鳳邠道所作。

晉議

未見

見同上。此應澤官山西参政及河東道時編録。

撫鄜疏草

未見

見同上。此應澤撫治鄜陽時編録。

王陞：文集

佚

陞字德懋，文安人，萬曆辛丑進士，翰林院檢討。此書見文安楊志。

盧友竹：武庫千秋鑑

佚

友竹，三河人，萬曆丙午舉人，官至廣西按察使。其任岢嵐兵備道，雲中、太原兩撫交章争爲邊才最，此書皆談兵之作。

彝倫法戒録

佚

見三河陳志。

衛兵儲論

佚

見同上。

盧氏家訓

存 刊本

見同上。李因篤序之云：言簡而義宏，體平而適用，循則安而違則亂，履則吉而悖則凶，脩之家而有餘，施之天下而無不足云云。此書質直近理，亦可概見矣。

郝鴻猷：蔭蘿軒集

未見

鴻猷字銘燕，號勳甫，霸州人，萬曆乙酉舉人。

汪化鱗：灌息軒詩草

未見

化鱗字應雷，霸州人。朱志存王樂善序。

張國説：夢一齋集

未見

國説字貞子，宛平人。萬曆庚戌進士，官布政使。此集見畿輔明詩傳小傳。

方從哲：乙卯召對録三卷

存

從哲事蹟詳雜人傳。乙卯爲萬曆四十三年，從哲獨相時也。

釋真空：篇韻貫珠集一卷

存

真空號清泉，萬曆中京師慈仁寺僧也。是書分爲八門，編成歌訣，一曰五音篇首歌，二曰五音借部免疑海底金，三曰檢五音篇海捷法總目，四曰貼五音類聚四聲篇海捷法，五曰訂四聲集韻卷數並韻頭總例，六曰貼五音四聲集韻捷法總目，七曰創安玉鑰匙捷徑門法歌訣，八曰類聚雜法歌訣。大旨以五音集韻、篇海爲本，二書卷帙稍繁，門目亦碎，故立捷法檢尋之，無所發明，攷證又俗。僧不知文義而强作韻語，讀之十九不可曉。註中語助之詞亦多誤用，其難通更甚於篇、韻也。

孫祖壽：制勝篇

佚

祖壽事蹟詳先賢傳。此書見昌平宋志。

于奕正：天下金石志

存

奕正事蹟詳先賢傳。是書具載古來金石之所在，略註撰書人姓名、年月，亦間有所攷證。其中如衡方碑在山東而以爲在陝西，唐顔氏家廟碑今在西安府儒學，而以爲在曲阜。據王崇簡都門三子傳所敘奕正始末，蓋生長京師，平生未出國門，晚年始一游江南，遂以旅卒。其耳目所及者隘，其不能詳者亦宜也。書前有金鉉序，又有劉侗略述六則。詞頗儇佻，蓋染章陵、公安之習者。獨其稱孫雪居誤以李翕郙閣頌在冀郡，潁川荀淑碑在潁上；周少魯不載董仲舒漢贊於真定，天甯寺隋碑於宛平，均爲舛謬。奕正此書正孫本者十四，正周本者十七，則尚爲公論云。

樸園樂府

存

奕正歿後，友人楊日補、歸與治刻其遺詩，止數十篇。
陳效忠：培龜吟
佚
效忠字葵心，萬曆拔貢生，授山東登州推官。時棲霞令與代巡相忤，欲中傷令，令泣訴求全。效忠曰：甯失官，決不作此傷天理事。注令上上，仕至陝西延安府知府。此書見房山佟志。
王愛：史論
佚
愛事蹟詳先賢傳。此書見畿輔唐志。
息機園集
佚
見同上。
張文烶：怡怡堂詩集
未見
文烶事蹟詳先賢傳。文烶工書法，晚益工詩，與弟文煇最友愛，集名怡怡，紀實也。

紀克揚：麗奇軒易經講義

存

克揚事蹟詳先賢傳。是編用注疏本，不録經文，但每卦約詁數條，皆略象數而詳義理。詳其文義，蓋標識於經傳之上，而其後人録之帙者也。

四書講義

存

其書不録正文，每章約詁數語，大旨爲科舉而作。

麗軒文集

佚

見秦松齡撰傳。

迴文詩

佚

秦松齡撰傳云：克揚著迴文體六十四字，縱横讀之，可得詩三百六十首，人咸服其綜密。

張維蒼：雪齋集

佚

維事蹟詳雜人傳。此書見酌中志三十五。

皇華集

佚

見同上。

歸來篇

佚

見同上。

徐兆任：康山子集

佚

兆任字伯衡，爲都門宿儒，游其門者如金忠潔鉉，其首著也。此書見宛平王志。

楊三聘：志道集

佚

三聘，秦曾孫，之柄之祖，歲貢，官兩當教諭。此集見之柄墓志。

金鉉：易說一卷

存

鋐事蹟詳先賢傳。經義考載賀世壽曰：先生釋褐最少，己勵必爲聖賢之志，非六經及諸儒心性之書不陳於棐几，晝夜孜孜，惟在聞道；故於天經人紀，肩荷獨力，其人千古，其學亦千古。

語録

存

見東林列傳。

忠節公集六卷

存

見明史藝文志別集類。

史可法：忠正文集□卷

存

可法事蹟詳先賢傳。

吴端御：織絢堂集

佚

端御事蹟詳先賢傳。是書見畿輔唐志。
阮漢聞：女雲臺
存
漢聞事蹟詳先賢傳。是書取古婦女以武勇著者編次成帙，以羞當時不能戰之將帥。
樊夢斗：中庸講義
未見
夢斗事蹟詳先賢傳。是書左光斗謂爲洙泗真傳，湯斌謂爲原性道，究天人，精義洞微。
駐槎亭詩集
存
夢斗隱居不仕，以詩自娱，陶、韋之亞也。
徐本：竹軒詩一卷
未見
見宛平王志。
甯允琉：紺葉庵集
佚

允琉字聃伯，崇禎癸酉舉人。游國學時，試以鼻論日表，南北士莫與匹者。此集見房山佟志。

王業隆：忠烈考二卷

存 刊本

業隆事蹟詳先賢傳。是考紀明末事，上自帝后，下及甲申殉難諸臣，參攷羣籍，各繫以詩，多掩抑蒼涼之作。

詩集八卷

佚

見永清續志。

華陽吴祖椿校

藝文志四

順天人著述三

光緒順天府志一百二十五

江陰繆荃孫纂

國朝

杜立德太傅：詩選一卷

存

立德事蹟詳先賢傳。劉正宗序其詩云：杜子詩時而誼重嚶鳴，則停雲諸什不足喻其篤摯也；時而憂深民事，則絲穀諸語不足寫其懇惻也；時而登臨嘯咏，攬物興思，發抒懷抱，則楊柳梧桐之句不足肖其光霽，摹其沖夷也。華而不靡，廉而不劌，跌宕而不佻激，玉潤珠明，規圓矩折，杜子之詩，其杜子之人乎！則其詩亦可想見矣。

趙士通：易圖說

佚

士通，明徵之父，精於易學者，稱潛夫先生。見王士正趙明徵墓志銘。

孫承澤：孔易

存

承澤事蹟詳先賢傳。承澤以大象疏卦畫，彖傳附彖，爻傳附爻，名曰孔易。胡世安序之以行。自序云：余十年山居，日抱一易，初集朱子之説，著易宗。既而思之，夫子一生學易，至韋編三絶，今觀夫子十翼，以大象釋羲皇之卦畫，以彖傳釋文王之卦辭，以小象釋周公之爻辭，其所釋或即三聖之意而釋之，或推三聖之意而釋之，或一釋不已，再四以釋之，或略加虚字詠嘆以釋之。易固無不盡之旨，於是專取夫子之易，以求三聖之旨。夫子之旨，有難明者，細爲詮釋，覺從前紛紜之論可以省除，因成孔易一書。西蜀胡菊潭先生見而稱善。時菊潭著易史刻成，因作一序，欲併行之，余不敢也，罄此餘生之力以從事於此焉耳。

尚書集解二十卷

存

承澤是書，以蔡沈集傳爲主，參以吕祖謙書説、金履祥表注、許謙叢説，而力斥馬融、鄭康成，志在力尊宋學。采書序弁每篇之首，以補蔡傳之缺。又以蔡傳考證失真者，如璿璣之璿，玉也，誤以爲珠；簡、潔，二河也，誤以爲一；洪範一篇，有禹之經，有箕子之傳，乃俱以爲箕子之言。此其失之大者，皆或補或糾，不爲苟同，惟篤信古文，獨異於朱子耳。

九州山水考三卷

存

是書取禹貢所載山水，分類相從。山凡四十有三，正導者二十有七，雜見者十有六。水凡四十有二，正導者九，雜見者三十有三，附以澤九，原隰十，冠以水道會通源委，皆首標其名，而以所合諸水，旁行斜貫，引以烏絲，略似族譜世系，與地圖之式迥殊。中多附論時事，引明代諸人議論事實，以相證佐，如水利、海運之類，與經義多不相關，蓋借事抒議，不專爲注經設也。

洪範經傳集義一卷

存

是書分禹疇、箕傳，以一五行以下爲禹疇，以水曰潤下以下爲箕傳，如五紀皇極、五福、六極等傳，大約多依宋元諸儒。惟三八政向無傳，取朝鮮本實之。朱彝尊嘗叩以親見朝鮮本否，承澤曰：未也。仁山金氏言之。今仁山注無此文，或承澤所見本異耳。

詩經朱傳翼三十卷

存

承澤取小序與朱子之説並立每篇之首，定其是非，又就集傳略爲推衍，以暢其旨。然詆毛氏之罪，謂不在王輔嗣下。毛氏較齊、魯、韓三家詩最醇，故獨傳，其亦何罪之有？此由尊朱子之過也，未免失言矣。

周禮舉要二卷

存

見承澤五經翼中。

春秋程傳補二十卷

存

是書桓公九年以前，全載程傳，十年以後，以經説補之，經説所無，採諸説補之，中取諸新安汪克寬纂疏者居多。纂疏卽明代春秋大全所本。其書堅守胡安國傳，則仍胡氏之門户而已，未必盡當程子意也。又所補諸傳，皆不出姓氏，於原文亦多所芟改。其桓公九年以前，程子無傳者，亦爲補之，則是自爲一書，特託名於程子耳。

五經翼二十卷

存

是編雜取前人諸經序跋論説，以類相次，得易四卷，書二卷，詩四卷，春秋六卷，禮記二卷。餘杭嚴沆益以承澤所著周禮舉要二卷，共爲一編刊之。其書採摭未備，不及朱彝尊經義考之淹洽。其自序云：曩時海内藏書家稱汴中西亭王孫，予官汴時，西亭已殁，與其孫永之善，因得盡窺其遺籍，約十萬餘卷，尤重經學，中多秘本，世所鮮見。予雖困頓簿書，日借其經學一類，課兒輩鈔録之，攜歸京師。壬午河決，王孫之書盡沈洪流中，賴予家猶存其什一。至甲申之變，予家玉凫堂積書七萬餘卷一時星散，無復片紙存者。是歲秋冬，僵卧城東魚藻池上，書賈荷書來售，多予家故本，封識宛然，泫焉欲涕。又中祕故藏狼籍於市間，質衣物收之。病廢之餘，獨取諸書有裨經學者，或録序跋，或録論説，久之成帙。數年以來，朝焉夕焉，饑當食，寒當衣，孤當友，病當藥石者，惟此是賴。禹航嚴子灝亭省母南還，别予退谷，因託而梓之，以公同志。

畿輔人物志二十卷

存

是書專志有明一代畿輔人物。

四朝人物略六卷

存

是書自漢至唐、宋爲五卷，全襲名臣録之文。明一代總爲一卷，皆用劉孟雷所爲翊運、碩輔、名卿、正學等傳爲之。

畿輔仙釋志

未見

見日下舊聞考所引。

益智録二十卷

存

是書自周迄明，凡聖賢、名人言行可録者，詮次爲二十卷，而載明人事居三之一，間有敍事之後附以論斷者。承澤崇禎庚午鄉試出姚希孟之門，辛未會試出何如寵之門，其附東林也甚力，故爲萬曆、天啟間諸人傳尤詳。

山書十八卷

佚

見銷燬書目。所録皆明季雜事。

典制紀略十五册

未見

雜記古今法制名物，多援引經史及百家之説，而著其原委焉。

天府廣記四十四卷詳紀録順天事之書

學典三十卷

存

是書所載皆歷代建學、設官、行禮、講學、科舉之事，自虞迄明，分年編載。惟前代僅居八卷，而明代之事多至二十二卷，如釋奠之禮，凡各史志紀所載者，皆未收入。既載國子監學興廢創置，而各朝學官之職，學官之制，又皆闕焉。至泮宫習射，及各經列於學官者，如漢之石經，唐之寫經、石經，後唐之鋟版，卷中皆未言及。而明代一切章疏，毫無關於學典者，乃一概濫入，所以明代獨多也。

閒者軒帖考一卷

存

是編所記，自蘭亭而下，至文徵明之停雲館帖，三十有八種，一一考其源流，品其次第，書成於順治丁亥，在庚子銷夏記之前，故所記互有詳略。

藤陰劄記

存

是編爲承澤講學之語，共一百餘條，大抵以程、朱爲宗，而深詆金谿、姚江，亦頗涉及史事。

學約
未見

承澤輯周、程、張、朱之言爲一編。

學約續編十四卷
存

是編又以明薛瑄、胡居仁、羅欽順、高攀龍四家之語，仿近思録之例，訂爲一集以續之。

考正晚年定論二卷
存

是書以王守仁所作朱子晚年定論，不言晚年始於何年，但取偶然謙抑之詞，或隨問而答之語，及早年與人之筆録，特欲借朱子之言，以攻朱子，不足爲據。乃取朱子年譜、行狀、文集、語類等書詳爲考正。以宋孝宗淳熙甲午爲始，朱子是時年四十有五，其後乃始與陸九淵兄弟相會。以次逐年編輯，實無一言合於陸氏，亦無一字涉於自悔。因逐條辨駁，輯爲是編。考晚年定論初出之時，羅洪先致書守仁，所辨何叔京、黄直卿二書，已極爲明析，是書特申而明之，大旨固不出羅書之外。

明辨録

存

是書取諸儒闢佛之言，彙載成帙。上卷載昌黎原道及佛骨表，而傅奕疏及太宗斥蕭瑀詔轉列於後，其餘辨論陸九淵、楊簡、王守仁之説者，亦備記之。下册則皆諸儒語録，辨駁佛氏之學者。

庚子銷夏記八卷

存鮑氏知不足齋刻本　翻鮑本

是編乃順治十六年承澤退居後所作。始自四月，迄於六月，故以銷夏爲名。自一卷至三卷，皆所藏晉、唐至明書畫真蹟；四卷至七卷，皆古石刻，每條先標其名，而各評騭於其下；八卷爲寓目記，則皆他人所藏而曾爲承澤所見者，故别爲一卷附之。大抵議論之中，間有考據，如宋之錢時，嘗爲祕閣校勘、史館檢閲，終於江東帥屬，本傳所載甚明，而承澤以爲隱居不仕，此類亦頗失於檢點。然其鑒裁精審，敍次雅潔，猶有米芾、黄長睿之遺風，視董逌之文筆晦澀者，實爲勝之。存目别有研山齋墨蹟集覽一卷，法書集覽一卷，即此書之藁本也。

春明夢餘録七十卷

存古香齋刊本　粤東翻刻本

是書首以京師建置、形勝、城池、畿甸，次以城防、宫殿、壇廟，次以官署，終以名蹟、寺廟、石刻、巖麓、川渠、陵園。似乎地志，而敘沿革者甚略。分列官署，似乎官制。每門多列明代章疏，連篇累牘，又似乎故事，頗乖體例。然於明代舊聞，採摭頗悉，一朝掌故，實多賴是書以存。且多取自實録、邸報，與稗官野史據傳聞而著書者究爲不同，故考勝國之軼事者，多取資於是編焉。

退谷隨筆

未見

見四庫總目，孫炯硯山齋珍玩集覽提要。

己亥存藁一卷

存

此編乃承澤順治己亥解官退居時所作。

王世德：崇禎遺録一卷

存鈔本

世德事蹟詳先賢傳。録中多記思陵善政，如罷蘇杭織造，毁錦衣衛非刑，散逐玉熙宫伶人，革僉商采辦之例；内侍高采請開珠池，立時誅死；以及召見羣臣，命太子侍立，大旱詣中正殿曝日中跪禱，多他記録所未及。又言宫人有夫人、牌子、常在，有大答應、小答應，上皆正色以臨，一無戲語。卽田貴妃婉惠得上意，未幾被譴，退居啟祥宫，以憂死。又玉熙宫乃伶人所居，非離宫也，卽娱情聲色，不必親幸，以斥吴祭酒永和宫詞、琵琶行之謬。又謂内帑竭於天啟，兵興以來，取累朝銀器用輸局融冶以充餉，上有銀作局三字，人所共見也。錢糧解承運庫者有二：金花銀，以供后妃金花、宫中賞賚；輕齎銀，以爲勳戚及京衛武臣俸禄，其時皆無餘資。此外，甲字等十庫貯方物，天財庫貯錢，古今通集庫貯書畫、符券、誥命，東裕庫貯珍寶，外東裕庫亦貯方物，皆無金銀也，庫盡此矣。以辨野史謂城破時，大内尚有積金十餘庫之妄。皆職在禁中親所聞見，宜可據信。其於亡國舊君，悃款忠愛之意，尤足尚焉。又言：内操教場名振武殿，在北安門内迤西，而非萬歲山。三月十八日，開廣安門迎賊者，爲煙閣所居回人。其獻太子二王於賊者爲太監栗宗周、王之俊。皆足以資考證。

馮銓：獨漉山房詩草

未見

銓事蹟詳雜人傳，此書見涿州吴志。

雷□□：孝經廣訓

未見

毛奇齡序云：北平雷徵君著，大意以朱子爲宗。

王崇簡：冬夜箋記

存

崇簡事蹟詳先賢傳。是録成於康熙乙巳，皆其隨筆劄記之語。所述格言，多先儒名論，亦間摘録古事及同時耳目所見聞。然徵引舊籍，皆不載其出典，亦或偶然記憶未真，如伯夷、叔齊姓名一條云，出吕氏春秋及韓詩外傳，今二書並無此文。案論語疏所引，乃出春秋少陽篇也。

青箱堂文集三十三卷，詩集三十二卷

存刊本

崇簡練習掌故，文皆雍容爾雅。詩集編年爲次，始於天啟丙寅，迄於國朝康熙戊午，則宋琬所删定也。

劉餘祐：燕香齋文集四卷、詩集八卷

存

餘祐事蹟詳先賢傳。是集爲其子芳喆所編。每篇篇末皆有評語，如坊刻時文之類，後附行略。

李孔昭：秋壑吟一卷

存

孔昭事蹟見先賢傳。孔昭愛陶詩，晚自號潛翁。跡其出處，與靖節同。詩格亦摹擬惟肖。

金鎮：清美堂詩集

未見

鎮事蹟詳先賢傳。此集見陶樑畿輔詩傳七。

王景祚：用拙山房草

佚

景祚事蹟詳先賢傳。此書見吴正治撰傳。

劉瑞遠：勤榮堂集八十一卷

存刊本

瑞遠字端伯，號頓齋，三河人。順治乙酉舉人，官至江南海州知州。

頓齋權稿

存刊本

見三河陳志。

方玉集

存刊本

見同上。

胡兆龍：息游堂詩集

未見

兆龍事蹟詳先賢傳。此集見畿輔詩傳五。

王熙：文靖集二十四卷，附録一卷

存刊本

熙事蹟詳先賢傳。是集爲其子克昌所編，凡奏疏二卷，頌賦一卷，詩六卷，文十五卷，以自作年譜及行狀、誌銘、碑傳附録於末。前有其門人張玉書、吴震方二序，又有朱彝尊序。

郝惟訥：恭定奏議五卷

存

惟訥事蹟詳先賢傳。是集凡都察院奏疏八篇，刑部奏疏五篇，禮部奏疏一篇，户部奏疏九篇，吏部奏疏六篇。其禮部請行釋奠疏，户部税銀款目疏，皆註疏存部案字，蓋當時同官公議而惟訥具草，故仍刻之私集也。

袁懋功：滇記二十三卷

未見

懋功事蹟詳先賢傳。此書爲懋功巡撫雲南時所輯。

張能鱗：詩經傳説取裁十二卷

存

能鱗字西山，順天人。順治丁亥進士，官至四川按察司副使。其書以豐坊僞詩傳爲主，而旁採申培詩説，及詩六帖以發明之。宗旨先謬，其餘亦不足深詰矣。

峨眉志略一卷

存

能鱗曾任川南道，因志之。山舊有牛心石，能鱗改曰洗心。於峨眉形勝古蹟，標撮甚略。末附詩文數篇，而自作乃登其二，佛光解一篇，命意雖善，措詞則未能免俗也。

儒家理要二十九卷

存 刊本

多采宋五子遺書，分類編録，周子二卷，張子六卷，程子六卷，朱子十五卷。書前各有小序一首，本傳一篇。中有正學論朱、陸異同説，並緒言、主敬論，皆能鱗己説也。浙江采輯遺書目作十五卷。

西山集九卷

存

是集凡文八卷，詩一卷。能鱗善談理學，其詩文多率爾操觚，體裁未盡合於古。

羅森：麻姑山丹霞洞天志十七卷

存

森事蹟詳鹽誠傳。是編因明萬曆中左宗郢志而修，第一卷爲圖者八，第二卷爲考者四，第三卷爲表者二，第四卷爲志者四，第五卷爲紀者五，其餘藝文分七卷，末則麻源附録一卷，從姑附録一卷，育英堂附録一卷，姑山雜記一卷，詩文補遺一卷。

胡繼芳：易經講義一卷
佚
繼芳字生華，號淡雲，三河人。順治丁亥明通進士，官至常州府同知。
晚香堂詩集
佚
見三河陳志。
謝泰：蓼集編
存
泰事蹟詳先賢傳。此書見畿輔詩傳八。
客中吟
存
見同上。
張宏儼：竹香堂稿
存
宏儼字容侯，宛平人。順治八年舉人。

趙吉徵：菜根堂詩卷

存

吉徵事蹟詳先賢傳。王士正序之云：先生爲人慷慨，負意氣，好交游，重然諾，其詩不取妍當時，而骯髒之氣時露行墨間。

紀元：卧游山房稿

未見

元事蹟詳先賢傳。此書見畿輔詩傳十三。

劉芳躅：留雲山房集

未見

芳躅事蹟詳先賢傳。此書見涿州吴志。

馮源濟：恰宜樓詩

未見

源濟事蹟詳方技傳。此書見涿州吴志。

許世昌：西巡奏議

未見

世昌事蹟詳先賢傳。此書見宛平王志。

王應徵：廣嗣篇

存

應徵字心白，宛平人，崇禎辛巳歲貢。此書見宛平王志。

日省録

存

見同上。

米壽都：吉士詩集

存

壽都事蹟詳先賢傳。王崇簡序其詩云：吉士韶齡英潁，傳其家學，揮毫落紙，所謂高山㭾具，蒼佩華纓，有廊廟之容焉。既而海内多故，歌板、蕩，傷大東，欷歔感慨之音作矣；迄於今，悲激淒閔，纏綿引抑，亦其發於情之不得已乎？

查日乾：春秋臆説二卷

佚

日乾事蹟詳先賢傳。此書見查氏譜。

史腴二卷

佚

見同上。

僧德寶：南北集

佚

德寶事蹟詳釋道傳。此書見宛平王志。

井在：讞語八卷

未見

在事蹟詳先賢傳。此書見黄叔琳青溪先生傳。

講約六諭解一卷

佚

見同上。

天文纂要八卷

佚

見同上。

篦蟫集四卷

存

見畿輔詩傳十二。

合河署詩集一卷

未見

在補興縣時所作詩，興卽唐河東道嵐州之合河縣也。

鐵潭詩文集八卷

存

共詩六卷，文二卷，見畿輔詩傳十三。

黄鸝鵠詩，紅梨花詩，落花詩各一卷

佚

見黄叔琳撰傳。

蔣宏道：采仲軒詩草

存

宏道字裕庵，大興人。順治十六年進士，歷官都察院左副都御史。

劉芳喆：拙翁庸語

未見

芳喆事蹟詳先賢傳。此書見涿州吴志。

戊辰偶筆

未見

見同上。

贅言

未見

見同上。

拙翁集

未見

見同上。

蘇嵋：圯上吟

存

嵋字依巖，大興人。順治十八年進士。

劉文炤：攬蕙堂偶存

存

文炤字雪舫，宛平人。明孝純皇太后之姪，新樂忠恪侯文炳弟。文炳全家殉難，文炤流落江表，竟死高郵。詩亦感時遭變，慨歎淋漓，不自知其言之悲也。

梁以樟：卭否集

未見

以樟字公林，號鷦民，大興人，應澤子。明進士，官河南商邱縣知縣。按題名碑，以樟爲清苑人。畿輔詩傳謂清苑縣志不爲列傳，蓋以樟乃應澤子，大興人，而非清苑。題名碑不應有誤，或寄籍清苑，而仍住大興，故大興志有而清苑無也。

史可程：浮叟詩集

未見

可程字赤豹，號蘧庵，大興人，可法弟。明進士，官翰林院庶吉士。

韓畕：天樵子集

未見

畕字經正，號石耕，大興人。静志居詩話：石耕善琴，所操北音，恥作妮妮兒女子語。

終身不再娶，游覽江湖以終，今之牧犢子也。五律清穩，頗足名家。

辛民：辛子詩集

民字霜翊，又字先民，一字嚴公，宛平人。

存

劉獻庭：廣陽雜記五卷

存 功順堂叢書本

獻庭事蹟詳先賢傳。獻庭之學，主於經世，於天官、地理、六書、九數、農田、水利、刑名、錢穀、陣伍、壬遁，無所不通。其所爲書，均未成。没後，弟子黄宗夏掇拾此記，畧存其讀書著書之概。

張崇德：恆嶽志三卷

存

崇德字懋修，順天人。官渾源州知州。北嶽恆山在渾源州城南二十里，自漢以後，皆祠於上曲陽。國朝順治十七年，以刑科都給事粘本盛之請，改祠於渾源州。部議令山西撫司官吏詳察恆山遺蹟，於時主其説者，禮部尚書王崇簡，疏載所著青箱堂集中據紳耆之議以上達者，卽崇德也。故輯斯志，於祀典特詳；曲陽飛石之僞，亦辨之甚悉。

胡介祉：谷園詩集

存

介祉字循齋，號茨邨，宛平人。以父蔭，歷官河南按察使。毛奇齡稱其詩宗太白、摩詰，而得其正者。

陳襄：容堂詩

存

襄字若水，號思庵，文安人，協兄。官福建知府。

何天寵：紫來閣集

存

天寵字昭侯，號素園，宛平人。康熙六年進士，官吏部員外郎。

井鎡：半學山房詩鈔

存

鎡字待庵，文安人。康熙八年舉人，官山海衛教授。勵廷儀序其詩云：待庵先生品誼純粹，學術宏博，包羅今古，寄興吟詠，瀟灑淡宕，音節和平，風人之旨，溢於絃管。

方峨：嵋雪集

存

峨字嵋雪，一字玉巖，大興人。康熙十一年舉人，官江西新建縣知縣。

邵瓌：情田詞三卷

存

初名宏魁，字柯亭，大興人。康熙己卯舉人，官新河縣教諭，遷山東昌邑知縣。其填詞之學，出於朱彝尊。此集乃乾隆癸酉其子履嘉所刊也。

苑瀛珊：詩古文四卷

未見

瀛珊事蹟詳先賢傳。此書載寶坻洪志。

賈鋐：賈氏族譜

存

鋐事蹟詳先賢傳。按私譜例所不載，然賈氏之書，傳自金元，章學誠謂其詳贍有體。鋐修於前，鋐子澎復補於後，子孫奕葉，不忘家學。修志乘者，得以取裁，世家大族尚其鑒諸。

米漢雯：漫園詩集

未見

漢雯事蹟詳先賢傳。此集見畿輔詩傳。

始存集

未見

見同上。

張烈：讀易日鈔六卷

存

烈事蹟詳先賢傳。是書一以朱子本義爲宗，謂易者象也，言有盡，象無窮。伏羲畫爲奇偶，再倍而三，因重而六。文周逐卦繫象，逐畫繫爻，全是假物取象，不言理，不指事，而萬事萬理畢具。大旨在因象設事，就事陳理，猶説易家之不支蔓者。前有其子益孫、升孫紀實云：此稿已删潤四十餘過，至易簀前數日，尚合蒙引、通典、存疑諸書，考訂知來、藏往二義，旋加改補云云。則其用力，亦可謂勤矣。

王學質疑一卷，附録一卷

存

是書攻擊姚江之學，凡分五篇，一、辨性卽理之説；一、辨致知格物之説；一、辨知行合一之説；一、爲雜論；一、爲總論。其附録則首爲朱陸異同論；次爲史法質疑，通論史體；次爲讀史質疑五篇：一、論明孝宗時閹宦之勢；一、論李東陽之巧宦；一、論宋史以外不當濫立道學傳，亦爲王學而發；一、論王守仁宜入功臣傳，而以明之亂亡全歸罪於守仁；一、論萬曆時争東宫、梃擊諸臣之非。當王學極濫之日，其補偏救弊，亦不爲無功。然以明之亡國歸罪守仁，未免鍛鍊周内。夫明之亡，亡於門户。門户始於朋黨，朋黨始於講學，講學則始於東林，東林始於楊時，其學不出王氏也。獨以王氏爲禍本，恐宗姚江者亦有詞矣。門户之見未除，則愈論議愈生支節，夫亦可以不必矣。

孜堂文集二卷

存

烈篤守朱子之説，故集中多講學之文，然如朱陸異同論、王學質疑，皆未免有鍛鍊周内之意，不及其賈董同異論之持平。蓋漢學但有傳經之支派，各守師説而已。宋學既争門户，則不得不百計以求勝，亦勢之不得不然者歟？

紀炅：桂山堂集八卷

存

炅事蹟詳先賢傳。炅轍跡半天下，所至皆有題詠，故詩集甚富。有王企靖序。

何林：彌年集

存

林字雲壑，宛平人。歷官揚州鹽運使。

陳寅：主一堂集

存

寅字靖共，大興人。官知州。鄧漢威詩觀云：使君慷慨英犖，詩高逸不羣。

楊自牧：潛籟軒稿

存

自牧事蹟詳先賢傳。詩觀稱自牧詩英悍，得邊塞之氣居多。

許維祚：六雪齋詩草

存

維祚字石園，順天人。

曹廣端：初暘集

存

廣端字子正，號玉淵，大興人。

曹廣憲：石倉集

存

廣憲字思原，號梅峯，大興人。

李曉：梧臺集

存

曉字寅清，宛平人。

鄧林尹：雪江草

存

林尹字虞山，宛平人。

王潔：幽居山房稿

存

潔字汲公，大興人。

米漢倬：尚書輯要

佚

漢倬事蹟詳先賢傳。此書見宛平王志。

墨飲齋詩

佚

見同上。

寄草亭詩集

佚

見同上。

井焜：示兒詁六卷

佚

焜事蹟詳先賢傳。此書見傅山白衣山人傳。

古文奇字一卷

佚

見同上。

左傳各鈔四卷

佚

見同上。

袖中簡一卷

佚

見同上。

文安志二十卷詳紀載順天事之書

遺詩二十卷

佚

見文安楊志。

幽貞賦一卷

佚

見同上。

幽貞達旨一卷

佚

見同上。

王源：讀易通言五卷

存

源以易先後天、河洛之説出於道家，與胡先生渭之言若合符節，而著此書以辨之。方苞撰傳，以爲十卷。

或庵評春秋三卷

存

是書本名文章練要，分六宗、百家。六宗以左傳爲首，百家以公羊傳、穀梁傳爲首。然六宗僅左傳有評，百家亦惟評公羊、穀梁二傳而已。

輿圖指掌

存

是書先以總論，後分京省，而每省亦各有總論以冠其端，九邊卽附於北直、山、陜之後。江防海防之要，並詳於沿江沿海各省總論之中。其於諸郡，獨載建置、沿革、疆域、形勝、屬邑、山川，他若宫室、人物，無關於形勢者，皆不録。而古人行事有足以證其地之輕重者，皆附載焉。又按其方域遠近，山川要害，皆畫爲圖。

顏先生年譜

存

源取李塨所輯顏博野年譜，稍易體例，間有增益，以成此篇。

兵法要略二十二卷

存

分上、中、下三篇。上篇則孫子諸家之説，刈其繁而存其要，用兵之方略也。中篇則束、伍、營、陣操練之方，形名、器甲之用，車騎、水陸、接刃、合戰、攻城、守壘之法也。下篇則自春秋以迄於元，古人用兵之往事也。源後見武備志，又擇其簡要適用爲昔所不及載者，録爲二卷，附於中篇、下篇之後，曰補遺。

平書十篇三卷

存鈔本

十篇者，一曰分民，二曰分土，三曰建官，四曰取士，五曰制田，六曰武備，七曰財用，八曰河淮，九曰刑罰，十曰禮樂。爲文十有五首，分上、中、下三卷。

居業堂文集二十四卷

存武進管繩萊刊本　畿輔叢書本

源少作皆縱横捭闔，近於戰國策；後從方苞游，所作益堅剛雋永，根柢於管、荀，脱化於曾、王。雖未能與苞抗行，而亦如驂之靳矣。

朱璘：毛詩補音

佚

璘字卜年，號毅庵，歲貢。好學，寒暑不輟。爲文博雅，尤工古詩，旁通天文、地理、音律。此書見通州高志。

離騷注釋

佚

見同上。

郭應元：座右箴銘

佚

應元字乾一，通州人。陝西長安縣知縣。此書見通州高志。

蘊香集

佚

見同上。

關中吟

佚

見同上。

黄叔琳：硯北易鈔十二卷

存

叔琳事蹟詳先賢傳。是編用注疏本，以程傳本義爲主，雜采諸説附益之。

宋元周易解，附易解别録

存

其書仿李鼎祚周易集解之例，但裒諸説，不加論斷。然所采録頗簡，且書名既題宋元，而書中復録子夏易傳語十數條，未免失於斷限。又宋時説易者如王湜易學、林至易裨傳、鄭汝諧易翼傳、趙汝楳易敍叢書、林光世水邨易鏡之類，傳於世者尚多，兹皆未録。而元人説易者，竟未采一家。其書未分卷帙，亦無序目，殆猶未成之本也。後附易解别録一册，並旁采異説，亦僅有宋而無元云。

詩統説三十二卷

存

是編雜採諸家詩説，分類鈔録，所摭頗爲繁富。十四卷以前皆總論詩之綱領，十五卷以後乃依經文次第而論之，不列經文，惟集衆説，故以統説爲名云。

周禮節訓六卷

存

是編名曰節訓，蓋節録而訓釋之也。經文既非完本，所輯註文亦皆不著名氏。

夏小正注一卷

存

夏小正一書，原載大戴禮中，自隋志别爲一卷，宋傅崧卿始分别經傳而爲之注。朱子沿用其例，稍加考定，附於儀禮經傳通解中，而未言所本。元金履祥亦未見傅氏之書，遂以爲朱子舊本，採附通鑑，前編夏禹元年下而句爲之注，與傳頗有異同。國朝濟陽張爾岐合輯傳注爲一編，附以己説。叔琳以傳注多相重複，乃汰其繁蕪，以成是注，亦以己説附之。其稱傳者，大戴禮之文；其稱注者，履祥之説；注中稱張氏曰者，爾岐説；稱案者，叔琳説也。其中如改種黍菽糜作菽糜，而下菽糜作菽糜；鹿人從，引易卽鹿從；禽丹鳥白鳥不主螢火蝙蝠及蚊蚋之説；以匽爲蟬；以納卵蒜爲二物。皆與舊説不同。

宋元春秋解

存

是編雜採宋元諸家之説，而不加論斷，前有總論，凡例亦皆採集舊文。

史通訓故補二十卷

存

是書補王維儉註所未及，與浦起龍史通通釋同時而成，而此本之出略前，故起龍亦間摭用，所稱北平本者，卽此書也。此本註釋不及起龍，而不甚改竄，猶屬謹嚴。惟起龍於知幾原書多所回護，卽疑古惑經之類，亦不以爲非。此書頗有糾正，差爲勝之。

硯北雜録

存

是書上至天文、地理，下至昆蟲、草木，凡經史所載，旁及稗官小説，據其所見，各爲採録，亦間附以己意。大抵主於由博返約，以爲考據之資。

硯北叢録

未見

是編卷首有魏兆龍序，稱爲叔琳巡撫浙江時罷官之後所偶録，皆雜採唐、宋、元、明及近時説部，亦益以耳目所聞見，大抵多文人嘲戲之詞，如諧史、笑林之類，或著出處，或不著出處，爲例不一，亦未分卷帙，蓋憂患之中借以遣日而已。

文心雕龍輯註十卷

存

考宋史藝文志，有辛處信文心雕龍註十卷，其書不傳。明梅慶生註，麤具梗概，多所未備。叔琳因其舊本，重爲删補，以成此編。

崔恂：徽垣吟

未見

恂事蹟詳先賢傳。此書見儲在文撰傳。

紀遴宜：式倫堂集

存

遴宜字毅亭，文安人。康熙三十三年進士，歷官吏科給事中。

王煐：憶雪樓集一卷

存刊本

煐事蹟詳先賢傳。所著有田盤、紀游、蜀裝、蘆中、澗上、秋山、嵺衡、遊并鄉前後、寫憂及還庚諸集行世。毛際可序云：原本情性，胞與民物，萃數十年之精力，出入于漢、魏、六朝、唐、宋、元、明間，而語必己出，求其一字之摹仿不可得。朱彝尊序云：詩自漢、魏、六朝、唐之初、盛、中、晚，下及宋、元、明人體製，靡所不合。其用情也摯，斯温柔敦厚之教生焉。紅豆樹館詩話云：子千吟嘯林麓，放情山水，家近田盤，而羅浮、豐湖又在其所治郊坰之内。其登二山也，皆搜奇剔險，窮極幽杳，故其田盤、羅浮二卷，紀游二卷，酷似酈道元水經注，而荔支詞七絶一卷，尤爲膾炙人口。其他佳句如：朝游五岳雲生屐，夜度三江月入瓢；人歸市冷愁藏虎，晝静簾開好放蠅；能詩易白愁中髪，無酒難朱鏡裏顔；苦茗力能消夢境，濁醪理可化愁城；急補殘書如療疾，細嘗佳釀當還鄉；曲中易顧周公瑾，琴外難逢鍾子期；憤深精衛思填海，遇蹇牽牛恨隔河；胯下猶羞與噲伍，褌中豈屑共伶居！昔人所謂筆有餘力，詞無竭源，子千有焉。

王師旦：文廟備攷

未見

師旦字叔萃，歲貢生，官容城訓導。此書見寶坻洪志。

南華注

未見

見甯河關志。

年齒譜

未見

見同上。

文集

未見

甯河關志云：其寓海上時，門人劉源、崔體乾、崔瑞麟存其語録三十篇，寶而藏之，學者稱曰盤峰先生。

淑萃詩集

未見

見畿輔詩傳二十六。

楊大年：蘅香草

存

大年名允長，以字行，薊州人，布衣。寶坻洪志云：大年，漁陽詩人，遨遊山水間，情往興來，蒼茫欲絶，爲一時名流所咨賞。朱秀水日下舊聞、王新城古歡録往往採之。

陳祥裔：蜀都碎事六卷

存

祥裔本姓喬氏，號藕漁，順天人，康熙中，官成都府督捕通判。採蜀中故實，爲碎事四卷，雜引諸書，或註或否，間附以考證按語及前代題詠詩文；復以所採未盡，別爲藝文二卷，謂之補遺。祥裔所自作詩亦併列於唐宋名作之間。

王兆符：文集

未見

兆符，源子，康熙三十九年進士。方望溪云：兆符所排纂周官及詩文若干卷，蔣君湘帆編而録之。

紀遲宜：五芝樓集

存

遲宜字廷亮，號鈍翁，文安人。炅子，康熙四十四年舉人，官景州學正。

芮復傳：衣亭詩草一卷

存

復傳事蹟詳先賢傳。紅豆樹館詩話云：衣亭天才雋朗，學有本原。官錢塘時，屢司分校，所得皆知名士，嚴海珊遂成其一也。畫仿南宗，骨格蒼秀。句如游法螺寺云：松老身生甲，風多響似潮。登江樓懷王仲宣云：擇木有心纔去魏，委身何事更依劉！感懷云：癡能玩世原非傲，清可傳家豈患貧！岳陽樓云：朱絃夜鼓湘靈瑟，錦纜晴看楚客舟。皆有逸氣。

查爲仁：游盤日記

未見

爲仁事蹟詳先賢傳。

花影庵雜記

未見

爲仁居獄中，就白雲司茸板屋數間，讀書其中，榜曰花影庵 所記皆讀書有得之語。

蔗塘未定稿六卷，外集八卷

存

查慎行序其詩云：猶子心穀從患難中發憤讀書，所爲詩多與古人相頡頏，而出之宛轉，蘊之遥深，庶幾香草美人共成千古。陳鵬年序云：蓮坡承其家學，當險阻萬難時，輒以詩寫其鬱勃，見之者咸以爲戇，蓮坡獨能處窅而平之，含毫渺慮，雖凛凛懷霜，神明自勝。其詩藹然廓然，非涵養至深，曷克致此！

絶妙好詞箋七卷，附録二卷

存 查氏刊本　錢塘徐楙刊本　會稽章氏刊本

爲仁與錢塘厲鶚同撰。絶妙好辭，宋周密所編，於南宋詞家，去取最善。爲仁采摭諸書，以爲之箋，各詳其里居出處，或因詞而攷證其本事，或因人而附載其佚聞，以及諸家評論之語，與其人之名篇秀句，不見於此集者，咸附録之。會鶚亦方箋此集，尚未脱稾，適遊天津，見爲仁所箋，遂舉以付之，删複補漏，合爲一書。宋詞多不標題，讀者每不詳其事，如陸淞之瑞鶴仙，韓元吉之水龍吟，辛棄疾之祝英臺近，尹焕之唐多令，楊恢之二郎神，非參以他書，得其原委，有不解爲何語者。其疏通證明之功，亦有不可泯者矣。

詩餘紀事

佚

見厲鶚絶妙好詞箋序。

蓮坡詩話二卷

存 查氏刊本

刊於絶妙好詞箋之後。

查爲義：集堂詩鈔

未見

爲義字集堂，宛平人。爲仁弟，歷官淮南儀所監掣通判。工畫蘭竹花卉。

黄叔璥：南征紀程

存

叔璥事蹟詳先賢傳。是編乃其爲監察御史時，巡視臺灣，自京師至閩所記，始於康熙後壬寅正月，而迄於是年六月，分日紀載。

臺海使槎録八卷

存

兹編乃康熙壬寅叔璥爲御史時，巡視臺灣所作，故以使槎爲名。凡分三子目：卷一至卷四，爲赤嵌筆談；卷五至卷七爲番俗六攷；卷八爲番俗雜記。臺灣自康熙癸亥始入版圖，諸書紀載，或疎略不備，或傳聞失真，叔璥裒輯諸書，參以目見，以成此書。於山川、風土、民俗、物産，言之頗詳，而於攻守險隘、控制機宜及海道風信，亦皆一一究悉，於諸番情勢，尤爲賅備。

南臺舊聞十六卷

存

是書詳述御史典故，凡十三門，每事各注所出之書，頗爲詳備。其曰南臺者，據王世禎分甘餘話，今都察院可稱南臺，不可稱西臺語也。

中州金石攷八卷

存

是書叔璥官河南開歸道時所輯，成於乾隆辛酉。所録中州金石，自商、周以至元、明，蒐採頗富。然既以十府三州分目，則疆域井然，不容牽溷，而郟縣蘇軾蜀岡詩石刻，第八卷内乃兩收之，未免失檢。又所載金石，皆不著其存亡，即如自序中明言漢碑祇存其七，而所載漢時金石，乃至百二十種，則是據前人所述概爲録入，其中重刻者、傳疑者，又不盡著其由來，殊非記實之意。又每種之下，宜一一具載立石年月、撰書人姓名；其不可攷者，則著其闕文，方足徵信。而是書或著或否，則體例亦未畫一。至於郡縣地名，古今沿革之殊，或前人著録稱某碑在某州縣，而今改其名者，亦宜疏明，以資考核。如石梁今已爲縣，而稱徐庶母碑在州城東之類，尤端委未明。是皆由輯書時未嘗親見原碑，或據金石舊書，或據郡縣諸志故也。

廣字義三卷

存

宋陳普作字義，凡一百五十三字。孫承澤嘗爲增訂。叔璥復取陳淳北溪字義及程達原字訓，合承澤所訂，裒爲一書。每條之首，題原字者，普之舊，題廣義者，皆續增也。

近思録集注

佚

見先正事略。

慎終約編

佚

見同上。

既惓録

佚

見同上。

程可式：來山堂詩鈔八卷

存

可式字松邨，香河人。康熙五十年舉人，官河南河内縣知縣。沈青崖序之云：松邨先生蚤入藝林，甫冠登賢書，連不得志於有司。與余同纂古今圖書集成，十年散館後，余改官西清。越二年，先生亦特擢舍人，奉使西蜀。事竣，授河南縣令。所涖有聲，未幾歸田。丁卯冬，晤於梁園，乃贈嵩雲、涉江、東野三集，其志趣所尚，情隨境遷，性與理洽，施之於館閣，政教閒適，書籍瀏覽，誰曰不宜！

舒大成：試墨齋詩集

存

大成字子展，宛平人。康熙五十一年進士，官翰林院檢討。沈德潛云：大成五言應得力於唐賢三昧，風味近劉脅虛，不能用多，能用少也。

紀邁宜：儉書堂集十二卷

存

邁宜字偲亭，文安人。康熙五十三年舉人，官山東泰安州知州。紀昀序其詩云：偲亭伯少有大志，功名氣節，皆不欲居古人下；而遭逢坎壈，所往輒窮。抑鬱憂愁，一寫於詩，上薄風騷，下躪宋元，無一不闖其奥。

陳儀：毛詩臆評

未見

儀事蹟詳先賢傳。此書見符曾所撰家傳。

鄉黨私記

未見

見同上。

學庸私記

未見

見同上。

直隸河渠志一卷

存

是編卽儀經理營田時作。所列凡海河、衛河、白河、淀河、東淀、永定河、清河、會同河、中淀河、西淀、趙北口、子牙河、千里長隄、滹沱河、滏陽河、甯晉泊、大陸澤、鳳河、牤牛河、窩頭河、鮑邱河、薊河、還鄉河、塌河淀、七里海二十五水，皆洪流巨浸也。儀本土人，又曾身預水利諸事，於一切水勢地形，知之較悉，故敷陳利病之議多，而攷證沿革之文少，録而存之，亦足以參攷梗概也。

南華經解

未見

見家傳。

廣前定録

未見

見同上。

天游録

未見

見同上。

蘭雪堂集十八卷

存

于辰序云：先生自爲童子時，已崇本力學，卓然自命。凡經史子集之編，濂洛關閩之學，天文、地志、河渠、樂律之要，兵刑錢穀之詳，坐而言起而行者，靡勿瞭如指掌；而後以醞釀深厚者發爲文章，則先生之重於天下者，不徒以文，而其文之所以卓卓可傳者，亦要不外於是也。

陳學士文鈔一卷

存

此編皆議論直隸治水之文，爲吴邦慶别鈔彙入畿輔水利叢書者。

賈澎：耕餘集

存

澎事蹟詳先賢傳。永清周志稱其記序論説，文采斐然，雖未得會通古人，希風作者，要其命意立志，矯矯不同於流俗。

姜順龍：采鹿堂詩稿四卷

存

順龍字見田，號麟玉，保定人。康熙五十六年舉人，歷官四川按察使。

于振翀：愛萱齋詩草

未見

振翀字扶青，號霽亭，宛平人。康熙五十年舉人，官蔚州學正。

胡捷：讀書軒集

未見

捷字象三，大興人。諸生。有讀書軒集。蓮坡詩話云：象三幼有神童名，十歲能詩文，與余同硯席者三十年，其詩清潤和婉，時出性靈。

紀恆：藤花書屋詩草

存

恆字任甫，號北峰，文安人。遴宜子，諸生。

紀逵宜：繭甕集八卷

存

逵宜事蹟詳先賢傳。紅豆樹館詩話云：可亭爲桂山徵君猶子，兩宰劇邑，政事之餘，吟咏弗倦，蓋得於家學者居多。佳句五言如仙霞嶺云：氣通閩海闊，勢壓越山尊；獨樹挂殘雪，亂鴉爭夕陽；路盤山百轉，雲擁樹千重；風翻鴉背雪，石響馬蹄冰。七言如：倦懷想負丁年耒，隻影喰殘丙夜鐙；金骨未成辭碧落，朱顏易老溷緇塵；算來身世誰能了，說到名場我欲愁；宿火香温知夜永，隔窗竹響覺秋多；酒難撥悶辭三雅；夢擬游仙隔一塵；蝶抱夜香和露墜，燕銜春色過牆飛；隔水共邨通略彴，依山結屋盡樓臺；溪閣岸頭鳩婦雨，江船帆腳鯉魚風。皆超詣流暢，使人讀之往復流連，不能自已。

閒雲詞一卷

存

逵宜最工倚聲，名言側見橫出，言盡而意不盡。

陳浩：文集一卷

未見
浩事蹟詳先賢傳。此書見昌平新志。
生香書屋詩集六卷
佚
詩五百餘首，各體皆工，陶冶性靈，不卑不亢，清剛雋上，卓然名家。
恩光集一卷
存
賦、頌、詩三體合編，皆應制之作。
楚帆集
存
浩壬申典試南行所作。
鍾晼：祭禮纂三卷
未見
晼事蹟詳先賢傳。此書見王芑孫鍾先生事狀。
春秋義疏

未見

見同上。

春秋比事

未見

見同上。

經説

未見

見同上。

陳鳳友：素齋詩

存

鳳友號鶴汀，文安人。雍正二年進士，官廣東肇慶府知府。

王祚禎：音韻清濁鑑三卷

存

祚禎字楚珍，大興人。是書以金韓道昭五音集韻，元劉鑑切字玉鑰匙與周德清中原音韻合爲一書，而以己意竄改之。夫道昭書配三十六母，鑑書配内外十六攝，德清書則北曲之譜以入聲配入三聲，祚禎既狃於方音，併四聲爲三，混淆古法，而乃屑屑然區分門目，辨别等次，非今，非古，非曲譜，非等韻，莫喻其意將安取。

孫炯：研山齋珍玩集覽

存

炯字挈庵，大興人，承澤孫。是書取退谷隨筆中所論銅玉磁器及筆、墨、硯、紙、石章、文玩與刻板、繡繪、刻絲之屬，益以炯所見聞，編成此集。炯自爲序，其中論刻板一條，稱其家有宋板本草綱目四函。攷本草綱目，乃明萬曆中李時珍所作，安得有宋板也！

馬瀚：唐句分韻初集四卷，二集四卷，續集四卷，四集五卷

存

瀚字炎洲，順天人。其書以唐人詩句分一百七韻編次，以爲集句之用。初集、二集兼取五言、七言，續集、四集則惟取七言。

張璿：大學典祀彙考十四卷

存

璿字玉衡，宛平人。官國子監典簿。是書自孔子而下，四配、十哲以及先賢、先儒，凡

祀於大學者，悉裒其言行，各爲之傳，然意在務博，多失詳考。如子夏易傳，子貢詩傳，皆後人僞作，而引作事實，概無辨正。又歷代祀典如金石録所載後魏太和元年立孔子廟，延興四年，太上皇帝祭孔子文之類，皆佚不録。元設管勾一官，見元文類歐陽元序，準此書附註百石史卒碑例，亦所當收，是亦不免於疎漏也。

紀邁宜：返吴吟

邁宜字碩亭，文安人。雍正二年舉人。朱桓序云：碩亭詩，興酣落筆，未嘗求工，而襟懷瀟灑，自有出塵之想。

存

張如鉽：蘭谷詩草

如鉽字彝伯，號蘭谷，宛平人。雍正四年舉人，官武邑教諭。

存

張冲之：素修堂詩鈔

存

冲之字道淵，號退圃，宛平人。雍正六年賢良方正，歷官河南南汝光道。

何琇：樵香小記二卷

存守山閣本

琇事蹟詳先賢傳。是編皆考證之文，凡一百二十條，論經義者居其大半，亦頗及字學、韻學。其論六書，頗與舊説異同。如謂秃字當從禾會意，説文謂人伏禾下，固屬謬妄，即六書正譌，改爲從木諧聲，亦非確論。謂説文訓爲字爲母猴，本末倒置，當是先有爲字，乃借以名猴。謂射字從身從寸，爲籀文象手持弓形之譌。其説皆未免於獨創。至其解春秋西狩獲麟，解周禮奔者不禁，解詩野有死麕，亦時能發先儒所未發。其學問大旨蓋出入於閻若璩、顧炎武、朱彝尊、毛奇齡諸家，故多演其緒論云。

邵大業：讀易偶存十四卷

存

大業字厚庵，大興人。雍正十二年進士，官江南徐州府知府。此書於漢儒家言不取其卦氣之説，於宋儒家言不取其卦變之圖，大旨與平庵翫辭、雲峰通釋爲近。

謙受堂集十二卷

存

見畿輔叢書。

李鍇：原易三卷

未見

鍇事蹟詳僑寓傳。此書見通州高志。

春秋通義十八卷

未見

見同上。

尚史七十卷

存

康熙中，鄒平馬驌作繹史，採摭百家雜説，上起鴻荒，下迄秦代，仿袁樞紀事本末之體，各立標題，以類編次；凡所徵引，悉録原文，雖若不相屬，而實有端緒。鍇是編以驌書爲藁本，而離析其文，爲之翦裁連絡，改爲紀傳之體。作世系圖一卷，本紀六卷，世家十五卷，列傳五十八卷，繫六卷，表六卷，志十四卷，序傳一卷，仍於每段之下各註所出書名，其遺文瑣事不入正文者，則以類附註於句下，蓋體例準諸史記，而排纂之法則仿路史而小變之。自序謂始事於雍正庚戌，卒業於乾隆乙丑，閲十六載而後就，其用力頗勤。攷古來漁獵百家，勒爲一史，實始於司馬遷。今觀史記諸篇，其出遷自撰者，率經緯分明，疎密得當，操縱變化，惟意所如；而其雜採諸書以成文者，非唯事蹟異同，時相牴牾，亦往往點竄補綴，不能隱斧鑿之痕，知鎔鑄衆説之難也。此書一用舊文，翦裁排比，使事迹連屬，語意貫通，體如詩家之集句，於歷代史家，特爲創格，較鎔鑄衆説爲尤難，雖運掉或不自如，組織或不盡密，亦可云有條不紊矣。至於晉逸民傳中列杜蕢、狼瞫、鉏麑、提彌明、靈輒。逆臣傳中列趙穿而不列趙盾。亂臣傳中列郤芮、瑕吕飴甥。嬖臣傳中列頭須。魯列女傳中列施氏婦。予奪多所未允。又諸國公子皆别立傳，而魯、宋、蔡、曹、莒、邾六國則雜列諸臣中。叛臣傳中如巫狐庸叛楚入吴，吴、楚兩見。公山不狃叛魯入吴，吴、魯兩見。已爲重出。而屈巫見於楚，不見於晉。苗賁皇見於晉，不見於楚。又復自亂其例。如斯之類，不一而足。亦未能一一精覈，固不必爲之曲諱焉。

睫巢詩前集後集

存前集知通州，杜甲刊；後集知寶坻縣，洪肇楙刊。

鍇詩風格不凡，如唐人中最近儲、王、韋、柳。

江蘭社詩

未見

鍇開江蘭社，重葺宋史，此編録當時同人唱和之作。

鷹雅
未見
見通州高志。
菊譜
未見
見同上。
安鶴超：結蘭吟
存
鶴超原名繩祖，字曠仙，號容溪，昌平人。寓居通州，家徒壁立，處之晏如。時鐵嶺李鍇亦寓通，設江蘭社，校讎宋史，月一會同社者，権古吟詩。鶴超慕鍇名，造其門，執弟子禮，鍇亦快得良友，唱酬甚富。然所存不過什一，曰結蘭吟，易簀時，命其子以遺稿屬州孝廉馮維。維其素契也？維屬静海元克莊序其詩，付梓行世。

華陽吴祖椿校

藝文志五

順天人著述四

江陰繆荃孫纂

國朝

何玠：海鐘草

未見

玠字子山，宛平人。乾隆元年進士，江西廣昌縣知縣。在官有廉聲，工詩，見翁方綱谷園集詩注。

田元樞：幼學性理麤説

未見

元樞字辰彥，通州人。乾隆元年舉人，官臨榆教諭。此書見通州高志。

幼學草堂四書考史

未見

見同上。

幼學録

未見

見同上。三書皆元樞授徒之作。

紀晉：竇詩軒詩二卷

存

晉字公瞻，文安人，遴宜子。乾隆三年舉人，官江南甘泉縣知縣。

田志蒼：翩羽堂詩草

存

志蒼字東山，號春曉，大興人。志隆弟，乾隆六年舉人，官甘肅燉煌縣知縣。

王錧：秋草詩一卷

存

錧字樞五，號若谷，乾隆七年明通進士。廣東永安知縣，改臨榆教諭。此書見通州高志。

田志隆：研悦堂詩草

存

志隆字晉三，號葛侶，大興人。乾隆七年進士，官廣西全州知州。

紀復：寶樹新屋詩草

存

復字夢餘，文安人。遴宜子，乾隆九年舉人。

朱珪：知足齋集二十卷

存

珪事蹟詳先賢傳。紅豆樹館詩話：文正少爲文，深慕黄公石齋，又傳高安之學，與叔兄竹君學士齊名，人比之眉山蘇氏，稱爲二朱。其在位也，廉峻公誠數十年，人皆仰之，而愛才下士，尤見休休有容之度，如汀州張孟詞、武進黄仲則，皆以文學見知，於其殁也，猶惋惜不置。其他文章經濟之士，得公奬藉而成名者，必曰出石君先生門下以爲榮。宏聲偉望，海内翕然。公於經術無所不通，漢儒之傳注氣節，宋儒之性道實踐，兼而有之。知足齋集中應制諸作，摛華掞藻，實大聲宏，渢渢乎朱絃清廟之音。至於感物懷人，模山範水，長篇險韻，皆真意流行，錚然别開生面。嘗自題詩草云：昌黎全詩三百八，已駭怪變雄山河。後來才大號蘇海，萬斛泉湧惟東坡。偏師仄徑争纖巧，瑣碎蟲烏奚足科！蓋宗尚在是，故不覺筆端流露，自道所得也。

吴肇元：桐華書屋詩稿十卷

存

肇元字會照，號百藥，大興人。乾隆十六年進士，官翰林院侍讀。

劉士銘：西湖詩一卷

佚

士銘事蹟詳先賢傳。此書見朱筠撰傳。

翁方綱：詩附記

存

方綱事蹟詳先賢傳。此書刻入蘇齋叢書。

禮記附記

存

見蘇齋叢書。

禮經目次

存

見同上。

禮記毛本改誤

存

見同上。毛氏之刻十三經，緢明監本而已，無所校讐，且有監本不誤而毛本誤者。方綱乃以舊本較之，互參廣訂，以成是編。

儀禮毛本改誤

存

見同上。

春秋分年系傳表一卷

存

見同上。方綱以杜氏分傳於經，有傳文未畢，而以經文横截之，爲摘出表於左。

論語附記

存

見同上。

孟子附記

存

見同上。

經解目録一卷

存 蘇齋叢書本 粤雅堂本

就通志堂經解原刻次第，略舉卷帙原委，以備檢查而已。

經義考補正十二卷

存

自序云：丙申春，與丁小疋晨夕通從，相質諸經説，見所校朱氏經義考，積數十條，録存於篋。後十二年秋，在南昌重校是書，欲彙成一帙，而未暇也。又後三年，方綱按試曹、沂、登、萊諸郡，而門人王實齋來相助，重加校勘，因録所補正凡千八十八條，爲一十二卷。

十三經注疏姓氏一卷

存

刻入蘇齋叢書。

唐宋以來三元考

未見

見復初齋文、梧門科目故實二書序。

元遺山年譜三卷，附録一卷

存蘇齋叢書本　粤雅堂本　元遺山全集本

案方綱石洲詩話云：遺山崛起黨、趙之後，開啟百年來文士之派。又稱其七言歌行真有牢籠百代之意，陸務觀所不能到。又稱其所謂乾坤清氣，隱隱自負，居然有集大成之想。其推許已極。年譜考訂綦詳。癸巳，崔立作亂，羣小爲建功德碑一事，實遺山一生名節所關，辨之不遺餘力。然遺山金人也，顧俠君選詩且以元人相目，是非毁譽之來，原聽之悠悠之口，是在知人論世者折衷之耳。汪本直墓道圖、重修墓記略附後。此書即汪本直所刊。

米海岳年譜一卷

存蘇齋叢書本　粤雅堂本

伍崇曜跋云：方綱督學粤東時，撰粤東金石略，考訂綦詳，而藩署九曜石藥洲米黻元章題字，斯譜亦定爲元祐元年，據石刻也。而阮通志謂其誤連時仲等連名讀之。考宋史海岳本傳，以宣仁后藩邸舊恩，補浛光尉。熙甯八年，浯溪刻石云：米黻南官五年求便養，得長沙掾。方信孺米公畫像記云：洽光尉□□入淮南幕。温革跋米帖云：元章元豐中謁東坡於黄岡。蕭閑堂記云：僕元豐六年，識荆公於鍾山。殷令名帖跋云：戊辰，集賢林舍人招爲苕霅之游。淳化帖跋云：元祐三年，維揚倦游閣題。據此，則熙甯八年以前，元章蹤迹在廣南，所謂南官五年也。八年以後，元祐三年以前，則在長沙、江淮間。安有元祐元年復游廣州題藥洲之理哉？竊謂此題刻當在尉洽光時。蓋廣州爲都督府，元章或以事至，因游此耳。然不能定爲何年，故附於熙甯之末云。而學使署九曜石，舊傳有海岳詩，然不可考。先生嘗賦詩云：不知米家詩句刻何處，想在老榕巨根内。又云：未知老榕脚下字，後來誰則代我摹？迨道光六年十二月，今大冢宰翁邃菴師時督學粤東，浚九曜池，因截榕根數尺，濯而出之，得五絶一首，其文曰：九□石，碧海出，蜃閣青，空起夏雲瑰奇□，怪石錯落動星文。米黻，熙甯六年七月。六行，三十一字，爲從來金石家所未著録。則藥洲題字，同爲熙甯無疑。使先生早得是刻，則金石略與斯譜當並詳之矣。然譜内熙甯七年一條，已明言其云南官五年，由熙甯八年以前計之，則自熙甯四年辛亥以後，皆官於南矣。

兩漢金石記二十二卷

存

最兩漢金石文著録者，二百八十有六，先以年月表冠於首，有年月可考者一百有十四，無年月者以敍於後，考證詳明，敍述淹雅，爲金石學者所必讀之書。體例一準洪氏隸釋，而精博亦相亞。

粤東金石略十一卷

存蘇齋叢書本

方綱典學粤東八年，搜羅金石，彙成此編。敬録宸翰二十八條卷首；次廣州府金石六十七種爲第一卷；次廣州南海神廟金石六十七種爲第二卷；次廣州清遠禺峽山諸刻三十九種，西樵山二十六種爲第三卷；次韶州府金石二十二種爲第四卷；又二十六種爲第五卷；又韶州碧落洞諸刻二十四種，南山諸刻二十七種，浛溪石室五種爲第六卷；次連州金石四十四種爲第七卷；次肇慶府七星巖諸刻六十二種，三洲巖諸刻十五種，陽春巖二種爲第八卷；次肇慶府金石十種，惠州府十三種，潮州府三十三種，嘉應州二種，高州府三種，廉州府一種，雷州府五種，瓊州府十三種爲第九卷；最後附九曜石考上、下二卷。凡九曜石諸刻二十八種，凡粤東金石著録者五百六十二種，爲卷十有二，爲紙一百九十四頁。

金陵石刻記五卷

未見

見祕閣集六詩小注。

焦山鼎銘考一卷

存

是書以張山來焦山古鼎考僅据寺中石刻爲之，譌舛頗多，因取門人謝啟昆拓本重加考定，次録諸家釋文，逐條辨證，正其是非；又以諸家詩歌之有關考據者殿於末。錢大昕跋云：可與汪士鋐瘞鶴銘考並傳千古。是其稱引繁博，辨證詳明，實足以羽翼經訓，非徒補正張氏書已也。近日阮氏積古齋鐘鼎彝器款識亦載此銘，其釋文作廟，作燔，作入門，作鴻，作遺，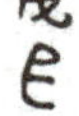作虎方，作帶束，作攸，作魯，作割，作眉，惟九行字釋文遺落，餘與此書大略相同，今並録之，俾博古家有所折中也。

蘇齋雜記八卷

存稿本

草稿存方比部孝傑處，皆考訂書畫金石。

蘇米齋蘭亭考八卷

存

伍崇曜跋云：自姜夔撰禊帖偏旁考，桑世昌撰蘭亭考，俞松撰蘭亭續考，言禊帖者宗焉。先生復撰此書。王蘭泉蒲褐山房詩話，稱其精心績學，剖析毫芒，幾欲駕昔人而上之，洵不誣也。又稱先生書初學顏平原，繼學歐陽率更，隸法史晨、韓勑諸碑，然一生心力所注，尤在禊帖，故復初齋文集有跋齊原曹侍郎所收趙子固落水蘭亭卷二首，續跋陳伯恭所收定武蘭亭卷後一首，跋國學蘭亭一首，跋褚臨蘭亭王文惠本一首，跋蘭亭領字從山本二首，跋張笠城所得玉枕蘭亭石一首，跋慈溪姜氏蘭亭一首，自跋審正萬松山房縮本蘭亭一首。今復讀此書，益知其生平服習，窮幽極微，即論書法，於本朝亦當高據一座，有由然也。

晉楷偶記

存

刊入蘇齋叢書。

蘇齋唐碑選一卷

存咫進齋叢書本

是編選唐碑五十種：率更書化度寺碑，永興書孔子廟堂碑，率更九成宮醴泉銘，褚河南孟法師碑，張長史郎官石柱記，率更小字千文、虞恭公碑、皇甫府君碑、永興破邪論序，河南度人經、陰符經、樂毅論，海字本薛少保書昇仙太子碑并碑前年月，唐元宗御書泰山銘後年月一行，褚河南倪寬贊孔祭酒碑，褚河南伊闕佛龕記，柳諫議李西平碑，李北海端州石室記，陳諫南海神廟碑，顏魯公宋廣平碑側、宋廣平碑、茅山李元靖先生碑、殷君夫人碑、元次山碑、金天王廟題名、中興頌，竇懷哲書蘭陵公主碑，褚河南書房元齡碑、鴈塔聖教序記、張阿難碑、莒公唐儉碑、褒公段志元碑，柳子寛書諸葛祠記并陰、竇叔向碑、于志甯碑，張嘉貞書北嶽廟碑、爲上昭仁寺碑、王居士甎塔銘，柳書護命經，河南書小字千文，王士則書李寶臣紀功頌碑、御史台題名、郎官題名，王知敬書嵩山武后詩，虞書奉三日帖，褚書奉五日帖，徐嶠之書姚彝碑，沮渠書老君祠碑，甘道士書明皇敕爲次，皆教人習書之法。蓋方綱書法專法率更，論議亦不外此。

蘇詩補注八卷

存

是書詳考施、顧二家蘇詩註本，知查他山所補或有未盡，於是舉原注所有者，擴殘拾墜，間附己説。門人曹振鏞録成是編。

復初齋文集三十四卷

存刊本

是集爲門人侯官李彦章刊於閩中，文分體類編，而自卷十六至末，均書籍、金石、書畫、題跋，居全書之强半，其學術旨趣已可概見。至於金石論斷，本其專門，而爲賞鑑家之考訂，故往往論及書法。中考訂論三篇，曰：考訂之事必以義理爲主。頗詆惠定宇、閻百詩諸人。不知考訂之學，是非之所在，卽義理之所在，非必先有義理，後有考訂也。覃谿是論，頗爲失中。然生平收藏既富，當世名流鮮不結納，見聞淹雅，采取精詳，北學之中究推巨擘矣。

復初齋詩集六十二卷

存

詩分年編録，曰課餘存藁，曰藥洲集，曰青棠書屋集，曰寶蘇室小草，曰祕閣集，曰石蘭集，曰枝軒集，曰祕閣直廬集，曰桑梓掄才集，曰晉觀稿，曰谷園集，曰石墨書樓集，曰小石帆亭集，曰蘇齋小草，曰嵩緣草，曰有鄰研齋稿，曰石畫軒草。方綱服膺東坡，才氣横溢，而金石書畫諸題，以考据入韻語，亦覺左宜右有，無牽繩湊韻之弊，由其學富，是以筆精，尤與竹垞相近。

栖霞小藁

存

見蘇齋叢書。

嵐漪小藁

存

自序云：乾隆丁未秋，按試南康郡。郡在廬山東南，由德化入星子，必經山之隘口，而試院在山麓，日與湖中落星石對。予以七月十四日入隘口，飯瞻雲寺。比試竣，以八月二日宿秀峰寺，明晨遊萬杉栖賢，午到白鹿洞書院；又明日並五老峰東，北度吴章嶺，至九江。此廬山之陽經遊大略也。中間數詩，試院作，合前後入山出山，凡得四十八首，不曰匡廬小草，而曰嵐漪者，落星石上舊有嵐漪軒，見山谷外集注，蓋宋龍圖閣學士吴仲庶所顔者，今其址廢已久，予因書嵐漪二字扁於試院後軒，兹集所以志也。前數日皆陰雨，出山後亦稍稍雲而風，惟入山二日，朗霽無點翳，山光水翠，豁然與目謀，又嵐漪之睨我也。此行僅山之陽，故不敢以匡廬名云。

青原小藁

存

見蘇齋叢書。

志言集

未見
自序：在復初齋文集於唐得六家，宋、金、元得五家，鈔爲一編，名曰志言，蓋取虞書詩言志之義也。
詠物七律偶記
存
選七律詩之詠物者。
七言律鈔
存
鈔唐人七言律詩，以爲學詩者之規臬。
小石帆亭五言律續鈔八卷
存粤雅堂叢書本
方綱論詩，私淑漁洋，是編續漁洋五言詩鈔，總唐、宋、金、元二百十一首。南海伍崇曜得其手書略例暨總目十數葉，按目寫出而刊行之。
石洲詩話八卷
存

方綱視學廣東，試諸郡時，每與幕中學侣論詩，有所剖析，隨手劄記，積得五百餘條；報滿歸署，又日與諸生藥洲、榕石間申論諸家各體，又得八百餘條。入都時，草稿失去，葉雲素農部於書肆購還。又增評杜一卷，附説元遺山、王漁洋論詩絶句兩卷，共成八卷，題曰石洲，志始也。

小石帆亭著録六卷

存

自序云：石帆亭者，漁洋先生論詩處，在新城里第池北書庫間。昔吾邑黄崑圃先生受學於漁洋，至視學山東役竣，猶親執經問業於此。方綱幼及崑圃之門，輒心慕之。後四十年，而方綱視學於此，竊思漁洋先生以詩學沾溉後賢，顧後來受其膏馥者，或往往厭薄先生，蓋始於趙秋谷，後人所聞不逮秋谷，而亦轉效之。實則先生言詩，窺見古人精詣，誠所謂詞場祖述，江河萬古者矣。方綱幸得承先生門牆緒論，復得與學人訓故齊魯之間，急以闡揚先生言詩大指爲要務，輒因新城新刻古詩平仄論，而推廣沿溯，約爲書六卷。使院四照樓前有石焉，旁有水亭，因題以小石帆，而竊比於著録之義。

張模：貫經堂詩鈔

存

模字元禮，號晴溪，宛平人。乾隆十七年進士，歷官吏部稽勳司郎中。紅豆樹館詩話：晴溪先生主講天津問津書院，教士讀書，務爲根柢之學。生平精鑒古，商周彝器，偏傍款識，均能辨晰。書法南宮，嘗摹刻貫經堂米帖行世，亦來禽、戲鴻之亞也。詩琅然清圓，不失雅音。

王繼燿：不自收拾集二卷

存

繼燿字鸞坡，號澹山，大興人。乾隆十七年舉人，官贊皇縣訓導。達椿序其詩云：先生少負不羈之才，博極羣書，歷游齊、豫、江淮，涉湖湘，走黔中，凡數千里。性嚴正，高氣重義，讀書無間寒暑。詩根柢三唐，出入宋、元諸大家，以神韻勝，不以刻畫爲工。

紀淑曾：漢皋集

存

淑曾事蹟詳先賢傳。王昶序其詩云：秋槎太守與余爲同年友，漢皋集，詩如披蘭臺之風，發明耳目，而甯體便人也。秋槎政事之餘，襟懷蕭曠，江山助之，世有采楚風者，必以是爲冠。

查善長：鐵雲詩藁

佚

善長事蹟詳爲仁傳。此書見查氏譜。

朱筠：筍河詩集二十卷，文集十卷

存刊本

筠事蹟詳先賢傳。紅豆樹館詩話：筍河學士閎通博覽，名滿海内，一時奇才異能之士，趨風景附，若斗之有杓。公毅然以文章風義爲己任，鬬椒花吟舫，與客讌游，覃研文史，坐是以積勞卒，未得展其所藴。姚姬傳太史稱其慷慨論事，摩厲講學，不第欲爲文士，誠篤論。以詩集刊於嘉慶癸亥，皆石君相國手爲讐訂。跋中稱其排奡生創，龍翔虎躍，雖恢奇萬狀，而無一字一韻不歸於妥帖。然先生文章志在起衰，才力所及，卷軸佐之，甯使縋幽鑿險，别闢畦町，斷不稍蹈康莊，致流平易。學者昧其源委，或以鉤章棘句相誚，則没作者苦心矣。

查善和：二十一史然疑必識

佚

善和字用咸，號東軒，宛平人。爲仁子。此書見查氏譜。

東軒詩草

未見

津門詩鈔云：東軒學問博雅，善自韜晦，好吟詠，所著甚多。

呂淙：秋岡書屋詩鈔

存

淙字亭育，號石符，三河人，布衣。

王一貫：魯齋詩

存

一貫字魯齋，大興人。諸生。方苞序其詩云：魯齋詩大抵遨遊於山水之間，嘯歌自適，不事剽盜，氣平而旨遠，其傳誦於閭里固宜。其行孝弟忠信，其經濟藝術知名於時，惜乎其没也。

王大鶴：鳴笠山房詩集

存刊本

大鶴事蹟詳先賢傳。此書系大鶴自刊。愛吾廬詩及思存集詩文則未行世也。

毛毓麟：蕉窗筆記

存

毓麟字子昭，庠生。此書見通州高志。

養拙堂詩文集

存

見同上。

孫維龍：黟縣志

未見

維龍事蹟詳先賢傳。此書維龍官黟縣時所修。

樵貴谷詩選

未見

維龍在黟擇邑中自金迄本朝之詩。

邵自鎮：夷白山人行卷一卷，不須編一卷

存

自鎮字尹東，號笠塘，宛平人。乾隆二十六年進士，官大名府教授。

邵庾曾：香消詩草一卷

存

庾曾字南淑，號湘芷，一號象芝，宛平人，自鎮子。乾隆二十六年進士，歷官山西鴈平道。

使黔草一卷

存

見畿輔詩傳四十四。

消寒集一卷

存

見同上。

祝澧鴈門草一卷

存

見同上。

董覲光：牧亭詩草

存

覲光字牧亭，寶坻人。乾隆二十七年舉人，官江西試用知縣。

雷鐏：古經服緯

存

鐏事蹟詳先賢傳。

韓瑞錦：詩藁一卷

存

瑞錦字鳴璜，通州人。

劉錫信：歷代地理志考證

佚

錫信事蹟詳先賢傳。錫信取諸史地理志，參稽史傳，旁徵金石文字，及古今水道地輿諸書，訂其譌舛，仿宋王伯厚漢藝文志考證之例，作歷代史地理志考證，卷帙浩繁，迄未卒業，至今惜之。

潞城考古録 詳紀録順天事之書

歷代諱名考一卷

存

自序云：避諱之説，殷商未之前聞也。左氏曰：周人以諱事神，名終則諱之。故避諱斷自周人始。然克昌厥後，駿發爾私，形諸雅頌，歌於朝廟，殆所謂臨文不諱者歟？晉以僖侯廢司徒，宋以武公廢司空，始以諱改官制矣。魯以獻武廢二山，始以諱改地名矣。秦、漢而降，避諱益詳，其初避帝名，既而漸及中宫，漢雉、晉春是也。既而并及儲貳，北齊廢帝，隋之煬帝，俱在青宫，卽已更改郡縣名號；唐因章懷，亦易崇賢之館。自時厥後追尊之帝，與握符御宇者不殊，割據之君與統一函夏者無别，或子孫推崇其先世，或偏隅各奉其聲靈，莫不敬避名字，更易舊文。夫周秦二漢避正名而已，隋唐已來并及嫌名，至宋而嫌名之避益繁，每一帝嗣服，應避者多至十許字。凡文字中援引書史，追改前代人名，如荀勗稱孫勉之類，幾於不可辨識，或亦濫觴之過歟！我朝廟諱、御名，止避正字，舉凡同音之字，概不令避，一弛唐、宋嫌名之禁。比來宏開册府，甄録遺編，凡諸書中如公孫平津、鄭康成等名字，皆直書本字，敬缺末筆。仰見聖度淵涵，大公至正，迥非近古所及歟！第前代著述家，如年號、謚法之類，皆有專輯之書，惟避諱更改名物至夥，向無專書紀録，斯亦藝林之闕也。僕偶從往籍留意搜討，裒而集之，類分十二，間附鄙見，援引證據，輯成歷代諱名考，雖掛漏孔多，亦足爲識小之一助云。荃孫按：周廣業有避諱考四十卷，搜采極博，錫信未及見，周亦未見錫信書也。

菱溪筆記

未見

見通州高志。

煮石山房詩稿

未見

見同上。

李蔚：嵐秋山房賸稿

未見

蔚字青岑，大興人。乾隆三十一年進士，官廣東潮州府知府。

紀承曾：紫藤書屋詩草

存

承曾字儀祖，號羣玉，文安人。乾隆三十三年舉人。

紀曾藻文集

佚

曾藻事蹟詳先賢傳。此集見王延襄撰傳。

晴香書屋詩藁

存

畿輔詩傳選其詩。

小癡遺稾一卷

存

黄世發序其詩云：小癡學富才贍，下筆千言立就，其古在氣，其俊在骨。所謂才人之作，非僅詩人之作也。

劉塏：宦游草一卷

存

塏字爽亭，通州人。乾隆三十五年副貢，歷官雲南大理府同知。

包憬：留香書屋小草

存

憬字素心，大興人。乾隆三十六年舉人，歷官廣東鹽運使。

邱庭漋：芝房賸稿

存

庭漋字芝房，宛平人。乾隆三十七年進士，歷官山東布政使。

李維寅：廉餘詩集二卷

存

維寅事蹟詳先賢傳。紅豆樹館詩話：先生官粵西，治行卓然，以詩爲餘事。然精藍巖洞留題幾徧，多雄渾激壯之氣。銅鼓一歌，尤波瀾横溢，具體韓、蘇。五言如：晴雲開碣石，積氣湧辰韓；洞穿平地出，風拓衆山來；寒峯餘翠色，野鳥自閒聲；涼生收雨後，秋在放船時；露光浮草白，燒影入雲青。七言如：户外寒聲零舊雨，嶺頭歸信問殘梅。凍雲流影分寒色，遠樹無聲鬱暝煙；折柳亭邊頭半白，落帆江上月昏黄；欲問青天攜謝眺，慣吟客路似王灣；尋詩古驛苔生壁，吹角斜陽客倚樓。皆方虚谷所謂律髓也。

查禮：漢印譜

未見

禮事蹟詳先賢傳。禮嗜古印章，金玉銅瓷，自吾子行、王厚之而下，名人鐫刻者，無所不備，藏弆至有千餘，印譜以行。

銅鼓書堂三十二卷

存

是集詩二十卷，文三卷。紅豆樹館詩話：蓮坡居士闢水西莊館，大江南北之彦，時恂叔甫弱冠，每有倡和，出語已驚一坐。洎官京曹，輦下名士，咸與攬環結佩，文酒之讌，無日無之。銅鼓堂集清新婉約，出入王、孟、韋、柳間者。出守粵西以前作也。登山臨水，慷慨振刷，駸駸乎闖杜陵之室者。滇蜀軍興，馳驅戎馬間作也。清而能腴，雄而不肆，誠與蓮坡居士異曲同工；而驅役卷籍，刻畫性靈之處，殆欲突過伯氏。嗜畫梅，跋語附見集内。儲藏唐宋人名蹟及金石碑刻最多。

王毓桂：粵游吟一卷

存

毓桂字秀子，號畏堂，寶坻人。此詩皆遊歷粵省所作。

竹香樓詩一卷

存

見畿輔詩傳四十七。

邱桂山：依緑山房詩賸一卷

存

桂山字依千，宛平人，庭樹子。乾隆四十年進士，四十一年召試，授内閣中書，歷官廣東潮州府同知。

查誠：天游閣雜著

未見

誠字衛中，號静巖，一號海漚，宛平人。善和子。乾隆四十二年舉人，官郎中。此書見查氏譜。

天游閣詩集

存

津門詩鈔：海漚詩酒自娱，有蓮坡遺風。起小園，疊石蒔花，殆無虚日；積書萬卷，無不披覽。妾程亦能詩。

邵自昌：世麟堂詩二卷

存

自昌號楚帆，大興人。乾隆四十三年進士，歷官都察院左都御史。

王天禄：蓮芳賸草

存

天禄字石渠，號一齋，大興人。乾隆四十三年進士，官福建福甯府知府。

張中正：倚雲軒詩鈔

存

中正字貞一，號凱園，宛平人。乾隆四十五年舉人，歷官廣西慶遠府同知。

芮熊占：蕉亭閒詠一卷

存

熊占字飛菴，寶坻人。乾隆四十五年副貢。陳雯序之云：清和淡遠，泠然而善，悠然而不盡。李光庭序之云：詩抒寫性靈，發響天籟，出入於香山、放翁之間。

王振緒：澮園草

存

振緒號蕙圃，寶坻人。乾隆四十八年舉人，官蔚州學正。

查彬：湘鄉漫録

存

彬字憩亭，宛平人。爲義孫。乾隆四十二年進士，歷官河南信陽州知州。

采芳隨筆二十四卷

存 嘉慶十九年刊本

例言，花譜始於陳肥遯全芳備祖，繼以王藎臣羣芳譜，廣集詩詞故實，兼敘種植療治之方，採擇亦云博矣。是編稍辨其形，識其性，録其題詠，其前人詩詞之富者，集隘未能盡録，姑從割愛，其缺略者則收近世之作以補之，故名曰采芳隨筆。分爲二十四卷，首花部，餘植物分爲八屬，近時所賞玩而前人不經見者，如夜來香、晚香玉諸花，經俱未載，風蘭、秋牡丹、淡巴菰，歷代俱無題詠，今一一補採輯之，皆雜記詩詞，間有考訂。

小息舫詩草

未見

見查氏譜。

翁樹培：古泉彙考八册

存鈔本

樹培事蹟詳先賢傳。此書寫本八帙，厚幾盈尺。樹培竭數十年心力，考證至精。聞其見一泉幕，即能知其面文，幾於十不爽一。其於北宋泉一點一畫，罔不析及毫釐，或隸與正書配，或篆與行草配，分爲若干種，斷爲各冶之别。自云於北宋泉竭十餘年之功，旁搜博采，方得確證。但此册無圖，而錯落極多，且有信手所記，未經删定者。樹培曾請觀永樂大典，終日手自鈔寫，凡稍涉泉幣者，無不采入，故卷首尚列燧人氏一條云，見通志前編並路史。是時甫有火化，遽以鑄泉，尚沿前人之誤。

比部遺詩一卷

存鈔本

紅豆樹館詩話云：詩排奡妥帖，比之蘇氏斜川，不失長公家範。

舒位：瓶水齋詩集十七卷，附録二卷

存

位事蹟詳先賢傳。趙翼序云：開徑如鑿山破，下語如鐵鑄成，無一意不奇，無一句不妥，無一字無來歷，是真能於長吉、玉谿、八叉之外，别成一家。法式善序云：諸體之中，七古尤勝，前無古人，後無來者，非浸淫於三李、二杜者不能。龍鐸序云：他人之詩有六義，鐵雲之詩兼有三長；他人之詩有四聲，鐵雲之詩兼有五聲；他人之詩有宋、唐、元、明，鐵雲之詩則兼有離騷、八代。

月底修簫譜

存刊本

前繪圖，後自度曲。

章宗源：隋書經籍志考證

存史部十二卷湖北崇文書局刊本

宗源事蹟詳先賢傳。是書仿王伯厚漢書藝文志考證而作。按隋經籍志逸目分書編輯，而以己意折衷之，間補隋志未收之書，亦遵王伯厚例。惜今僅存史部矣。

邵葆醇：韡華吟舫詩鈔一卷

存

葆醇字睦民，號松疇，宛平人。庾曾子。乾隆五十五年進士，歷官福建台灣府同知。

王殊渥：且住爲佳軒詩二卷

存

殊渥事蹟詳先賢傳。詩不多作，然抒寫性靈，時多佳句，如：宦情閒似鶴，人意嬾於春；山枯春意晚，人少爨煙寒；散衙朝判牘，聽雨夜鈔書；移花醒蝶夢，轉枕聽春潮；孤鐙聞鴈夜，小雨落花時；霜從昨夜降，寒覺異鄉多；雨昏邨入畫，廟古樹生鱗；邨酒淡無色，壁鐙寒有花。挹其風味，皆淡而彌旨也。

周廷俊：味雪廬詩藁

存

廷俊字子及，號茶農，宛平人。乾隆五十九年舉人，官廣西馬平縣知縣。李雲章序云：

周丈狀貌瑰偉，秀韻在中。詩文、書翰，高簡有法。嘉慶戊辰，罣議留粵，賃屋杉湖，與予過從無間，郡中文士咸樂與遊。君所譔著，亦由是益進。

雷學海：靖遠堂詩文集

未見

學海字澹支，鐏長子。乾隆六十年進士，廣東雷州府知府。此書見通州高志。

雷學淦：百壽圖考

未見

學淦字湘鄰，鐏次子。乾隆五十九年舉人，江西義甯州知州。此書見通州高志。

結鄰集

未見

見同上。

田籍：篤慎堂詩集

存

籍字千畝，號致亨，大興人。志勤子。乾隆六十年舉人，貴州候補知縣。

查淳：靈渠紀略三卷

未見

淳事蹟詳先賢傳。淳少隨父在粵西，講求水利，手著此書。

湘灘合藁

未見

此亦在粵西時所作詩。

蜀游詩鈔

未見

此宦四川時所編詩。

梅舫詩鈔

未見

見正雅集小傳。

黄掌綸：春倪草堂詩一卷

存

掌綸字展之，號吟川，大興人。官國子監典籍。墨香居畫識云：吟川幼沈潛篤學，尤酷嗜金石文字，詩學杜樊川、許丁卯。行、楷書俱有古致，旁及繪事，師法荆、關，用筆嫣潤，布置寬閒，有大家風格。
李延坪：爲政十要
未見
延坪字春旭，密雲人。此書見密雲丁志。
詩集
未見
見同上。
邵廷杰：清吟巢詩鈔三卷
存
廷杰字雪樵，甯河人。諸生。
趙庭荃：湘三詩稿
存
廷荃號湘三，涿州人。貢生。
穆得元詩集
未見

得元字東軒，工詩，李光理稱其有盛唐諸老遺風。

查樞：北亭遺草

未見

樞字□□，宛平人。優廩生，官雲南建水縣知縣。工畫，能詩，此書見查氏譜。

曹顯宗：脈訣一卷

存刊本

顯宗字思皇，通州人。嘗得异授，精岐黃術，然不樂泛應，人亦不敢輕致。遇沈疴，固請乃至，至則往往奏效。此書見通州高志。

覡仙唱和詩一卷

佚

見同上。

樊鎮：羣賢碎玉集

未見

鎮字主實，通州人。工書畫，尤精山水，自號煮石山人。此書見通州高志。

鶴唳編

未見

見同上。

王立藻：韻琴館畫稿

未見

立藻字文田，善寫意花鳥，賦色妍潤。山水學南田，晚年號雪蕉居士，畫愈蒼秀，鄉人多學之。此書見通州高志。

吴邦慶：畿輔河道水利叢書十三卷

存

邦慶事蹟詳先賢傳。是書首列陳儀直隸河渠志一卷，陳學士文鈔一卷，徐貞明潞水客談一卷，怡賢親王疏鈔一卷，水利營田圖説一卷，亦怡賢親王開墾水田時所繪，畿輔水利輯覽一卷，澤農要録六卷，畿輔水道管見一卷，附水利私議，皆邦慶所自撰也。邦慶生自水鄉，深知疾苦，濡染於陳學士儀之緒餘，搜訪夫怡賢親王之舊迹，思擘綜今古，推廣溝洫，水利既興，水患永去，甦桑梓之疾苦，興畿輔以富强，用力搜采，最爲淹博。前五種每種有跋，皆詳論夫今昔異勢，及可行不可行之端，不强爲異同，不輕爲附和，是有心得，豈同夫口給也！水利要覽，輯宋何承矩、元虞集等之論，皆治水成規之可節取者。澤農要録，稽魏賈勰、元王楨等之書，皆明農成法之可參考者。河道管見、水利私議，則邦慶言其所見，改河道，開水田，籌資本，平租仔，經畫井井，不爲無益之談。雖今時易勢殊，今去邦慶之時，較邦慶去儀猶爲緜遠，所論未必盡屬可用，然留心畿輔河道者，必以此書爲總匯焉。

邵葆祺：司勳存稿一卷

存

葆祺字壽民，號嶼春，大興人。大業孫。嘉慶元年進士，歷官吏部稽勳司員外郎。紅豆樹館詩話云：壽民與張船山太守友善，船山題其詩集，比之長爪郎、玉川子。又曰：我愛君詩無管束，忽然兒女忽風雲。今觀存稿，頗雅令妥帖，斤斤矩矱，不甚鞭驅險句也。君先世系出浙之餘姚，二雲學士於君爲叔父行，嘗受業門下，蓋深得其指授云。

紀淦：豆花齋詩集一卷

存

淦字秋水，號幼海，文安人。嘉慶三年舉人，官山東萊蕪縣知縣。淦早負文譽，尤工詩，造格遒勁，出語幽怨，短律長歌，悉臻精妙。文安紀氏能詩者十餘家，必以秋水爲最。

林天培：又一邨吟草

存

天培事蹟詳先賢傳。

盧厚山年譜

存

見畿輔叢書目。

王廷紹：澹香齋詠史詩一卷

存刊本

廷紹字楷堂，大興人。嘉慶四年進士，官刑部員外郎。廷紹貧而負氣，傲睨一切，音吐宏亮，所至驚其座人。詩學少陵，沈著痛快。性警敏，多才藝，斗室中雜蒔花竹，狂歌泥飲，灑如也。詠史詩起莊周，迄倪瓚，共二百二十三首，沈鬱頓挫，議論所到，筆力嶄然。其自序云：昔人謂作史宜兼才、學、識三長，易而爲詠，則有不能徑遂者矣。樂府，五、七古，可以己意爲馳驟，束之於七律，又有不能徑遂者矣。或雪夜篝鐙，或冰晨呵管，或發豪情於酒琖淋漓之下，或寄苦調於五更布被之中，是非懼謬於聖人，歌泣欲通乎千載。觀此可知其搜抉之苦心也。性尤兀傲，嘗以詼語忤司寇某公，幾爲所中。同僚咸爲惴惴，廷紹夷然不屑。家藏古端硯，長七尺餘。阮文達元爲作歌曰：王郎抑塞磊落才，掃葉延我來秋齋。籬腳黃菊立碧苔，秋陰堂下多强楷。齋中一硯真奇材，端溪七尺橫安排。以几爲匣鬆髮胎，紫雲緑雨摩幽崖。平方正直誰量裁？羲之宅裏一片階。任人十手執筆來，儘可一硯容其儕。鍥墨無聲墨頓摧，如蠟塗釜膩莫揩。曰非端州何石哉？器大反與恆情乖。楷堂寶此休輕開，神寒骨重勿受猜。急須刻字銘硯隈，緇塵百斛無能埋。歿後遺書散佚，此硯亦不知流落何所矣。

鮑克莊：清穆堂詩

存

克莊，通州人。琮子。嘉慶六年舉人，肅寧縣訓導。

徐銓：藕船詩稿

存

銓號藕船，大興人。嘉慶十年進士，河南光州知州。

徐松：新斠注地理志集釋十六卷

存會稽章氏刊本

松事蹟詳先賢傳。是書取嘉定錢坫新斠注地理志，斠訂錯誤，並改還錢氏臆改之處，采國朝名人訂漢志者書於眉端，不能盡者，夾籤於内。松所自考，加松案二字。本無書名，手稾爲姚方伯覲元所藏，囑荃孫理稾，爰録各條，分綴本文之下，屬會稽章大令壽康刊行，以爲讀漢志者之一助。原籤内偶有集釋二字，卽取以名其書。

漢書西域傳補注二卷

存道光九年刊本　指海本　式訓堂本

松在新疆時，以師古所注未能賅博，爰博采羣書，證以今時疆域，而成此注。

元史西北地理考

佚

見沈垚金山以東地理釋。

西夏地理考

佚

見沈垚與徐星伯中書書。

新疆志略十卷

存殿本

新疆入版圖已數十年，未有專書。松謫戍時，出嘉峪關，由巴里坤達伊犁，歷四千八百九十里。越乙亥，于役回疆，度木素爾嶺，由阿克蘇、葉爾羌，達喀什噶爾，歷三千二百里。其明年還伊犁，所經者英吉沙爾、葉爾羌、阿克蘇、庫車、哈喇沙爾、吐魯番、烏魯木齊，歷七千一百六十八里。既覽其山川城邑，考其建官設屯，旁及和闐、烏什、塔爾巴哈台諸城之輿圖，回部哈薩克、布魯特種人之流派，爰搜采事蹟，稽核掌故以成。是書於建置城垣，控扼險要，滿漢駐防，錢糧兵籍，言之尤詳。將軍松筠奏上之。松水道記、西域傳補注，皆詳古，此書則詳今，其體裁不同也。自道光朝將軍長齡定張格爾之亂，同治朝今大學士左宗棠定白彦虎之亂，且與俄羅斯分疆畫界，重定卡倫，外藩部如烏梁海、哈薩克、霍罕等部落，均爲俄有。建城駐兵，屢有改易，踵而修之，是在守土者已。

新疆賦二卷

存道光二年刊本　上海袖珍本

松在伊犁時所著，新疆事蹟貫串古今，即以文筆而論，亦宏中𢐀外，華實並茂。

西域水道記五卷

存

第一、二卷記羅布淖爾所受水。三卷記哈喇淖爾所受水，巴爾庫勒淖爾所受水，額彬格遜淖爾所受水，喀喇塔拉額西柯淖爾所受水。四卷記巴勒喀什淖爾所受水。五卷記賽喇木淖爾所受水，特穆爾圖淖爾所受水，阿拉克圖古勒淖爾所受水，噶勒札爾巴什淖爾所受水，宰桑淖爾所受水。而各爲之圖，其言曰：志西域水道，難於中夏者三，一曰窮邊絶徼，舟車不通；二曰部落地殊，譯語難曉；三曰書缺有間，文獻無徵。如喀楚特西之雅布塔爾水歸於西海，宰桑淖爾溢出之額爾齊斯河入北海，中外所限，固無論已；卽近在邊内，天山、葱嶺積太古之冰雪，瑪海噶遜亘千里之沙磧，雖在章亥，亦將裹足，所謂舟車不通也。新疆之界，回部厄魯特、土爾扈特、和碩特、沙畢納爾諸種人處其内，扎哈沁、烏梁海、度爾伯特、哈薩克、布魯特、霍罕、布哈爾諸種人環其外，或逐水草，或居城郭，嗜欲不同，言語互異。國語謂山爲阿林，蒙古語則曰鄂拉，回語則曰塔克西，番語則曰里；國語謂水爲穆珂，蒙古語則曰烏蘇，回語則曰蘇西，番語則曰楚。復有重譯難通，象胥不能盡解者，懷鉛握槧，烏乎志之！所謂譯語難曉也。馬、班始立大宛、西域兩傳，灼然可見者，惟龜兹一河，葱嶺一山；而天山莫得其主名，大河不知其分合。自是以降，水經注最爲古籍，乃以南河、北河分入於海。唐時又移置輪臺，改易玉門。至於車師六國、康居五城，其可知者大抵茫昧。所謂文獻無徵也。於是有實非古地而附會者，巴里坤有烏爾圖布拉克，蒙古語謂長流泉也，諺謂爲烏圖水，或以音近謂卽漢之務塗谷。蘇勒河在安西州，或以音近，謂卽漢之疏勒國。又有實見古籍而誤改者，如胡桐，見西域傳，其叢生之地名胡桐窩，或疑爲鳥巢，改爲鵲鴿窠。又交河城亦見西域傳，或以回語音譌誤交河爲招哈。復有以譯語致誤者，多歡，渡口也，而誤以爲水名。郭勒謂河也，而誤作果爾，爲地名。踵譌貽謬，不可勝言。且新疆之水，有地異而名異者，如布勒於河之下游爲錫古河；額敏河之上游爲西伯圖河。有地異而名同者，庫爾喀喇烏蘇境、甯遠城境、特克斯河境、特穆爾圖淖爾境，皆有濟爾噶朗河。古城境、哈什河境皆有吉爾瑪台水。亦有名異而實同者，洮賴河之作討來、洮賚、陶賴、桃來；木素爾嶺之作穆素爾、木色爾、穆舒爾，如斯之類，尤不易於決別。松謫戍西域，將軍松筠命撰新疆事略，南北兩路壯遊殆徧，每所之適，攜開方小册，置指南鍼，記其河川曲折，下馬録之。至郵舍則進僕夫、驛卒、臺弁、通事，一一與之講求。積之既久，繪爲全圖，乃徧稽舊史方略及案牘之關地理者，筆之爲記。記主於簡，所以擬水經也。又自爲釋，以比道元之注，即用酈氏注經之例，記則曰導，曰過，曰合，曰從，曰注。釋於經水曰出，曰逕，曰會，曰自，曰入，於枝水曰發，曰經，曰匯，曰以。圖籍所記異文踳駁，使夫攬者歎其混淆，一以欽定西域同文志寫之，而釋其可知者，斯誠有條不紊矣。

唐兩京城坊考五卷

存連筠簃叢書本　畿輔叢書本

松自序云：余嗜讀舊唐書及唐人小説，每於言宫苑曲折、里巷岐錯，取長安志證之，往往得其舛誤，而東都蓋闕如也。己巳之歲，奉詔輯全唐文，於永樂大典中得河南志圖，證以玉海所引，禁扁所載，灼是次道舊帙，其源亦出於韋述兩京記，而加詳焉。亟爲摹鈔，愛同球璧。校書之暇，采集金石傳記，合以程大昌、李好問之長安圖，作唐兩京城坊考，以爲吟咏唐賢篇什之助。

唐登科記考三十卷

存鈔本

唐人登科記十餘家，至今盡佚。松編輯各書，搜而補之，用編年之體，先載詔書，次科目，次策問，次登科人名，次文字，無則闕之。考異夾注於下，爬梳細碎，考證淹通，有唐一代科名，略可見大概矣。

顧亭林年譜

佚

見張穆顧先生年譜。

崔廷詔：萱華堂詩集

佚

廷詔，霸州人。此書見霸州周志。

崔廷轍：日省堂詩草

未見

廷轍，霸州人。此書見霸州周志。

田文洛：四銘堂詩草

存

文洛號雷門，大興人。嘉慶十三年進士，官承德府教授。

王墀：游盤詩一卷

存

墀字步玉，號六橋，寶坻人。嘉慶十三年進士，官山西長治縣知縣。

崔偲：蘭雪山房全集

存

偲事蹟詳先賢傳。

王秋元：蔭桐賸稿

存

秋元，文安人。嘉慶十三年舉人，官至山東汶上縣知縣。

李光里：春熙堂詩一卷

存

光里字勉庵，寶坻人。嘉慶十四年進士，歷官江西吉安府知府。陳運鎮序其詩云：勉庵詩多得之舟車間，大抵皇華原隰，兼岵屺杕杜之思，不煩繩削，自與古會，時出雋語，領異標新。

楊鍈：翠雨山房詩鈔

存

鍈字蘭皋，號澹人，涿州人。嘉慶十五年舉人。

楊銜：鐵如意齋詩草八卷

未見

銜字叔冰，涿州人。嘉慶十八年副榜，官欒城教諭。

全史詩鈔八十卷

未見

此書見涿州吴志。

雷學淇：經説十卷，補遺二卷

存

學淇事蹟詳先賢傳。是書一周易，二尚書，三毛詩，四周禮，五儀禮，六禮記，七春秋傳，八論語，九孟子，十孝經、爾雅。補遺二卷。自序云：淇讀書四十年，好爲討論之學，每得一解，必求其會通，務於諸經之文無所抵忤。傳箋注疏，取舍多殊，非敢求異，期於事理之合云爾。末學膚受，難免拘墟，是耶？非耶？是在後之論訂。

夏小正經傳考二卷，本義四卷

存

經傳考二卷，本義四卷。經傳考上卷，考定經傳之文，下卷録諸家論説，而以己意斷之。本義則考定經傳之文，而爲疏證。

古經天象考十二卷

存

一、元紀原始，二、三、觀象，四、亨紀循斗，五、六、定法，七、八、九、利紀治歷，十、貞紀布憲，十一、述徵，十二、演緒。每篇各有子目，采録古書，而以己意發明之。後附圖説二卷。

考訂竹書紀年五十三卷

存

是書考訂竹書紀年，卷首總目略例紀年六卷，紀年辨誤一卷，紀年考證一卷，紀年年表一卷，紀年歷法天象圖一卷，紀年地形都邑圖一卷，紀年世繫名號圖二卷，紀年義證四十卷。略例云：紀年者，魏史記也。秦燒天下詩書，諸侯史記尤甚。春秋而外，獨紀年藏冢中獲免。晉興，既得是書，命荀、和、衛、束諸人遞相詮次，歷宋、齊、梁、魏，儒者咸寶守之，蓋綦重也。晉得是書，列於中經，副在三閣。杜預傳。劉逵、摯虞、干寶、郭璞及徐廣、裴駰、陶宏景、酈道元諸人多稱述之，以爲證據。隋唐之際，著作家亦多徵引，然諸經正義，史漢注說每斥曰妄，不以爲憑，故傳者日稀，積久褫佚。宋史藝文志止載三卷。原書十三卷。朱子使林擇之求焉且不獲，今之二卷，乃元明人所校宋本之殘缺耳。予爲是秦先古書，多三代真蹟，甲子事實，有益於世教者不少，故從事九年，爲之釐訂。紀年起黃帝，終今王。周宣王後用曲沃晉魏之年，以夏正紀事，六朝，唐、宋，言者既詳。今傳本二卷，幽王後仍紀周年，用周正，非竹書之舊也。譌舛既甚，放失頗多。茲據載籍徵引之文，悉爲校正，各詳證據，附見本條。紀年體例與春秋同，房元齡管子注謂是周公之凡例也。諸侯史記，周禮謂之四方之志，墨子謂之百國春秋，孟子曰：晉之乘，楚之檮杌，魯之春秋，一也。今紀中間有差異，而實係紀年舊文者。如是維若陽，是爲桓公，黃帝至禹，自禹至桀，年九十八，年九十四，殷侯子亥，殷在鄴南，依鄫侯子鱓立，列會舉謚，成湯元年之類，皆與春秋異。蓋紀出襄王冢，此王未没時，魏之史臣纂録古志，及其國書附辭紀下，以便省覽，進呈於王供檢閲者，是卽紀年之傳矣。其初，傳文必旁見側出，與正紀不甚相淆，特竹簡科斗書湮薶歲久，難盡辨晰，故晉時杜預、郭璞已合紀傳同稱。近時傳本，溷亂尤甚矣。今所校訂，凡紀文皆作大字，傳文在紀内者，以小字别之，其附於後者，皆亞紀一字，使傳與附注有别，紀與體例無違。紀年有附注，傳本謂出沈約，不知果否？毋曰諸段，辭義荒渺，乃帝王世紀文説出緯候者，沈氏既采入宋書，無應更録於此，相傳既久，姑且存之。其他注文，唐宋人亦或稱引，今别加注字，並爲勘定。李唐而後，議紀年者多，誣趙宋以來傳竹書者實誤，誣者枉正，誤者失真，知而不言，毋亦後死者之咎矣！作考證一卷，辨誤一卷。班、馬二書，久爲世重，據文覈事，每有難通。三統歷增益歲年，六國表紊淆事實，如商周御宇，齊滑代燕，紀載之譌，遺誤不少矣。據紀年歷象，歲差有定數，無庸後代頻更。史傳疑義可旁通，證以古經尤合，網羅有自，探討奚辭！作紀年甲子年表，列國年表一卷。大圜在上，行健不息，歷古迄今，有何疾遲！六朝來言歲差者，乃各不同，此未考紀年六甲之故也。三統三正，卽史記之斗綱三建，司馬氏世掌天官，所著十書，此爲最古，儒者不察，乃以湯武改正朔解三統，沿譌非一日矣。今參考漢以後法，取證秦以前書，述紀年歷法天象圖一卷。國勢必因山澤，地利關乎盛衰，冀雍形勝，實爲神皋，徐豫土饒，每多河患。管子曰：樹國必於不傾之地。此專以形勢爲言。而在德不在險，則所以長久安者，更有當務。稽古者立言不擇，甚謂禹有鴻溝之鑿，湯爲迂道之師，證以竹書，其誣立見。作紀年地形都邑圖一卷。司馬子長以伯益、柏翳爲二人，謂黄帝至紂四十六世，至武王止十九世，自言姓氏所出，並舉重黎，昔人嘗呰議之矣。然成周以降，日趨於文，宗支別而氏族繁，謚法備而名號衆，加以烏焉字別，雉兕音譌，岐之中又有岐，實非臨文者所能猝辨。竹書所紀，有異於舊説，而實與經傳發明者，是亦考古之一證焉。作紀年世繫名號圖二卷。疑必析乃明，事無徵不信。晉獲紀年十三卷，其説與秦漢來傳注多殊，故當時王庭堅輩頗詰難之，束廣微隨疑分釋，作釋難一篇，論者謂皆有義證，惜其文今不傳矣。考紀年所載，與秦以前古經諸子史傳多符，世因傳本殘缺，尤詆議之，因述束氏之意，作議證四十卷。

張琛：律吕新書初解

未見

琛字問齋，宛平人。此書見畿輔叢書未刻目。

算學算

未見

見同上。

日鋤日記

未見

見洪符孫撰序。

日鋤齋詩集

未見

見畿輔叢書目。

缶音

未見

同上。

陳震：筤墅説書

未見

震，文安人。

陳克緒：讀易録

未見

克緒，文安人。

高繼珩：欒城志餘

存

繼珩事蹟詳先賢傳。此志系繼珩爲欒城教諭時所修。

蜨階外史四卷

存咸豐十年刊本

是書雜記鄉曲委瑣之事，用意深厚，筆亦條暢。記今居十之七，稽古僅十之一，大半皆直隸事，而順天尤多。凡事有勸懲，有關系者，悉采入志矣。

養源堂文集

未見

見聽松廬詩話。

培根齋詩集

未見

見同上。

海天琴趣詞

未見
見同上。
李雲章：偲聞齋筆記
未見
雲章字子文，號壽君，大興人。嘉慶二十三年舉人，官撫甯縣教諭。此書見沈濤交翠軒筆記。
偲聞齋詩集
存
雲章詩古體雄深雅健，嗣響三唐，律句整練高華，肩隨七子，洵詩壇射雕手也。
方履籛：河内縣志三十卷
存
履籛事蹟詳先賢傳。序録載萬善花室文集。
武陟縣志三十卷
存
序録載萬善花室文集。

永定縣志二十卷

存

見張成孫撰家傳。

伊闕訪碑録三卷

存稾本

履籛游伊闕時，居山中匝月，徧搜石刻，得唐以前造象題名，多至八百餘種。人謂履籛造象題名，大抵鄉曲愚夫婦所爲，無關學問。履籛曰：六朝人罹鋒鏑苦，惑釋氏談，思種福田，以求生全，其情可閔，觀之可以識世變。且題名中有名人游歷所至者，考其年月，可以證史傳異同，豈無關學問乎！

富蘅齋碑目六卷

未見

履籛酷嗜金石文字，見有摹拓善本，必重直購之，先後所積，幾及萬種，多王氏金石萃編、孫氏寰宇訪碑録所未載，編目六卷。

希姓録一卷

未見

見方駿謨先府君行述。

泉譜一卷

未見

履籛與劉喜海考覈泉幣而爲之譜。

萬善花室駢文六卷，續集一卷

存道光己丑福建刊本　雲自在龕重刊本

履籛之學，自天文、地理、氏族、金石、六書、九章之法，耆闍、梵筴之書，無不旁通博涉，貫串洞達。其駢文雄深渾厚，典麗磅礴，高者淵源兩漢，次亦纂組六朝，自嘉道以來，以駢文鳴者，移華館外，鮮能抗手。前集道光己丑刊於福建，續集刊於常州，而複法苑珠林序一篇，並題目亦有漏落處。

萬善花室詩集四卷

存

陸我嵩序云：君學本六經，沿洄於先秦兩漢，扶樹風骨，含咀英華，發而爲詩，磅礴在中，鬱紆在外，皆忠愛悱惻之所流露。信乎如萬斛泉觸地而出，隨其形之大小，聲之疾徐，靡不中節。

詞集二卷
存
履籛嘗與張宛鄰論詞，故結響遒潔，抽思雋永。
楊際運：碧山草堂詩集
存
際運字士會，號小厓，涿州人。鋏子。嘉慶二十三年舉人，官河南羅山縣知縣。
查默勤：槐窗雜識
存
默勤，宛平人。監生。
崔樹基：福門全集
未見
樹基字福門，霸州人。嘉慶二十三年舉人。
鄭成基：東園集十二卷
存
成基字静山，大興人。歷官四川建昌道。成基初宦楚，值楚氛惡，蔓延秦、豫，蜀寇亦釁起，隨大帥轉戰，旋入蜀，運籌帷幄，險阻備嘗。發而爲詩，凡荒山窮谷可驚可愕之狀，以及士卒之甘苦，蒼赤之流離，罔弗形諸歌詠。如守夔、籌邊諸集，尤見經濟。

邵自祐：蕙圃詩鈔

存

自祐號葵露，大興人。布衣。

翟際華：寒竽小草一卷

存

際華字樓埜，甯河人。僑寓盤山，吟詠自遣。歿後，其友杜駿搜遺篇付梓。

王城：萬里行吟草

存

城號金垣，寶坻人。諸生。

劉栻：一石山房詩一卷

存

栻字柏鄰，寶坻人。布衣。

沈道寬：論語比一卷

存光緒三年刊本

道寬事蹟詳先賢傳。是編因講學家盛氣淩人，貽禍家國；折衷論語，定其是非，如論程伊川，論張德遠，論學統，均極痛快，實足以發迂論之瞶聾，定學術之真僞，不沾沾爲魯論疏通證明也。

六書隸秕三卷

存刊本

篇韵類隔一卷，辨析聲音之理，至精至微。篇韵正誤一卷，補遺一卷，訂玉篇、廣韵之誤，偏旁、點畫，悉行改正。

八書筌蹏一卷

存

是書專論書法，大致與翁方綱之唐碑選、包世臣之藝舟雙楫相似。

操縵易知一卷

存

序云：琴理之失傳久矣。紫陽朱子嘗疑其相生之數不符，蓋相沿皆以一絃爲宫，故由一絃之三分損一下生四絃，四絃之三分損一上生二絃，至五絃，羽音不能上生三絃角音，惜未有以考定一絃之非宫，然亦足見大儒偶爲一事，必求其所以然，不草草也。至國朝通州王坦吉途，始細考三絃爲宫，歷引管子、白虎通諸書爲之辨正，作爲琴旨一書行世，可謂千載卓識。顧其緊絃换調一説，沿譌襲謬。又貪求隱奥，博引繁徵，轉失辭達之旨。乾隆時，西泠蘇璟琴山本琴旨之意，成春草堂譜，推求不轉絃而换調之理，亦極切當。惟欲傅會一絃領調，故多改前人之法，謂一絃爲君，是黄鐘均，而以古之正調宫音爲仲吕均，蓋質言宫徵，已悖於三絃爲宫之理，故别立名目，殊爲庸妄。又於七音遞用遞推之義，了無心得，而謂變宫、變徵，不可入律，其疑誤後人之處甚多。今歲與孫芝房孝廉重爲訂定，而於王、蘇兩家之説，攻之不遺餘力，此非著書，故不嫌辨駁。又欲使人人易曉，不敢博徵載籍，轉以世俗工尺字言之，名之曰操縵易知，但以諗學者而已。

話山草堂文集一卷

存

集中書學統後二文，元祐黨籍論與論語比相出入，而論之尤暢，餘文亦落落自喜，不甚依附桐城派者。

話山草堂詩鈔四卷

存

道寬詩出入於玉谿、山谷之間，而學問淹雅，詞氣寬博，詩人之詩也。

話山草堂詞鈔一卷

存

道寬詞筆婉麗清新，逼真玉田、白石。

六義郛郭一卷

存

是書論詩，近於詩話，如云談詩者之聚訟，無過性靈、格律二者，不可偏廢也。舍性靈而言格律，是爲土木形骸；舍格律而言性靈，必至偭弃規矩。淺人自矜己得，論甘忌辛，萬不足信。則持平之談也。

查林：花農詩鈔六卷

存

林字松生，號花農，宛平人。淳子。官雲南州判。林足迹徧天下，其詩不主一家，沈鬱頓挫，間以流麗，讀之令人神往。前分有方集、醲林軒草、滇吟等子目。

湘中志餘

未見

見采訪册。

張坰：四書叢説

存

坰字魯坪，號厚菴，良鄉人。潛心理學，京江張錫庚序而傳之。

正蒙臆説

存

見同上。

李菡：挹芳軒詩四卷

存

菡事蹟詳先賢傳。此書見行述。

雷學濤：學蚓集

佚

學濤字松崖，鐏四子。道光二年舉人。

戴襄清：磁州志

未見

襄清字皀川，甯河人。道光五年舉人，磁州學正。夙耽書史，手不釋卷，此志蓋官學正時所修。

魏人龍：詩書易精義

存鈔本

人龍字景勳，貢生，通州人。晚年從游之士甚衆。此書蓋彙録先儒精義，闡以己意，以示門弟子者。

徐有壬：務民義齋算學二十一卷

存

有壬事蹟詳先賢傳。有壬精通算術，是編測圜密率三卷，橢圜正術一卷，截球解義一卷，弧三角拾遺一卷，朔食九服里差三卷，表算日食三差一卷，造各表簡法一卷，梓於咫進齋叢書。其未刻者，堆垜測圜三卷，垜積招差一卷，圜率通考一卷，四元算式一卷，校正開元占經九執術一卷，古今積年解源二卷，强弱率通考一卷，總爲務民義齋算學。

劉錫恭：海棠書屋詩文集

存

錫恭字恪菴，通州人，道光十一年舉人，官唐山訓導。

馮植蘭：石竹山房詩集

存

植蘭字晉亭，通州人。

韓大椿：讀左論説二卷

存

大椿字蔭鹿，通州人，廪生。爲學務根柢，博通經史，尤邃於周易、左氏。此書見通州高志。

凝雲書屋詩文集

存

見同上。

餖飣筆記

未見

見同上。

花甲日記

未見

見同上。

崔侗：三禮輯要

未見

侗事蹟詳先賢傳。此書見霸州周志。

三經管見録

未見

見同上。

谷應鳴：必香室文集

未見

應鳴字嵩屏，道光十七年舉人。此書見通州高志。

芸窗雜詠詩

未見

見同上。

李翰文：詩經附説

佚

翰文字墨緣，通州人，道光十七年拔貢生，官平山訓導。此書見通州高志。
禮記附説
佚
見同上。
于立垣：秦中紀游詩草
未見
立垣字小蘭，通州人。此書見通州高志。
廉兆綸：深柳堂詩集
存
兆綸榜名師敏，號琴舫，甯河人。道光二十年進士，官至倉場侍郎。
王緷：中庸解辨
未見
緷，霸州人。此書見霸州周志。
崔宜枚：詠齋全藁
未見

宜枚，霸州人。此書見霸州周志。

王璐：松霜閣印集

存

璐，文安人。道光二十四年舉人，湖北襄陽府知府。

松霜閣詩集

存

此書見文安采訪册。

楊翰：粵西得碑記一卷

存刊本

翰字伯飛，一號息柯，宛平人。道光二十五年進士，官至辰沅永靖兵備道。是記作於同治壬申。翰罷官往游粵西山水，窮極幽窅，不避風雨，日在峭巖深壑間，屢有所得，如大曆平蠻頌摩崖、舜廟碑、獨秀山摩崖、新開石室記、孟簡題名、李渤南溪詩、南溪元巖銘、李渤留别南溪詩、元晦疊綵山記、元晦四望山記、李珏華景洞題名、張濬杜鵑花詩、李渤隱山摩崖。其得碑之奇，疑有神物導引者。

金石書畫録

未見

見息柯雜著自序。息柯工書善畫，酷好金石文字，官永州時，浯溪石刻，搜剔無遺，如元結右堂銘、盧均題名，均前人所未見。蓋題跋鉅篇，彙入此録，雜著所刻，皆奇零小品也。

褭遺草堂集二十一卷

存同治辛未刊本

是集詩鈔十卷，息柯雜著八卷，系金石書畫題跋；息柯白箋六卷，則友朋往還尺牘也。翰官楚南，有政績。生平長於鑒賞，書畫金石，收臧盛富，詩亦清矯拔俗。晚年罷官游粵，番禺陳蘭圃先生贈以詩云：海内老名士，而今有幾人。定交雖已晚，同好自相親。先生與余皆好金石文字。客路雪方滿，此鄉天早春。驪歌且莫唱，觴詠及芳辰。推許甚至。而翰之學養亦可見矣。

高靜：看詩隨録十八卷

存

靜事蹟詳先賢傳。此書見甯河丁志。

詩話一卷

存

見同上。

周易參考一卷

存

見同上。

著書隨録八卷

存

見同上。

慎菴古近體詩五卷

存光緒六年刊本

見同上。

許鈴：周禮選要集注

存

鈴字金聲，甯河人。此書見甯河丁志。

儀禮選要集注

存

見甯河丁志。

劉通源：六一小草

存

通源字鵬山，諸生。此書見甯河丁志。

步岑剩集

存

見同上。步岑，通源别號。

朱雲錦：皖省志略

存

雲錦事蹟詳先賢傳。此書系雲錦在皖時所編。

豫乘識小録

存

雲錦游隨，隨筆所記。

燕雨軒集

存

雲錦詩文合編。

謝氏書目一卷

存鈔本

是書荃孫得之廠肆，題曰北平謝氏藏書總目。亦不知爲誰。書分四部，每條皆爲解題，間有考證，讀書者之臧書也。

王萓齡：周秦名字解詁補一卷

存刻本

萓齡是書，因高郵王尚書引之著周秦名字解詁闕疑三十一事，萓齡爲之補釋，究聲音之統貫，察訓詁之會通，有裨經學，良非淺鮮矣。

昌平志稿詳紀録順天事之書

毛登賢：日記録

存

登賢事蹟詳先賢傳。録記四十餘年事，續修通州志，多采入焉。

李光庭：吉金志存四卷

存咸豐己未刊本

光庭事蹟詳先賢傳。前二卷專録錢幣，後二卷録及鼎彝鐘鐸之類，略坿甎瓦，傳形鉤摹。

光庭與劉位坦友善，故所嗜亦同也。

春雨草堂夢餘吟

存

見采訪册。

邵氏：筠窗隨筆

存

邵氏，文安人。事蹟詳列女傳。

筠窗詩草

存

見文安采訪册。

光緒順天府志一百二十七

江陰繆荃孫纂

金石志一

御碑

漢藝文志載秦刻石名山文，此彙編金石文字之始。魏地形志載碑刻，此金石入地志之始。而輿地紀勝，别出碑記一目，後之地志善者均立此門，所以考證都邑、陵墓、河渠、關隘，古今興廢之跡，大有裨於政事，不獨奇文翰墨足垂永久也。元天曆間，幽州梁有九思奉敕歷山東、河北，拓金石文字三萬通彙進，類其副二百卷，題曰文翰英華，而此書不傳。今志以御書墨寶恭紀於前，自周至元，分存、佚、未見三門。存者以打本據録，佚、未見者詳注所出，若盡録全文，卷帙太鉅，非志體也。志金石。

御製曉示生員碑國書、正書，順治九年。在國子監。

御製重建忠義廟碑文國書、正書，順治十二年。在本廟。

敕内務府嚴禁中官鐵牌國書、正書，順治十二年。在大内。

御製天主堂碑文國書、正書，順治十四年。在宣武門内天主堂。

御製金太祖世宗陵碑國書、正書，康熙二年。在房山。

御製弘仁寺碑文國書、正書、蒙古書，康熙五年。在皇城本寺。

御製蘆溝橋碑文行書，康熙八年，在橋側。

御書清慎勤三大字正書，康熙十六年。在大内。

御書龍飛鳳舞四大字正書，康熙十六年，後有沈荃恭題七言絶一首并跋。在大内。

御書存誠二大字正書，康熙十六年。在詹事府。

御製聖感寺碑文正書，康熙十七年，在静宜園。

御製古中盤望蓮花峯詩行書，康熙十七年，七言律一首。在盤山。

御製盤谷寺詩行書，康熙十七年，五言律一首。在盤山。

御書千字文正書，康熙十八年，在大内。

御製黑龍潭重修龍王廟碑文高士奇奉敕正書，康熙二十年。在本廟。

御製金龍礮款識國書、正書，康熙二十年。在大内。

御製簡平儀款識正書，康熙二十年。在大内。

御製昇平宴集詩帖行書，康熙二十一年，按昇平宴集柏梁體詩，聖祖仁皇帝御書序文，詩則沈荃奉敕書也。在大内。

御製乾清宫宴集詩帖正書，康熙二十一年，按乾清宫宴集柏梁體詩，聖祖仁皇帝御書序文，其詩亦沈荃奉敕書，與宴者勒德洪以下九十三人。在大内。

御書行殿讀書賦帖御製并行書，康熙二十三年。在大內。

御書孝經正書，康熙二十四年。在大內。

御製萬壽寺戒壇碑文正書，康熙二十四年。在戒壇本寺。

御製至聖先師贊張玉書奉敕正書，康熙二十五年。在國子監。

御書暢春園記御製并行書，康熙二十七年。在大內。

御製修妙應寺碑文國書、正書，康熙二十七年。在本寺。

御製妙應寺修白塔碑文國書、正書，康熙二十七年。按日下舊聞考載，康熙二十七年，妙應寺御製碑二，其標目同，其文各異，蓋一修寺，一修白塔也。在內城本寺。

御製四子贊張玉書奉敕正書，康熙二十八年。在國子監。

御臨趙孟頫平泉圖記帖行書，康熙二十九年。在大內。

御臨趙孟頫輞川詩帖行書，康熙二十九年。在大內。

御臨趙孟頫秋聲賦帖行書，康熙二十九年。在大內。

欽定懋勤殿法帖康熙二十九年奉旨模勒上石。按：聖祖仁皇帝欽定懋勤殿法帖，凡二十六卷，前四卷刻歷代帝王書，又世祖章皇帝御書十二種，聖祖仁皇帝御書二十九種，其自五卷至二十四卷，刻歷代名臣書；二十五卷、二十六卷刻本朝臣工孫承澤、沈荃、史鶴齡、張英、米漢雯、孫岳頒等六人書，其中有御臨樂毅論、蘭亭帖、聖教序、智永千文、褚遂良負苓者傳、顏真卿告身、蘇帖四種、米帖五種、趙帖七種、董帖三種，又御製曹娥碑跋、蘭亭跋、不自棄文跋，均刻於原帖之後。在大內。

御書小楷百家姓正書，康熙三十一年，在大內。

御製三辰簡平地平合璧儀款識正書，康熙三十二年。在大內。

御臨董其昌書金剛經正書，康熙三十二年。在大內。

御書草訣百韻帖草書，康熙三十三年。在大內。

御書淵鑑齋法帖康熙三十三年奉旨模勒上石。按：御書淵鑑齋法帖六卷，臨撫歷代法書，而趙、董爲多，後有米漢雯、宋駿業請摹刻御書、奏摺二通，卷末列排類校對諸臣銜名。在大內。

御製普静禪林重修記國書、正書，康熙三十三年。在本寺。

御書聖經一章正書，康熙三十三年。在國子監。

御製制勝軍礮款識正書，康熙三十四年。在大內。

御定李邕帖康熙三十四年奉旨上石。按：聖祖仁皇帝御定李邕帖，大照禪師碑一、牡丹詩。

御刻曹娥碑正書，舊本有前人跋二通。聖祖御跋，拉薩哩恭紀，沈荃書，劉源、高士奇審定。在大內。

御書靖邊帖行書，康熙三十五年。按：靖邊帖乃聖祖親征朔漠，御製勒石紀功之銘，刻於察罕齊、老拖諾山、昭水多、狼居胥四處，銘詞四言，此則內廷重刻之本也。在大內。

御製惠濟龍王廟碑文正書，康熙三十七年。在本廟。

御書懋勤殿法帖康熙三十八年奉旨模勒上石。按：御書懋勤殿法帖八卷，前二卷恭刻世祖章皇帝御書聖經、七佛偈、陋室銘三種，三卷以下，恭刻聖祖御書、御臨各種，其中如周公廟、孔子廟諸碑，皆另有碑石，此則諸臣彙刻成帙者也。在大內。

御製弘慈廣濟寺碑文多羅誠郡王允祉奉敕正書，康熙三十八年。在內城本寺。

御書大字千字文臨米芾行書，康熙三十九年。在大內。

御書萬壽帖正書，康熙三十九年奉旨模勒上石。按：萬壽帖乃聖祖御製恭祝皇太后萬壽無疆賦，亦稱尊親帖。在大内。

御製蘆溝橋詩行書，康熙四十年，五言律一首。在橋右。

御製巡視子牙津詩行書，康熙四十年，七言律一首。在文安。

御臨唐太宗勸農詔賜李光地行書，康熙四十一年。在文安蘇橋祠側。

御製駐蹕王家口詩行書，康熙四十一年，五言律一首。

御製密雲縣詩行書，康熙四十一年，七言絶一首。在密雲。

御製訓飭士子文正書，康熙四十一年。在國子監。

御書功存河洛四字正書，康熙四十一年。

御書嵩高峻極四字正書，康熙四十一年。

御書靈瀆安瀾四字正書，康熙四十一年。

御書昌明仁義四字正書，康熙四十一年。

御書心經塔圖正書，康熙四十四年。在大内。

御製平定朔漠告成太學碑文國書，正書，康熙四十三年。在國子監。

御製普濟堂記孫岳頒奉敕正書，康熙四十四年。

御製盤山僧智朴呈接駕詩卽用原韻二首行書，康熙四十四年，五言律一首。在盤山。

御製導流濟運四字正書，康熙四十九年。在大內。

御書避暑山莊記正書，康熙五十年。在大內。

御書正大光明四大字正書，康熙五十年。在大內。

御書佩文韻府序正書，康熙五十一年。在大內。

御製西頂廣仁宮碑文正書，康熙五十一年。在本寺。

御書唐詩選序正書，康熙五十二年。在大內。

御書朱子全書序正書，康熙五十二年。在大內。

御書大字心經行書，康熙五十二年。在大內。

御製瑞應寺詩行書，康熙五十二年，七言古一首。在本寺。

御書溥仁寺碑正書，今名溥仁帖，康熙五十三年。在大內。

御製星晷儀款識正書，康熙五十三年。在大內。

御書多心經正書，康熙五十四年。在大內。

御製髻髻山玉皇閣碑文正書，康熙五十四年。在懷柔。

御書避暑山莊法帖康熙五十五年，蔣漣等奉旨摹勒上石。按：御書避暑山莊法帖五卷，真行大小不等，內如避暑山莊記、朱子全書序、韻府序各種，內府另有專刻，此亦彙刻本也。在大內。

御製送迦陵禪師安大覺寺方丈記正書，康熙五十七年，按：御製送迦陵禪師安大覺寺方丈記，乃世宗憲皇帝潛邸所書，康熙年間勒石。在本寺。

御製顯應寺碑文國書，王圖炳奉敕正書，康熙五十九年。在本寺。

御製旃檀佛西來歷代傳祀記國書、正書、蒙古書，康熙六十年。在皇城。

御書金剛經正書，康熙六十年。在大內。

御製崇國寺碑文國書、正書、蒙古、西番四體書，康熙六十一年。在內城本寺。

御製四遊表半圓儀欵識正書。在大內。

御製矩度象限儀欵識正書。在大內。

御製方矩象限儀欵識正書。在大內。

御書裴潾劄子行書。在大內。

御製得雨詩帖正書，雍正二年，七言律。在大內。

御製育嬰堂碑文國書、正書，雍正二年。在崇文門育嬰堂。

御製黑龍潭詩行書，雍正三年。

御製圓明園記行書，雍正三年。在圓明園。

御製平定青海告成太學碑文正書，雍正三年。在國子監。

御製隆福寺碑文國書、正書、蒙古書，雍正三年。在內城本寺。

御製九日宴集詩帖行書，雍正四年。按：九日宴集柏梁體詩，世宗憲皇帝御製序文，并書其詩，則果親王允禮奉敕書也。在大內。

御書魏徵十思疏行書，雍正四年。在大內金剛經塔圖碑陰。

恩諭會試舉人碑□書，雍正五年。在國子監。

御製仲丁祭文廟詩行書，雍正六年，七言律一首。在國子監。

御製昭忠祠碑文國書，正書，雍正七年。在內城本祠。

御製北惠濟龍王廟碑文正書，雍正十年。在固安。

御製朝陽門外石道碑文國書、正書，雍正十一年。在郊坰。

御製廣甯門外石道碑文國書、正書，雍正十一年。在郊坰。

御製賢良祠碑文國書、正書，雍正十一年。在內城本祠。

御製關帝廟後殿崇祀三代碑文國書、正書，雍正十一年。在內城本廟。

御製歷代帝王廟碑文國書、正書，雍正十一年。在內城本廟。

御製都城隍廟碑文國書、正書，雍正十一年。在內城本廟。

御製十方普覺寺碑文勵宗萬奉敕正書，雍正十二年。在靜宜園。

御製重修拈花寺碑文果親王允禮奉敕正書，雍正十二年。在內城本寺。

御製賢良寺碑文勵宗萬奉敕正書，雍正十二年。在內城本寺。

御製法源寺碑文勵宗萬奉敕正書，雍正十二年。在本寺。

御製大慈觀音寺碑文張若靄奉敕正書，雍正十二年。在本寺。

御製廣通寺碑文勵宗萬奉敕正書，雍正十二年。在本寺。

御製覺生寺碑文張若靄奉敕正書，雍正十二年。在本寺。

欽定夢墨樓帖陳奕禧書。按：夢墨樓帖十卷，陳奕禧書，大小真行備載，雍正十二年奉旨模勒上石。在大內。

御刻金剛經塔圖正書。在大內。

御書朗吟閣法帖乾隆元年奉旨模勒上石。按：御書朗吟閣法帖，凡十六卷，乃世宗憲皇帝潛邸所書進呈詩賦，以及雜臨唐宋以來名人書蹟，末刻乾隆三年御跋二則。在大內。

御書四宜堂法帖乾隆元年奉旨模勒上石。按：四宜堂法帖凡八卷，乃世宗憲皇帝御極以後所書，內御製詩文居多，亦有另立碑石者，如御製黑龍潭碑、闕里孔廟碑之類。在大內。

御製得雪詩行書，乾隆元年，七言律一首。在大內。

御書長青洲三字行書，乾隆三年。在圓明園西峯秀色石上。

御書小匡廬三字正書，乾隆三年。在圓明園。

御製畊織圖詩帖行書，乾隆四年。按：耕織二圖，每圖二十三事，首幅恭刻康熙三十五年聖祖御書序文，乾隆四年高宗御書序文，每帖首列緣起，聖祖御製七言絕句一章，高宗御製七言絕句一章，末刻于敏中等恭跋。在大內。

御製謁元靈宮詩行事，乾隆四年，五言排律一首。十一年，七言律一首。十五年，五言律一首。十九年，七言律一首。二十三年，五言律一首。二十九年，七言律一首。三十六年、三十八年、四十七年，五言律各一首。在南苑。

御製小匡廬詩行書，乾隆四年，五言絕六首。在圓明園。

御製詠松詩行書，乾隆四年，七言絶三首。在圓明園。

御書萬頃波光四字行書，乾隆四年。在圓明園。

御製登盤山詩行書，乾隆四年，七言絶一首。七年，七言律一首。在盤山。

御製登盤山天成寺詩行書，乾隆四年，七言律一首。七年，九年，十二年，五言律各二首。十四年，十七年，十八年，七言律各一首。十九年，五言律一首。二十年，三十一年，三十五年，三十六年，三十七年，三十九年，四十年，四十七年，五十年，七言律各一首。在盤山。

御製文廟易蓋黄瓦碑文梁詩正奉敕正書，乾隆四年。在國子監。

御製臨雍紀事碑文梁詩正奉敕正書，乾隆四年。在國子監。

御製南苑雙柳樹詩行書，乾隆五年，九年，十一年，五言古各一首。在南苑。

御書武陵深處四字行書，乾隆五年。在圓明園安佑宫水關。

御製吕祖洞詩行書，乾隆五年，七言絶一首。在静明園。

御書華嚴洞三字行書，乾隆五年。在静明園。

御製華嚴洞詩行書，乾隆五年，五言古一首。在静明園。

御製上丁釋奠禮成述事行書，乾隆五年，九年，五言排律各一首。十八年，七言律一首。二十一年，五言排律一首。三十四年，四十八年，五十年，七言律各一首。在國子監。

御書示大學士詩行書，乾隆五年，五言古一首。在大内。

御書插笏二字行書，乾隆六年。在西苑瀛臺劍石。

御製遐矚樓詩行書，乾隆六年，五言絶五首。在西苑。

御製觀音洞詩行書，乾隆六年，七言絶一首。在静明園。

御製羅漢洞詩行書，乾隆六年，五言律四首。十四年，五言古一首。十六年，五言古一首。在静明園

御製落葉詩帖張照奉敕正書，乾隆七年。按：御製落葉詩七律六首，張照奉敕書，羣臣和者自鄂爾泰以下凡二十三人，並刻於後。在大内。

御製齋宫六章章十四句行書，乾隆七年。在大内。

御製英華殿菩提樹詩行書，乾隆七年，五言古一首。二十六年，七言古一首。在大内。

御製瀛臺木變石歌行書，乾隆七年，七言古、五言律各一首。在西苑。

御製圓明園記行書，乾隆七年，在圓明園安佑宫更衣殿。

御製圓明園後記行書，乾隆七年，在圓明園安佑宫更衣殿。

御製暮春圓明園即景雜賦行書，乾隆七年，五言古二首，五言排律一首，七言律一首，七言絶一首。十二年，五言律四首。十三年，七言律五首。在圓明園。

御製遊盤山記梁詩正奉敕正書，乾隆七年，在盤山。

御製盤谷寺恭依皇祖元韻行書，乾隆七年，五言律一首，在盤山。

御製題李靖舞劍臺詩行書，乾隆七年，五言律一首，在盤山。

御製盤谷寺詩行書，乾隆七年，十二年，十四年，五言各一首。十七年，五言絶一首。十八年，十九年，七言律各一首。三十一年，五言律一首。三十五年，七言律一首。在盤山。

御製雲罩寺詩行書，乾隆七年，五言律一首。九年，七言絶一首。十五年，七言古一首。十七年，五言律一首。四十七年，七言律一首。五十年，七言古一首。在盤山。

御製晾甲石詩行書，乾隆七年，七言絶一首。在盤山。

御製柳絮詩帖張照奉敕行書，乾隆八年。按：御製柳絮詩七律五首，張照奉敕書，羣臣和者自鄂爾泰以下凡十六人，并刻於後。在大内。

元宵聯句梁詩正奉敕正書，乾隆八年，五言排律，自張廷玉以下凡十六人。在大内。

鐙夕錫宴聯句梁詩正奉，敕正書，乾隆八年，七言排律，自鄂爾泰以下凡十二人。在大内。

澄海樓聯句梁詩正奉，敕正書，乾隆八年，張照扈從巡幸盛京聯句，五言排律。在大内。

御製福建宮新春詩行書，乾隆八年，七言律三首。

御書鷲峯二字行書，乾隆八年。在大内延春閣。

御書玉玲瓏三字行書，乾隆八年。在大内延春閣。

御書飛來二字行書，乾隆八年。在大内延春閣。

御製神木謡詩正書，乾隆八年，二十三年，七言古各一首。按：乾隆癸亥年，御製神木行，未刻，是年御製神木謡，石并將神木行命刻，石陰有御跋題識。在皇木廠。

御書太上黄庭内景外景二經正書，乾隆九年。在大内。

御書常清浄經正書，乾隆九年。在大内。

御書黄庭經正書，乾隆九年。在大内。

御書静怡軒三字行書，乾隆九年，建福宫。在大内。

御製雍和宫碑文國書，正書，蒙古、西番四體書，乾隆九年。在雍和宫。

御書高雲情三字行書，乾隆九年。在雍和宫。

御書流水音三字行書，乾隆九年。在西苑瀛臺。

御製悦心殿詩行書，乾隆九年，七言律一首。在西苑。

御製月地雲居詞行書，乾隆九年，調寄清平樂。在圓明園。

御書清浄經正書，乾隆九年。在静宜園。

御製萬松寺詩行書，乾隆九年，五言律三首。十二年，十四年，十七年，五言律各一首。十九年，七言古一首。二十年，五言古一首。二十八年，七言古一首。二十九年，七言絶二首。三十四年，三十五年，三十六年，七言絶各一首。三十七年，七言絶二首。三十九年，七言絶二首。四十年，五言古一首。四十七年，五十年，七言絶各二首。在盤山。

御製雲罩寺定光塔詩行書，乾隆九年，十四年，五言律各一首。十七年，七言古一首。在盤山。

御製仲春釋奠詩正書，乾隆九年，五言律一首。在國子監。

御製幸翰林院謁至聖祠因示諸臣詩行書，乾隆九年，五言律一首。在翰林院。

御製幸翰林院復得詩四首并示諸臣行書，乾隆九年，七言律。在翰林院。

御製幸翰林院以張説東壁圖書府五律字爲韻賦東字音字二首敕詞臣各分一字賦詩□書，乾隆九年，五言排律二首。在翰林院。

御製十月二十七日幸翰林院賜大學士及翰林等宴因便閲貢院乃雲路鵬程不易易也得詩四首行書，乾隆九年，七言律四首。在翰林院。

御書心經□書，乾隆九年。在外城法源寺大殿前。

御製潭柘岫雲寺詩行書，乾隆九年，五言律一首。四十六年，七言律一首。四十八年，五言律一首，七言律一首，五言古一首。在本寺。

御製嘉量銘國書，正書，乾隆十年。在大內。

御製刻漏銘正書，乾隆十年。在大內。

重華宮賜宴聯句梁詩正奉敕正書，乾隆十年，五言排律，自張廷玉以下凡十二人。在大內。

御書靜憩軒三字行書，乾隆十年。在大內重華宮。

御書金剛經行書，乾隆十年。在西苑五龍亭。

御製承光殿玉甕歌行書，乾隆十年，七言古一首，刻甕底。十四年，七言律一首。二十八年，七言古一首。並刻甕旁。在西苑。

御書月地雲居四字行書，乾隆十年。在圓明園。

御製天成寺碑文正書，乾隆十年。在盤山。

御製雲罩寺碑文正書，乾隆十年。在盤山。

御製小九疊三字行書，乾隆十年。在薊州桃花寺行宮。

御製滌襟泉三字行書，乾隆十年。在薊州桃花寺行宮。

御書點筆石三字行書，乾隆十年。在薊州桃花寺行宮。

御書繡雲壁三字行書，乾隆十年。在薊州桃花寺行宮御製小九疊詩行書，乾隆十年，五言古一首。二十八年，三十一年，三十五年，七言絶各一首。

御製滌襟泉詩行書，乾隆十年，五言律一首。十二年，五言古一首。二十八年，三十一年，三十五年，七言絶各一首。

御製點筆石詩行書，乾隆十年，五言古一首。二十八年，三十一年，三十五年，七言絶各一首。

御製繡雲壁詩行書，乾隆十年，五言古一首。二十八年，三十一年，三十五年，七言絶各一首。

御製湧晴雪詩行書，乾隆十年，五言古一首。二十八年，三十一年，三十五年，七言絶各一首。

御製吟清籟詩行書，乾隆十年，五言古一首。二十八年，三十一年，三十五年，七言絶各一首。

御製翠雲山房詩行書，乾隆十年，五言古一首。在薊州隆福寺行宮。

御製湯山行宮詩行書，乾隆十年，五言古一首。在昌平。

重華宮聯句梁詩正奉敕正書，乾隆十二年，五言排律，自莊親王允祿以下，凡十八人。在大内。

流杯亭聯句梁詩正奉敕正書，乾隆十一年，五言排律，自張廷玉以下，凡四十五人。在大内。

惇敘殿賜宴宗室柏梁體聯句莊親王允祿奉敕正書，乾隆十一年，七言排律，自和碩康親王以下凡一百三人。在大内。

御製惇敘殿詩行書，乾隆十一年，五言律一首。在西苑。

御書奪造化功四字行書，乾隆十一年。在西苑瀛臺。

御製永安寺碑文國書，正書，蒙古托忒四體書，乾隆十一年。在西苑。

御製闡福寺碑文國書，梁詩正奉敕正書，蒙古托忒四體書，乾隆十一年。在西苑。

御製闡福寺金剛經塔圖碑文正書，乾隆十一年。在西苑。

御製德壽寺詩行書，乾隆十一年，七言律一首。十五年，五言排律一首。三十八年，七言絶一首。三十二年，三十六年，五言排律一首。在南苑。

御製香嵒室詩行書，乾隆十一年，十七年，三十六年，五言古各一首。三十六年，五、七言律各一首。在清漪園。

御製静宜園二十八景詩行書，乾隆十一年，五言古、五言律共二十八首。在静宜園。

御書瓔珞巖三字行書，乾隆十一年。在静宜園。

御製瓔珞巖詩行書，乾隆十一年，五言律一首。在静宜園。

御製知樂濠詩行書，乾隆十一年，五言律一首。在静宜園。

御書蟾蜍峯三字行書，乾隆十一年。在静宜園

御製翠微亭詩行書，乾隆十一年，五言律一首。在静宜園。

御書聽法松三字行書，乾隆十一年。在静宜園香山寺。

御製聽法松詩行書，乾隆十一年，五言律一首。在静宜園香山寺。

御書棲月崖三字行書，乾隆十一年。在静宜園。

御製棲月崖詩行書，乾隆十一年，五言律一首。在静宜園。

御書重翠崦三字行書，乾隆十一年。在静宜園。

御製重翠崦詩行書，乾隆十一年，五言古一首。在静宜園。

御書森玉笏三字行書，乾隆十一年。在静宜園。

御製森玉笏詩行書，乾隆十一年，五言律一首。在静宜園。

御製隔雲鐘詩行書，乾隆十一年，五言律一首。在静宜園。

御製霞標磴詩行書，乾隆十一年，五言律一首。在静宜園。

御製玉乳泉詩行書，乾隆十一年，五言律一首，五言絶一首。在静宜園。

御製晞陽阿詩行書，乾隆十一年，十二年，十三年，五言古各一首。在静宜園。

御書朝陽洞三字行書，乾隆十一年。在静宜園。

御書芙蓉坪三字行書，乾隆十一年。在静宜園。

御製芙蓉坪詩行書，乾隆十一年，五言古一首。在静宜園。

御書蘿幄二字行書，乾隆十一年。在静宜園。

御書松扉二字行書，乾隆十一年。在静宜園。

御書知時二字行書，乾隆十一年，自鳴鐘閣前。在静宜園。

御製香山寺詩行書，乾隆十一年，五言律一首。在静宜園。

御書金剛經塔碑行書，乾隆十一年。在静宜園香山寺。

御書心經塔碑行書，乾隆十一年。在静宜園香山寺。

御書八大人覺經塔碑行書，乾隆十一年。在静宜園香山寺。

欽定三希堂石渠寶笈法帖乾隆十二年，按：欽定三希堂法帖三十二卷，卷首恭刻諭旨，前二卷起鍾繇，至王珣書。三卷，起梁武帝，至顔真卿書。四卷，孫虔禮書。五卷，懷素至楊凝式書。六卷、七卷，起宋太宗，至孝宗書。八卷至十七卷，皆宋人書。十八卷至二十二卷，趙孟頫書，末附管道昇書。二十三卷至二十八卷，元、明人書。二十九卷至三十二卷，董其昌書。帖中御書題跋，分别各卷者共四十則。末刻梁詩正等恭跋，及總理排類諸臣銜名。在大内。

御定墨妙軒法帖乾隆十二年，按：御定墨妙軒法帖四卷，自唐褚遂良至元趙孟頫，凡十八人書，分爲四卷，中恭刻御書題跋三則。二卷有御書懷素苦筍帖釋文并跋，末有蔣溥等恭跋。帖在大内惠山園墨妙軒雨壁間。

爆竹聯句梁詩正奉敕正書，乾隆十二年，七言排律，自張廷玉以下凡二十人。在大内

御製闡福寺瞻禮大佛詩行書，乾隆十二年，七言古一首。在西苑。

御書蔚秀二字行書，乾隆十二年。在静宜園棲月崖。

御書隔雲鐘三字行書，乾隆十二年。在静宜園。

御書仙掌二字行書，乾隆十二年。在静宜園絢秋林石。

御書翠雲堆三字行書，乾隆十二年。在静宜園絢秋林石。

御書留青二字行書，乾隆十二年。在静宜園翠雲堆石。

御製東竺菴詩行書，乾隆十二年，五言古一首。十七年，七言絶三首。二十五年，二十八年，三十一年，三十四年，三十五年，五言古各一首。三十七年，五言古二首。三十九年，七言律一首。四十年，五十言古二首。四十七年，五十年，五言古各一首。在盤山。

御製清虛玉宇詩行書，七言絶一首。乾隆十二年，在盤山。

御製泉音松吹詩行書，七言律一首。乾隆十二年，在盤山。

御製四面芙蓉詩行書，七言絶一首。乾隆十二年，在盤山。

御製貞觀遺踪詩行書，七言絶一首。乾隆十二年，在盤山。

御書丹梯勝處四字行書，乾隆十二年。在盤山。

御書貞觀遺踪四字行書，乾隆十二年。在盤山。

御書蛾緑二字行書，乾隆十二年。在盤山。

御書翥鳳二字行書，乾隆十二年。在盤山。

御書仙掌二字行書，乾隆十二年。在盤山。

御書翠腴二字行書，乾隆十二年。在盤山。

御書濯煙霏三字行書，乾隆十二年。在盤山。

御書青牛二字行書，乾隆十二年。在盤山。

御書籍琴二字行書，乾隆十二年，在盤山。

御書蘿屏二字行書，乾隆十二年。在盤山。

御製廣濟寺鐵樹歌行書，乾隆十二年，七言古一首。在内城本寺。

御製護國寺詩行書，乾隆十二年，七言古一首。在内城本寺。

御製重建鐘樓碑文梁詩正奉敕正書，乾隆十二年。在内城鐘樓。

御製重修大覺寺碑文莊有恭奉敕正書，乾隆十二年。在本寺。

御製大覺寺詩行書，乾隆十二年，五言古一首。

御製暢春園較射詩用齊召南韻行書，乾隆十三年，七言律四首。在暢春園。

御製寶珠洞詩行書，乾隆十三年。在静宜園。

御製飛秀二字行書，乾隆十三年。在静宜園絢秋林石。

御製蘿屏二字行書，乾隆十三年。在静宜園絢秋林石。

御製碧雲寺詩行書，乾隆十三年，五言律二首。十四年，七言絶二首。三十四年，七言律一首。三十七年，三十九年，五言律各一首。在静宜園。

御書西方極樂世界阿彌陀佛安養道場十四字正書，乾隆十三年。在静宜園碧雲寺。

御製卧雲幢三字行書，乾隆十三年。在盤山。

御製南薰殿奉藏圖像記行書，乾隆十四年。在大内。

御製藏歷代帝后名臣像於南薰殿詩行書，乾隆十四年，五言律一首。在大内。

御製雨花閣記國書，正書，蒙古西番四體書，乾隆十四年。在大内。

御製古柏行行書，乾隆十四年，七言古一首，摛藻堂。在大内。

御製重建壽皇殿碑文國書、正書，乾隆十四年，碑陰勒十五年移奉列祖聖容上諭。在大内。

御製集鳳軒詩行書，乾隆十四年，七言律四首。在暢春園。

御製香界寺碑文梁詩正奉敕正書，乾隆十四年。在静宜園。

御製重修碧雲寺碑文國書、正書，乾隆十四年。在静宜園。

御製金剛寶座塔碑文國書、正書、蒙古、托忒四體書，乾隆十四年。在静宜園碧雲寺。

御書緑縟亭三字行書，乾隆十四年。在盤山。

御製緑縟亭詩行書，乾隆十四年，五言古一首。在盤山。

御製雲林石室詩行書，乾隆十四年，五言律一首。十五年，七言律各一首。三十一年，五言古一首，五言律一首。三十四年，五言律一首。十八年，二十八年，二十九年，五言古二首。四十年，四十七年，五十年，五言古各一首。在盤山。

御製東竺菴半山草亭詩行書，乾隆十四年，十七年，七言絶各一首。在盤山。

御製平定金川告成太學碑文國書，梁詩正奉敕正書，乾隆十四年，在國子監。

御製麥莊橋記行書，乾隆十四年。在橋側。

御製麥莊橋詩行書，乾隆十四年，七言律一首。

御製梵香寺碑文國書、正書、蒙古、托忒四體書，乾隆十四年。在本寺。

御製實勝寺碑文國書、正書、蒙古、托忒四體書，乾隆十四年，在本寺。

燈夕錫宴聯句梁詩正奉敕正書，乾隆十五年，七言排律，自傅恒以下凡二十人。在大内。

趙州柏林寺殿壁觀唐吴道子畫水聯句梁詩正奉敕正書，乾隆十五年，五言古，梁詩正、彭啟豐、劉綸扈從巡幸聯句。在大内。

御書崑崙二字行書，乾隆十五年。在西苑悦心殿。

御書樂安和三字行書，乾隆十五年。在圓明園寢殿。

御製泊舟乘涼詩行書，乾隆十五年，七言絶一首。在圓明園瀛海仙山石。

御書燕臺大觀四字行書，乾隆十五年。在清漪園餐秀亭後。

御製玉泉山晚秋攬景詩行書，乾隆十五年，七言律一首。在静明園。

御書金剛塔發阿耨多羅三藐三菩提心佛語一句正書，乾隆十五年。在静宜園碧雲寺。

御製泠然閣詩行書，乾隆十五年，十七年，五言古各一首。在盤山。

御製東甘澗詩行書，乾隆十五年，七言律一首，十七年，七言絶一首。十八年，五言律一首。二十八年，三十一年，三十四年，七言絶各一首。三十七年，三十九年，五言律各一首。四十年，五言古一首。四十七年，五十年，七言絶各一首。在盤山。

御製西甘澗詩行書，乾隆十五年，十七年，五言古各一首。十八年，二十八年，二十九年，七言絶各一首。三十一年，三十四年，五言各一首。三十七年，五言律一首。三十九年五言古一首。四十年，五言律一首。四十七年，五十年，五言古各一首。在盤山。

御製古中盤詩行書，乾隆十五年，七言絶四首。十七年，十八年，二十年，七言古各一首。二十八年，七言律一首。三十一年，七言絶六首。三十四年，三十五年，五言古各一首。三十九年，七言律一首。五十年，五言古一首。在盤山。

御製攙雲亭詩行書，乾隆十五年，五言古一首。在盤山。

御製恭瞻皇史宬詩行書，乾隆十五年，七言律一首。在皇城。

御製恭送實録至盛京詩行書，乾隆十五年，五言排律一首。在皇城。

御製題耶律楚材墓詩行書，乾隆十五年，七言律一首。在郊坰。

御製香華菴碑文梁詩正奉敕正書，乾隆十五年。

御製閱永定河隄因示方觀承詩行書，乾隆十五年，五言古一首。

上元行幄觀燈賜宴聯句梁詩正奉敕正書，乾隆十六年，七言排律，梁詩正、汪由敦、錢陳羣扈從南巡聯句。在大内。

御跋并趙孟頫十劄行書，乾隆十六年。按：趙孟頫十劄墨跡爲王鴻緒家藏，乾隆十六年，鴻緒子圖炯以進，皇上爲拈趙法源流於簡端，題成仍還王氏，命其子孫世守之。在大内。

御書嶽雲二字行書，乾隆十六年，在西苑悦心殿。

御書太液秋風四字行書，乾隆十六年，在西苑水雲榭。

御製太液秋風詩行書，乾隆十六年，七言律一首。在西苑。

御書瓊島春陰四字行書，乾隆十六年，在西苑白塔後。

御製瓊島春陰詩行書，乾隆十六年，七言律一首。在西苑白塔後。

御書萬壽山昆明湖六字王書，乾隆十六年，在清漪園閣後。

御製昆明湖記行書，乾隆十六年，在清漪園閣後。

御書青芝岫三字行書，乾隆十六年。在清漪園樂壽堂。

御書玉英二字行書，乾隆十六年。在清漪園樂壽堂。

御書蓮秀二字行書，乾隆十六年。在清漪園樂壽堂。

御製青芝岫詩行書，乾隆十六年，七言古一首。在清漪園。

御製萬壽山大報恩延壽寺碑記國書，汪由敦奉敕正書，蒙古、西番四體書，乾隆十六年。在清漪園。

御製静明園記國書，乾隆十六年。在静明園。

御書玉泉趵突四字行書，乾隆十六年。在静明園。

御製玉泉趵突詩行書，乾隆十六年，七言律一首。在静明園。

御書天下第一泉五字正書，乾隆十六年。在静明園。

御製玉泉山天下第一泉記汪由敦奉敕正書，乾隆十六年。在静明園。

御製重修静明園龍王廟碑文國書，汪由敦奉敕正書，乾隆十六年。在静明園。

御製池上居詩行書，乾隆十六年，五言律一首。在静明園羅漢洞。

御書西山晴雪四字行書，乾隆十六年。在静宜園。

御製西山晴雪詩行書，乾隆十六年，七言律一首。在静宜園。

御書雙清二字行書，乾隆十六年。在静宜園香山井南石。

御製登碧雲寺金剛林塔詩行書，乾隆十六年，七言古一首。在静宜園。

御製雙忠祠詩梁詩正奉敕正書，乾隆十六年，七言古一首。在内城。

御書萬壽閣三字正書，乾隆十六年。在郊坰。

御書歡喜堅固四字正書，乾隆十六年。在郊坰。

御書薊門煙樹四字正書，乾隆十六年。在郊坰。

御製薊門煙樹詩行書，乾隆十六年，七言律一首。在郊坰。

御書蘆溝曉月四字行書，乾隆十六年。在郊坰。

御製蘆溝曉月詩行書，乾隆十六年，七言律一首。在郊坰。

御書金臺夕照四字行書，乾隆十六年。在郊坰。

御製金臺夕照詩行書，乾隆十六年，七言律一首。在郊坰。

御書畿輔安瀾四字行書，乾隆十六年。在郊坰。

御製安流廣惠永定河神廟碑文正書，乾隆十六年。在郊坰。

雪獅聯句汪由敦奉敕正書，乾隆十七年，七言排律，自史貽直以下凡十五人。在大内。

御書雲根二字行書，乾隆十七年。在大内御花園。

御書太宗文皇帝諭旨卧碑正書，乾隆十七年。在大内文華殿後箭廳。

御書紫雲二字行書，乾隆十七年。在西苑淑清院。

御書箇中自有玉壺冰七字行書，乾隆十七年。在西苑淑清院。

御書窈而深三字行書，乾隆十七年。在圓明園同樂園。

御製青蓮朶詩行書，乾隆十七年，七言絶五首。在長春園。

御書清可軒三字行書，乾隆十七年。在清漪園。

御製清可軒詩行書，乾隆十七年。在清漪園。

御製清可軒詩行書，乾隆十七年，五言古一首，七言絶一首。十八年，五言古一首。二十七年，七言絶一首。二十九年，五言古二首。三十年，五言古一首。三十一年，五言古二首。三十二年，五言古一首。三十三年，三十四年，五言古各二首。三十五年，七言古一首，五言古一首。三十六年，五言律一首，七言古一首。三十七年，五言律一首，七言律一首。三十八年，三十九年，五言古各一首。四十年，五言古一首，七言古一首。四十一年，四十二年，五言古各一首。四十六年，五言古一首，五言律一首。四十七年，五言古一首。五十年，七言律一首。在清漪園。

御書蒼崖半入雲濤堆七字行書，乾隆十七年。在清漪園清可軒石壁。

御書方外遊三字行書，乾隆十七年。在清漪園清可軒石壁。

御書煙霞潤色四字行書，乾隆十七年。在清漪園清可軒石壁。

御書詩態二字行書，乾隆十七年。在清漪園清可軒石壁。

御書寒碧二字行書，乾隆十七年。在清漪園清可軒外橫石。

御書香嵒室三字行書，乾隆十七年。在清漪園清可軒石洞。

御臨顔真卿争座位帖行書，乾隆十七年。在清漪園。

御書瓶水雲天四字行書，乾隆十七年。在静明園羅漢洞。

御書朗秀二字行書，乾隆十七年。在静明園清襟樓石壁。

御製玉泉山天下第一泉龍神祠落成詩行書，乾隆十七年，五言排律。在静明園。

御書蔚翠涵清四字行書，乾隆十七年，在静明園。

御書粲華二字行書，乾隆十七年。在静明園竹鑪山房。

御書沁詩二字行書，乾隆十七年。在静明園竹鑪山房。

御書得大自在四字行書，乾隆十七年。在静宜園香山寺。

御製得概軒詩行書，乾隆十七年，七言律一首。在盤山。

御製半天樓詩行書，乾隆十七年，五言律一首。十八年，七言律一首。在盤山。

御製千相寺詩行書，乾隆十七年，五言古一首。二十年，二十九年，五言律各一首。三十五年，五言排律一首。四十七年，五十年，七言古各一首。在盤山。

御製少林寺詩行書，乾隆十七年，七言律一首。三十一年，三十四年，五言古各一首。三十六年，三十九年，五言律各一首。四十年，七言絶一首。四十七年，三十五年，七言古一首。五十年，五言律各一首。在盤山。

御製雲浄寺詩行書，乾隆十七年，五言律一首。三十年，七言古一首。三十四年，三十五年，七言絶各一首。三十七年，五言古一首。四十年，七言律一首。四十七年，七言絶一首。五十年，五言古一首。在盤山。

御書千尺雪三字行書，乾隆十七年。在盤山。

御書垂紳二字行書，乾隆十七年。在盤山。

御書留雲二字行書，乾隆十七年。在盤山。

御製盤山千尺雪記行書，乾隆十七年。在盤山。

御臨鍾繇薦季直表並題七言絶句一首行書，乾隆十八年。在大内。

新正詠雪聯句汪由敦奉敕正書，乾隆十八年，五言古，自傅恒以下，凡二十人。在大内。

御製永安寺古井記正書，乾隆十八年。在西苑。

御書嵐翠間三字行書，乾隆十八年。在清漪園。

御製裂帛湖詩行書，乾隆十八年，五言律一首。二十九年，七言絶二首。在静明園。

御書水月洞三字行書，乾隆十八年。在静明園。

御書羅漢洞三字行書，乾隆十八年。在静明園。

御書觀音洞三字行書，乾隆十八年。在静明園。

御書資生洞三字行書，乾隆十八年。在静明園。

御書觀自在菩薩五字行書，乾隆十八年。在静明園觀音洞菩薩頂。

御書念彼觀音力能救世間苦十字行書，乾隆十八年，在静明園觀音洞菩薩身。

御書心經行書，乾隆十八年。在靜明園觀音洞北。

御製自玉河泛舟至玉泉山詩行書，乾隆十八年，七言律三首。在靜明園。

御書妙法蓮花經正書，乾隆十八年。在靜明園羅漢洞石一百枚。

御書呂祖洞三字行書，乾隆十八年。在靜明園。

御書伏魔洞三字行書，乾隆十八年。在靜明園。

御書地藏洞三字行書，乾隆十八年。在靜明園。

御製冠峯亭詩行書，乾隆十八年，七言絶一首。三十九年，四十年，七言古各一首。四十一年，四十六年，七言絶各一首。在靜明園。

御製寫琴廊詩行書，乾隆十八年，七言絶一首。三十三年，五言律一首，七言絶一首。三十六年，三十八年，四十六年，七言絶各一首。在靜明園。

御製千尺雪詩行書，乾隆十八年，五言古一首。二十八年，五言律一首，七言絶一首。二十九年，七言律一首。三十一年，五言律一首，七言絶二首。三十四年，五言古一首，七言絶一首。三十五年，五言律一首，七言絶一首。三十七年，七言絶二首，五言律一首。三十九年，五言古一首，七言絶一首。四十七年，七言古二首。五十年，五言古一首，七言絶三首。在盤山。

御製仲秋釋奠詩正書，乾隆十八年，七言律一首。在國子監。

御製重修妙應寺碑文正書，乾隆十八年。在內城本寺。

御製重修白塔碑銘正書，乾隆十八年。在內城。

御製戒壇詩行書，乾隆十八年，二十九年，四十四年，四十八年，五言排律各一首。在戒壇寺。

御製石景山惠濟祠詩行書，乾隆十八年，二十九年，五言律各一首。在本祠。

御書萬壽寺金剛經塔圖 正書，乾隆十八年。在本寺。

御製帝都篇 國書，正書，乾隆十八年，七言古一首。在郊坰。

御製皇都篇 國書，正書，乾隆十八年，七言古一首。在郊坰。

御製乘舟觀永定河下口之作 行書，乾隆十八年，五言古一首。

御製沿隄行三十里觀永定河新移下口處示直隸總督方觀承永定河道白鍾山詩 行書，乾隆十八年，七言絶四首。

御書妙法蓮華經 正書，乾隆十九年。按：是卷前繪佛像，後有御跋，又蔣溥等恭跋。在大内。

冰鐙聯句 錢汝誠奉敕正書，乾隆十九年，自傅恒以下凡十六人。在大内。

山莊鐙夕賜宴聯句 王際華奉敕正書，乾隆十九年，七言排律，自傅恒以下凡十二人。在大内。

再登澄海樓聯句 劉綸奉敕正書，乾隆十九年，五言古，汪由敦、劉綸扈從巡幸盛京聯句。在大内。

御製千尺雪詩 行書，乾隆十九年，四十六年，四十八年，四十九年，五十年，五言古一首，七言絶各二首。在西苑。

御製自南臺御冰舵凌太液遂至瓊華島詩 行書，乾隆十九年，七言絶六首。在西苑淑清院。

御臨米芾帖 □書，乾隆十九年。在清漪園萬壽山。

御書心經二 行書，乾隆十九年。在静明園，一刻資生洞，一刻水月洞。

御製金牛銘 篆書，乾隆二十年。在昆明湖。

御書天馬賦行書，乾隆二十年。在大內。

鼇山聯句于敏中奉敕正書，乾隆二十年，七言排律，自傅恒以下凡十六人。在大內。

御製墨妙軒詩行書，乾隆二十年，七言絶一首。二十九年，七言律一首。在清漪園。

御製朶山亭詩行書，乾隆二十年，五言古一首。二十三年，五言絶一首。二十八年，二十九年，三十一年，七言絶一首。三十九年，四十年，五言古各一首。四十七年，七言古一首。五十年，七言絶一首。在盤山。

御製青峯寺詩行書，乾隆二十年，五言排律一首。二十八年，三十年，三十五年，五言古各一首。三十七年，七言律一首。三十九年，五十年，五言古各一首。在盤山。

御製平定準噶爾告成太學碑文國書，正書，乾隆二十年。在國子監。

御製金河篇行書，乾隆二十年，七言古一首。

重華宮立春日雪聯句錢汝誠奉敕正書，乾隆二十一年，七言排律，自傅恒以下凡十六人。在大內。

御製重修德壽寺碑文正書，乾隆二十一年。在南苑。

御製玉泉山東嶽廟碑文國書、正書，乾隆二十一年。在靜明園。

御製香林室詩行書，乾隆二十一年，五言律一首。在靜明園。

御製仲春釋奠詩正書，乾隆二十一年，五言律一首。在國子監。

御製隆長寺詩行書，乾隆二十一年，五言律一首。在內城本寺。

御製重修報國寺詩行書，乾隆二十一年，五言排律一首。在本寺。

御製重修天甯寺碑文國書，正書，乾隆二十一年，四十七年重修碑文，國書，正書。在本寺。

欽定天瓶齋法帖張照書，乾隆二十二年奉旨模勒上石。按：天瓶齋帖十卷，張照書首三卷，皆奉敕書，及恭録御製詩文，四卷至八卷，恭刻御筆墨蘭，并御題一則，及雜臨各帖，九、十兩卷，則其自書也。在大内。

趙北口行宫觀鐙聯句錢汝誠奉敕正書，乾隆二十二年，七言排律，自傅恒以下八人扈從南巡聯句。在大内。

御製萬壽山五百羅漢堂記正書，乾隆二十二年。在清漪園。

御製海會寺碑文行書，乾隆二十二年，七言律一首。在本寺。

欽定時晴齋帖汪由敦書，乾隆二十三年奉旨模勒上石。按時晴齋帖，汪由敦書，前二卷奉敕書。三卷恭録御製詩文。四、五、六卷雜臨各帖。七卷以下，皆其自書。在大内。

御製盛京賦賦真草隸篆四體書帖，勵宗萬真書，梁詩正草書，張若靄隸書，汪由敦篆書，册高二寸許，筆細如髮。在大内。

西山積雪聯句錢汝誠奉敕正書，乾隆二十三年，七言排律，自傅恒以下，凡二十人。在大内。

御製大報恩延壽寺誌過詩行書，乾隆二十三年，五言古一首。在清漪園。

御製玉泉山東嶽廟瞻禮詩行書，乾隆二十三年，七言律一首。在静明園。

御製平定準噶爾告成碑國書、正書，乾隆二十一年。在國子監。

御製伊犁勒銘國書、正書，乾隆二十三年。

御製崇元觀拈香卽事詩行書，乾隆二十三年，七言律二首。在本觀。

御刻小字蓮華經正書，乾隆二十四年。按：小字蓮華經，唐僧義道與其妹爲親薦福而書，譬喻品結語中脱去十四句，凡五十六字，奉旨卽取經中所有字補足。有明僧道衍跋，乾隆辛未，上因其餘幅御書心經於後並跋，末刻王鴻緒原跋，蔣溥等恭跋。在大內。

燕九日聯句錢汝誠奉敕正書，乾隆二十四年，七言排律，自傅恒以下凡二十人。在大內。

御製自乙亥軍興迄己卯成功共詩二十首并諭旨一通行書，乾隆二十四年嵌石。在西苑武成殿正中及兩廡。

御製國學瑞槐詩行書，董邦達奉敕繪圖並恭跋，觀保恭跋，乾隆二十四年，五言排律一首。在國子監。

御製平定回部告成太學碑文國書，正書，乾隆二十四年。在國子監。

紫光閣落成錫宴聯句錢汝誠奉敕正書，乾隆二十五年，七言排律，自傅恒以下凡二十四人。在大內。

御製大報恩延壽寺瞻禮詩行書，乾隆二十五年，五言古一首。在清漪園。

御書萬壽山金剛經塔正書，乾隆二十五年。在清漪園。

御書萬壽山心鏡圖行書，乾隆二十五年。在清漪園。

御製婉孌草堂詩行書，乾隆二十五年，五言排律一首。二十八年，七言古一首。二十九年，七言絶一首。三十一年，五言古一首。三十七年，七言古一首。三十九年，五言律一首。四十年，四十七年，五十年，五言古各一首。在盤山。

御製重修弘仁寺碑文國書，正書，蒙古西番四體書，乾隆二十五年。在皇城本寺。

御製重修弘仁寺敬讚旃檀寶相詩國書、正書、蒙古、西番四體書，乾隆二十五年。在皇城本寺。

御製薊城路戲題二首行書，乾隆二十五年，五言古二首。在薊州。

御製郊勞出征將軍兆惠富德及諸將士禮成紀事詩行書，乾隆二十五年，七言律二首。在良鄉。

御製涿州重修石橋記國書，正書，乾隆二十五年。在涿州。

御製鎛鐘銘篆書，乾隆二十六年。在太和殿夾室。按：乾隆二十四年，江西臨江府得古鎛鐘，撫臣以獻，適西師告捷，上既釐定其名，復詔樂部仿鑄之，凡鐘十二，銘詞同。

御書敬勝齋法帖乾隆二十六年，蔣溥等奉旨模勒上石。按：御書敬勝齋法帖四十卷，自一卷至十二卷，皆御製詩文，十三卷以下，御書御臨各種法帖，大小行楷不一，諸臣謹跋，皆附刻於御書各種之下。在大內。

御畫文殊像行書，乾隆二十六年，左鐫御贊，右鐫御製五言律詩、御跋。在大內。

重華宮賜宴聯句錢汝誠奉敕正書，乾隆二十六年，自傅恒以下凡二十人，七言排律。在大內。

觀回部繩伎聯句于敏中奉敕正書，乾隆二十六年，劉綸、于敏中五言古聯句。在大內。

御書水木清華之閣石刻詩文帖三十七種乾隆二十六年。在圓明園。

御製重修柏林寺碑文正書，乾隆二十六年。在內城本寺。

御製積水潭滙通祠詩行書，乾隆二十六年，七言律一首。在內城本祠。

御製積水潭詩行書，乾隆二十六年，七言絕三首。

御製重修鷲峯寺碑文正書，乾隆二十六年。在內城本寺。

御製重修萬壽寺碑文國書、正書、蒙古、西番四體書，乾隆二十六年。在本寺。

御製重修正覺寺碑文國書、正書，蒙古、西番四體書，乾隆二十六年。在本寺。

御製朝陽門外重修石道碑文國書、正書，乾隆二十六年。在朝陽門外。

御製涿州佑濟龍神祠碑文國書、正書，乾隆二十六年。在涿州。

御製永濟橋詩行書，乾隆二十六年，七言律一首。在涿州。

玉盤聯句錢汝誠奉敕正書，乾隆二十七年，七言排律，自傅恒以下，凡二十四人。在大内。

御製天慶宫像元劉鑾塑詩行書，乾隆二十七年，七言古一首。在皇城。

御製重修顯佑堂碑文國書、正書，乾隆二十七年。在内城本寺。

御製重修東岳廟碑文國書、正書，乾隆二十七年。在本廟。

紫光閣錫宴聯句于敏中奉敕正書，乾隆二十八年，七言排律，自傅恒以下凡二十人。在大内。

歲朝圖聯句于敏中奉敕正書，乾隆二十八年，七言排律，自傅恒以下凡二十人。在大内。

御製春雲詩行書，乾隆二十八年，五言古一首。在南苑崑崙石。

御製海户謡行書，乾隆二十八年，五言古一首。在南苑崑崙石。

御製雜言詩行書，乾隆二十八年，五言古一首。在南苑崑崙石。

御製圓明園前湖詩行書，乾隆二十八年，七言古一首。在圓明園。

御書柳浪聞鶯四字行書，乾隆二十八年。在圓明園。

御製柳浪聞鶯詩行書，乾隆二十八年，七言絶一首。在圓明園。

御書斷橋殘雪四字行書，乾隆二十八年。在圓明園。

御製斷橋殘雪詩行書，乾隆二十八年。在圓明園。

御製披雲徑詩行書，乾隆二十八年，三十四年，三十九年，四十一年，七言絶各一首。在圓明園。

御製韻石淙詩行書，乾隆二十八年，三十四年，三十九年，四十一年，七言絶各一首。在圓明園。

御製知魚橋詩行書，乾隆二十八年，三十一年，三十三年，三十七年，四十一年，四十六年，五十年，七言絶各一首。在清漪園。

御製尋詩徑詩行書，乾隆二十八年，三十一年，三十三年，三十七年，四十一年，四十六年，五十年，七言絶各一首。在清漪園。

御製涵光洞詩行書，乾隆二十八年，三十一年，三十三年，三十七年，四十一年，四十六年，五十年，七言絶各一首。在清漪園。

御製玉泉山祈雨詩行書，乾隆二十八年，五言律一首。在圓明園玉泉趵突石。

御製犂雲亭詩行書，乾隆二十八年，五言古一首。三十三年，五十年，七言絶各一首。在靜明園。

御書倚吟二字行書，乾隆二十八年。在靜宜園棲月崖。

御書唳鶴皋三字行書，乾隆二十八年。在靜宜園。

御書絢秋林三字行書，乾隆二十八年。在靜宜園。

御製貯清書屋詩行書，乾隆二十八年，五言古一首。二十九年，七言絶一首。三十一年，五言古一首。三十四年，五言律一首，七言律一首。三十五年，五言古一首。三十七年，三十九年，四十七年，五十年，七言古各一首。在盤山。

御製西峪詩行書，乾隆二十八年，七言絶三首。在盤山。

御製重修都城隍廟碑文國書、正書，乾隆二十八年。在內城。

御製重修都城隍廟成因詣瞻禮詩行書，乾隆二十八年，七言排律一首。在内城本廟。

御製東岳廟瞻禮詩行書，乾隆二十八年，七言律一首。

趙北口行宫冰嬉聯句于敏中奉敕正書，乾隆二十九年，七言排律，自傅恒以下凡二十人，扈從聯句。在大内。

御製望瀛洲亭子戲成三絶句詩行書，乾隆二十九年。在圓明園深柳讀書堂。

御製廓如亭西隄詩行書，乾隆二十九年，七言律一首。在清漪園。

御製昆明湖詩行書，乾隆二十九年，七言絶四首，五言絶一首。二十五年，七言絶四首。在清漪園。

御製舟過萬壽寺未入遂由繡漪橋至昆明湖沿途攬景襍詠行書，乾隆二十九年，七言絶六首。在清漪園。

御製高梁橋放舟至昆明湖沿途即景雜詠行書，乾隆二十九年，七言絶四首。在清漪園。

御製弄珠室詩行書，乾隆二十九年，三十三年，三十七年，五言古各一首。在静明園。

御製雙峯寺詩行書，乾隆二十九年，七言律一首，三十一年，五言律一首。在盤山。

御製上方寺詩行書，乾隆二十九年，七言絶二首，五十年，五言古一首。在盤山。

御製對瀑放歌詩行書，乾隆二十九年，七言律一首。在盤山。

御製顯佑宫詩正書，乾隆二十九年，七言絶三首。在内城。

御製重修歷代帝王廟碑文國書、正書，乾隆二十九年。在内城本廟。

御製重修歷代帝王廟告成既奉神御復位爰以春祭躬臨式瞻實枚用申誠肅詩行書，乾隆二十九年，七言排律一首。在內城。

御製回人禮拜寺碑文國書、正書、蒙古、西番四體書，乾隆二十九年。在内城禮拜寺。

御製活動松詩行書，乾隆二十九年，四十四年，四十八年，七言絶各一首。在郊坰。

御製謨肇恬波四字行書，乾隆二十九年。在郊坰。

御製覺生寺詩行書，乾隆二十九年，五言律一首。在郊坰。

御製實勝寺詩記國書、行書、蒙古、托忒四體書，乾隆二十九年。在郊坰。

雪象聯句于敏中奉敕正書，乾隆三十年，七言排律，自傅恒以下凡二十四人。在大内。

燕九日趙北口行宫觀鐙火聯句于敏中奉敕正書，乾隆三十年，自傅恒以下凡十八人，扈從南巡，七言排律聯句。在大内。

御製人字柳賦行書，乾隆三十年。在西苑瀛臺。

御製舊園重摹梅石碑行書，乾隆三十年。在長春園。

御製自高粱橋進舟由長河至昆明湖詩行書，乾隆三十年，七言絶四首。在清漪園。

玉盂聯句于敏中奉敕正書，乾隆三十一年，七言排律，自傅恒以下凡二十八人。在大内。

御製青雲片石詩行書，乾隆三十一年，七言古一首，三十三年，七言絶一首。在圓明園。

御書青雲片三字行書，乾隆三十一年。在圓明園。

御製新月詩行書，乾隆三十一年，五言律一首。在圓明園青雲片石。

御製時賞齋詩行書，乾隆三十一年，五言古一首。三十二年，七言絶一首，並勒青雲片石之東。三十二年，又七言絶一首。三十五年，五言律一首，並勒青雲片石之西。在圓明園。

御製半月臺詩行書，乾隆三十一年，五言律一首。在圓明園。

御書青蓮朶三字行書，乾隆三十一年。在長春園。

御製自長河進舟至昆明川路卽目得詩六首行書，乾隆三十一年，七言絶。在清漪園。

御製玉河詩行書，乾隆三十一年，七言絶一首。在清漪園。

御製自西峪取路入田盤至雙峯寺小憩成詠行書，乾隆三十一年，五言古一首。在盤山。

御製種松詩行書，乾隆三十一年，五言古一首。在盤山。

御製小石城歌行書，乾隆三十一年，七首古一首。在盤山。

御製山行詩行書，乾隆三十一年，七言絶一首。三十七年，七言古一首。在盤山。

御製聽瀑詩行書，乾隆三十一年，七言絶一首。在盤山。

御製大覺寺石橋詩行書，乾隆三十一年，五言古一首。在本寺。

御製大覺寺領要亭詩行書，乾隆三十一年，七言絶一首。三十三年，五言古一首。

御製大覺寺詠銀杏詩行書，乾隆三十一年，七言絶一首。

御製大覺寺龍潭詩行書，乾隆三十一年，三十三年，五言古各一首。

立春日得辛祈穀禮成重華宮小宴聯句于敏中奉敕正書，乾隆三十二年，七言排律，自傅恒以下凡二十八人。在大內。

御製重摹梅石碑置青蓮朵側詩行書，乾隆三十二年，七言律一首。在長春園。
御製玉河泛舟詩行書，乾隆三十二年，七言絶一首。在清漪園。
御製沿湖岸過玉帶橋詩行書，乾隆三十二年，七言絶二首。在清漪園。
御書化宇長春四字行書，乾隆三十二年。在清漪園。
御製朝陽洞詩行書，乾隆三十二年，五言古一首。三十三年，五言律一首。三十四年，七言絶一首。四十四年，五言古一首，五十年，七言絶一言。在静宜園。
御製寶相寺碑文國書、正書、蒙古、西番四體書，乾隆三十二年。在静宜園。
御製寶相寺落成瞻禮詩行書，乾隆三十二年，五言律一首。在静宜園。
御製泉宗廟記國書、正書，乾隆三十二年。在泉宗廟。
御製泉宗廟瞻禮詩行書，乾隆三十二年，五十年，七言律各一首。在泉宗廟。
御製雨後泉宗廟詩行書，乾隆三十二年，七言律一首。四十年，五言律一首。在泉宗廟。
御製萬莊記國書、正書，乾隆三十二年。在泉宗廟。
御製泉宗廟詩行書，乾隆三十二年，五言古一首，五言律三首，七言律二首，七言絶六首。在泉宗廟。
御書松風泉三字行書，乾隆三十二年。在泉宗廟。
御書柳泉二字行書，乾隆三十二年。在泉宗廟。
御書白榆泉三字行書，乾隆三十二年，在泉宗廟。

御書杏泉二字 行書，乾隆三十二年。在泉宗廟。

御書桃花泉三字 行書，乾隆三十二年。在泉宗廟。

御書猗竹泉三字 行書，乾隆三十年。在泉宗廟。

御書楓泉二字 行書，乾隆三十二年。在泉宗廟。

御書荇帶泉三字 行書，乾隆三十二年。在泉宗廟。

御書藕泉二字 行書，乾隆三十二年。在泉宗廟。

御書浣花泉三字 行書，乾隆三十二年。在泉宗廟。

御書躍魚泉三字 行書，乾隆三十二年。在泉宗廟。

御書貫珠泉三字 行書，乾隆三十二年。在泉宗廟。

御書錦瀾泉三字 行書，乾隆三十二年。在泉宗廟。

御書屑金泉三字 行書，乾隆三十二年。在泉宗廟。

御書漱石泉三字 行書，乾隆三十二年。在泉宗廟。

御書琴脉泉三字 行書，乾隆三十二年。在泉宗廟。

御書鑑空泉三字 行書，乾隆三十二年。在泉宗廟。

御書洗鉢泉三字 行書，乾隆三十二年。在泉宗廟。

御書冰壺泉三字行書，乾隆三十二年。在泉宗廟。

御書乳花泉三字行書，乾隆三十二年。在泉宗廟。

御書印月泉三字行書，乾隆三十二年。在泉宗廟。

御書露華泉三字行書，乾隆三十二年。在泉宗廟。

御書雲津泉三字行書，乾隆三十二年。在泉宗廟。

御書澮泉二字行書，乾隆三十二年。在泉宗廟。

御書規泉二字行書，乾隆三十二年。在泉宗廟。

御書滮泉二字行書，乾隆三十二年。在泉宗廟。

御書瀏泉二字行書，乾隆三十二年。在泉宗廟。

御書晴碧泉三字行書，乾隆三十二年。在泉宗廟。

御書月泉二字行書，乾隆三十二年。在泉宗廟。

御書大沙泉三字行書，乾隆三十二年。在泉宗廟。

御書小沙泉三字行書，乾隆三十二年。在泉宗廟。

御書沸泉二字行書，乾隆三十二年。在泉宗廟。

御書巴溝橋三字行書，乾隆三十二年。在泉宗廟。

御頒周朝法物碑國書，正書，乾隆三十二年。在國子監。

御製過中亭河紀事詩行書，乾隆三十二年，五言古一首。三十八年，七言絶二首。在文安。

御製蘇橋雜詠詩行書，乾隆三十二年，三十八年，七言絶各四首。在文安。

御製閱文安隄工詩行書，乾隆三十二年，三十五年，三十八年，五言古各一首。在文安。

御製恭依皇祖閱子牙河韻詩行書，乾隆三十二年，三十五年，三十八年，七言律各一首。在文安。

御製格淀隄至臺頭西南而止命接築至千里長隄因成是什紀事詩行書，乾隆三十二年，七言律一首。在文安。

御製閱筐兒港減水壩詩行書，乾隆三十二年，三十五年，三十八年，五言律各一首。在文安。

御製手植檜詩并畫行書，乾隆三十三年，七言絶一首。在大内。

三清茶聯句于敏中奉敕正書，乾隆三十三年，七言排律，自傅恒以下凡二十八人。在大内。

御書寶珠二字行書，乾隆三十三年。在静明園新開河。

御書湧玉二字行書，乾隆三十三年。在静明園新開河。

御製旌勇祠碑文行書，乾隆三十三年。在内城本祠。

御製净住寺碑文國書、正書，乾隆三十三年。在本寺。

御刻淳化閣帖　乾隆三十四年，按：淳化閣帖翻刻寖多，初搨絶尠。高宗嘉惠藝林，擇内府所蓄畢士安賜本命于敏中等詳加考正釋文旁註，鉤摹上石，砌於蘊真齋之廊，更名淳化軒，凡十卷，每卷各有御識。前勒乾隆三十四年御筆諭旨，又三十六年御製淳化軒記冠於卷端。在大内。

冰床聯句于敏中奉敕正書，乾隆三十四年，七言排律，自傅恒以下凡二十八人。在大內。

御題耕作蠶織二圖卽用程棨書樓璹詩韻行書，乾隆三十四年，五言古四十五首。在清漪園延賞齋。

御製繡漪橋詩行書，乾隆三十四年，五言古一首。在清漪園。

御書承蓋二字行書，乾隆三十四年。在静明園崇霱軒。

御書曜林二字行書，乾隆三十四年。在静明園崇霱軒。

御製賦得數息樹邊身詩行書，乾隆三十四年，五言排律一首。在静宜園超然堂。

御製絳嶺詩行書，乾隆三十四年，五言古一首。在盤山。

御製攜和親王遊山作行書，乾隆三十四年，七言律一首。在盤山。

御製盤谷寺詠韓愈李愿盤谷事詩行書，乾隆三十四年，五言古一首。在盤山。

御製濟源盤谷考證行書，乾隆三十四年，按：高宗御製濟源盤谷攷證，宸斷以李愿盤谷實在濟源，不在田盤，因命於濟源、田盤兩處摩崖泐之。在盤山。

御製留雲室詩行書，乾隆三十四年，五言古一首。三十七年，七言絶一首。三十九年，五言律一首。四十年，四十七年，五十年，五言古各一首。在盤山。

御製重修文廟碑記國書、正書，乾隆三十四年。在内城。

御製重修關帝廟碑文國書、正書，乾隆三十四年。在内城。

御製明景帝陵詩行書，乾隆三十四年，七言律一首。在昌平。

御製昌運宮碑文國書、正書，乾隆三十四年。在郊坰。

玉甕聯句于敏中奉敕正書，乾隆三十五年，七言排律，自傅恒以下凡二十八人。在大内。

御製萬佛樓瞻禮詩國書、行書、蒙古、托忒四體書，乾隆三十五年，七言律一首。在西苑。

御書金剛經正書，乾隆三十五年。在西苑萬佛樓。

御書藥師如來本願經正書，乾隆三十五年。在西苑萬佛樓。

御製自玉河泛舟至昆明湖即景詩行書，乾隆三十五年，七言絶六首。在清漪園。

御製玉帶橋詩行書，乾隆三十五年，七言絶一首。在清漪園。

御製重修玉泉山功德寺碑文國書、正書，乾隆三十五年。在静明園。

御製法藏寺詩行書，乾隆三十五年，七言絶一首。三十九年，五言古一首。四十七年，七言古一首。五十年，七言律一首。在盤山。

御製德勝門詩行書，乾隆三十五年，七言絶三首。在郊坰。

御製松林閘詩行書，乾隆三十五年，七言絶一首。在郊坰。

御製題蘇橋詩行書，乾隆三十五年，七言絶二首。在文安。

御製補築格淀隄成輕輿往閲因疊舊韻成什行書，乾隆三十五年，七言律一首。在文安。

御刻萬福集成讚行書，乾隆三十六年，按：萬福集成讚，彭元瑞恭集聖教序字，綴輯成文，恭進，奉旨，以内府珍弆舊拓本鉤摹上石。在大内。

學詩堂聯句王際華奉敕正書，乾隆三十六年，七言排律，自尹繼善以下凡二十八人。在大内。

御臨懷素千字文行書，乾隆三十六年，于敏中恭刻。在大内。

御製海子行行書，乾隆三十六年，五言古一首。在南苑。

御製功德寺拈香詩行書，乾隆三十六年，五言排律一首。在静明園。

御書小飛來三字行書，乾隆三十六年。在静明園。

御製小飛來詩行書，乾隆三十六年。在静明園。

御書楞伽洞三字行書，乾隆三十六年。在静明園。

御製楞伽洞詩行書，乾隆三十六年，七言古一首。三十七年，七言絶一首。三十八年，七言古一首。在静明園。

御製重修延福宫三官廟碑文國書、正書，乾隆三十六年。在内城本寺。

御製重修西黄寺碑文國書、正書、蒙古、西番四體書，乾隆三十六年。在本寺。

耕織圖聯句王際華奉敕正書，乾隆三十七年，七言排律，自高晉以下凡二十八人。在大内。

御製獅子林詩行書，乾隆三十七年，三十八年，四十年，七言律各一首。四十二年，四十四年，四十八年，七言絶各一首。在長春園。

御製藤架詩行書，乾隆三十七年，三十八年，三十九年，五言古各一首。四十年，四十二年，四十四年，四十八年，七言絶各一首。在長春園獅子林。

御製虹橋詩行書，乾隆三十七年，三十八年，五言絶各一首。三十九年，五言古一首。四十年，五言絶一首。四十二年，四十四年，四十八年，七言絶各一首。在長春園横碧軒前。

御製磴道詩行書，乾隆三十七年，三十八年，三十九年，六言絶各一首。四十二年，四十四年，四十八年，七言絶各一首。在長春園淑清齋後。

御製假山詩行書，乾隆三十七年，七言絶一首。三十九年，四十年，五言古各一首。四十四年，四十八年，七言絶各一首。在長春園凝嵐亭西。

御製水門詩行書，乾隆三十七年，七言絶一首。三十九年，六言絶一首。四十年，四十二年，四十四年，四十八年，七言絶各一首。在長春園過河亭北。

御製自玉河放舟由昆明湖歸御園即景雜詠行書，乾隆三十七年，七言絶八首。在清漪園。

御製登玉泉山妙高峯歌行書，乾隆三十七年，七言古一首。在静明園。

御製石林精舍詩行書，乾隆三十七年，五言古一首。三十九年，七言古一首。四十七年，五言古一首。五十年，七言古一首。五十年，五言律一首。在盤山。

御製盤阿精舍詩行書，乾隆三十七年，七言絶四首。五十年，七言古一首。四十年，七言古一首。在盤山。

御製游古中盤雜詠行書，乾隆三十七年，七言絶四首。在盤山。

御製山行雜詠行書，乾隆三十七年，五言律三首。在盤山。

御製坐千尺雪烹茶作行書，乾隆三十七年，七言古一首。在盤山。

御製山中雪景詩行書，乾隆三十七年，七言絶三首。在盤山。

御製法藏寺盤龍松詩行書，乾隆三十七年，七言律一首。在盤山。

御製白河神祠瞻禮詩行書，乾隆三十七年，五言排律一首。在密雲。

御製割麥行行書，乾隆三十七年，七言古一首。

御刻四體書七佛偈行書，乾隆三十八年，按：御刻七佛偈，分國書、正書、西番、蒙古四體書，上繪七佛像。在大内。

重刻淳化閣帖頒賜羣臣聯句王際華奉敕正書，乾隆三十八年，七言排律，自劉統勳以下凡二十八人。在大内。

御製白塔山總記國書、正書、蒙古、西番四體書，乾隆三十八年。在西苑引勝亭内石幢。

御製白塔山四面四記于敏中奉敕正書，乾隆三十八年。在西苑漪瀾亭内石幢。

御製酣古堂詩行書，乾隆三十八年，五言古一首。在西苑。

御製閱永定河詩行書，乾隆三十八年，五言古一首。

御製閱永定河記國書、正書，乾隆三十八年。

御製瞻謁永定河神祠詩以誌事行書，乾隆三十八年。

御製金門閘詩行書，乾隆三十八年，五言古一首。

御製隄柳詩行書，乾隆三十八年，五言古一首。

御製王家務詩行書，乾隆三十八年，七言絶一首。

御製往閱永定河下口輿中作行書，乾隆三十八年，七言絶一首。

御製閱永定河下口詩以示裘曰修、周元理、何煟行書，乾隆三十八年，七言律一首。

四庫全書聯句王際華奉敕正書，乾隆三十九年，七言排律，自舒赫德以下凡二十八人。在大内。

御製文淵閣記國書、正書，乾隆三十九年。在大内。

御製看畫廊詩行書，乾隆三十九年，四十一年，七言絶各一首。在西苑。

御製文源閣記國書、正書，乾隆三十九年。在圓明園。

御書藤架二字行書，乾隆三十九年。在長春園。

御書虹橋二字行書，乾隆三十九年。在長春園。

御書磴道二字行書，乾隆三十九年。在長春園。

御書假山二字行書，乾隆三十九年。在長春園。

御書水門二字行書，乾隆三十九年。在長春園。

御製仁育宫瞻禮詩行書，乾隆三十九年，七言律一首。在静明園。

御製山行詩行書，乾隆三十九年，七言絶四首。在静宜園。

御製清溪詩行書，乾隆三十九年，七言古一首。在盤山。

御製過弘仁寺瞻禮詩行書，乾隆三十九年，五言律一首。在皇城本寺。

御製凉水河詩行書，乾隆三十九年，五言古一首。在郊坰。

御製豐臺詩正書，乾隆三十九年，七言律一首。四十一年，七言古一首。在郊坰。

御製釣魚臺詩行書，乾隆三十九年，七言古一首。在郊坰。

御製重修碧霞元君廟碑正書，乾隆三十九年。

御製馬駒橋碧霞元君廟落成瞻禮詩行書，乾隆三十九年，五言古一首。

御製重修馬駒橋碑記正書，乾隆三十九年。

御製臨故大學士傅恒墓賜奠詩行書，乾隆三十九年，七言律一首。

御製西番蓮賦并畫行書，乾隆四十年，下方鐫于敏中、梁國治詩各一首。在大内。

天禄琳瑯鑒藏舊板書籍聯句王際華奉敕正書，乾隆四十年，七言排律，自舒赫德以下凡二十八人。在大内。

御製由液池東岸入淑清院門詩行書，乾隆四十年，七言律一首。在西苑。。

御製巢雲室詩行書，乾隆四十年，五言古一首。在西苑。

御製快雪堂記董誥奉敕正書，乾隆四十年。在西苑。

御製文源閣詩行書，乾隆四十年，七言律一首。在圓明園。

御書玲峯二字行書，乾隆四十年。在圓明園。

御製雲林石室詩行書，乾隆四十年，五言古一首。四十二年，四十四年，四十八年，七言絶各一首。在長春園。

御製香山寺瞻禮詩行書，乾隆四十年，五言律一首。在静宜園。

御製躬祭歷代帝王廟禮成詩行書，乾隆四十年，四十九年，五十年，七言律各一首。在内城。本廟。

甯壽宮落成恭侍皇太后宴卽事聯句董誥奉敕正書，乾隆四十一年，自舒赫德以下凡二十八人。七言排律。在大内。

御書文峯二字行書，乾隆四十一年。在大内甯壽宮。

御製文峯詩行書，乾隆四十一年，七言古一首。在大内。

御製甯祐廟瞻禮詩行書，乾隆四十一年，五言律一首。在南苑。

御製玲峯詩行書，乾隆四十年，四十一年，七言古各一首。在圓明園。

御書月臺二字行書，乾隆四十年。在圓明園。

御製月臺詩行書，乾隆四十一年，五言古一首。四十七年，四十八年，七言絶各一首。在圓明園。

御製平定兩金川告成太學碑文國書，正書，乾隆四十一年。在國子監。

御書釣魚臺三字正書，乾隆四十一年。在郊坰。

御製永定河惠濟祠瞻禮詩行書，乾隆四十一年，七言律一首。在固安。

御製於郊臺迎勞將軍阿桂凱旋將士等成凱歌十首行書，乾隆四十一年，七言絶。在良鄉。

御書擬白居易新樂府帖行書，乾隆四十二年。在大内。

御題吉祥天母贊行書，乾隆四十二年，按：御題吉祥天母贊，國書、正書、蒙古、西番四體書，下有畫像。在大内。

御製七佛塔碑記國書、正書、蒙古、托忒四體書，其正書爲于敏中奉敕書，乾隆四十二年。在大内。

紫光閣錫宴聯句董誥奉敕正書，乾隆四十二年，七言排律，自舒赫德以下凡二十八人。在大内。

御製恩慕寺瞻禮詩行書，乾隆四十二年，七言排律。在暢春園。

御書金剛經正書，乾隆四十二年。在静宜園普覺寺觀音閣。

御書藥師如來本願經正書，乾隆四十二年。在静宜園普覺寺觀音閣。

三登澄海樓聯句疊舊韻梁國治奉敕正書，乾隆四十三年，于敏中、梁國治扈從巡幸盛京，五言古聯句。在大内。

御製過禮烈親王園寢賜奠詩國書、正書，乾隆四十三年，七言排律一首。在静宜園。

御製三老五更説行書、正書，乾隆四十三年。在國子監。

御製廣仁宮瞻禮詩 行書，乾隆四十三年。在郊坰。

御書月令七十二候詩帖 行書，乾隆四十四年。在大内。

御書懷舊詩帖 行書，乾隆四十四年，五言古。在大内。

御刻蘭亭八柱帖 乾隆四十四年，按：御刻蘭亭八柱帖内，前三册爲虞世南、褚遂良、馮承素模本，四册爲柳公權書蘭亭詩，五册爲戲鴻堂刻柳公權書蘭亭詩，六册爲御敕于敏中補柳公權書蘭亭詩，七册爲董其昌倣柳公權書蘭亭詩，八册爲御臨董其昌倣柳公權書蘭亭詩。卷首御題五言排律一首，卷中御題七言絶六首，七言律四首，御跋四。又于敏中恭和御製元韻七言律一首。在大内。

御製竹罏山房詩 行書，乾隆四十四年，七言絶各二首。四十六年，七言絶三首。四十七年，四十八年，五十年，七言絶各二首。在静明園。

御製重修顯佑觀記 梁國治奉敕正書，乾隆四十四年。在内城本觀。

御書古稀説 行書，乾隆四十五年。在大内。

四庫全書薈要聯句 梁國治奉敕正書，乾隆四十五年，七言排律，自福安以下凡二十八人。在大内。

上元夕趙北口行宫觀燈火聯句 梁國治奉敕正書，乾隆四十五年，七言排律，福隆安以下凡十二人，扈從南巡聯句。在大内。

御製昭廟詩 國書、正書、蒙古、托忒四體書，乾隆四十五年，五言排律一首。在静宜園。

御製法源寺瞻禮詩 行書，乾隆四十五年，五言律一首。在外城本寺心經碑陰。

御製程敏政重修觀音寺記訂訛碑文 正書，乾隆四十五年，按：敏政記内以寺中所奉觀音卽杭州天竺像，皇上訂正其訛，刻石寺内，并命立石於西湖法喜寺。在郊坰。

御書言志詩 行書，乾隆四十六年，五言古。在大内。

御書改教詩 行書，乾隆四十六年，五言古。在大内。

御書知過論行書，乾隆四十六年。在大内。

御製青松詩并畫行書，乾隆四十六年，五言古一首。在大内。

快雪堂帖聯句梁國治奉敕正書，乾隆四十六年，七言排律，自三寶以下凡二十八人。在大内。

御製雲起峯詩行書，乾隆四十六年，七言古一首。在西苑快雪堂。

御製青松詩行書，乾隆四十六年，五言古一首。在圓明園保合太和院壁。

御書通鑑綱目續編内發明廣義題辭行書，乾隆四十七年。在大内。

御刻趙孟堅落水蘭亭帖乾隆四十七年，按：趙孟堅所藏蘭亭帖，即定武石刻也，有姜夔、趙孟頫跋。落水始末，見孟堅自跋。御題山陰真面四大字，御製七絶四首，末有和珅等恭和作。在大内。

月令七十二候聯句梁國治奉敕正書，乾隆四十七年，七言排律，自三寶以下凡二十四人。在大内。

御製經筵畢文淵閣賜宴以四庫全書第一部告成庋閣内用幸翰林院例得近體四律首章卽疊去歲詩韻行書，乾隆四十七年。在大内。

御書佛説賢首經行書，乾隆四十七年。在大内抑齋後。

御製書明列代玉册事碑行書，乾隆四十七年。在大内。

御製舟過繡漪橋詩行書，乾隆四十七年，五言古一首。在清漪園。

御製含新亭詩行書，乾隆四十七年，五十年七言絶各一首。在清漪園。

御製中盤僧以寺無名乞額題之曰慧因寺詩行書，乾隆四十七年，七言律二首。在盤山。

御製遊古中盤慧因寺詩行書，乾隆四十七年，五言律二首。五十年，五言古一首。在盤山。

御書朶山亭三字行書，乾隆四十七年。在盤山。

御製黑龍潭禱雨謝雨詩行書，乾隆四十七年，按：御製禱雨謝雨詩，自癸亥至戊寅，凡十九首，共鐫一石。己卯至戊寅十五首，共鐫一石。己亥至壬寅凡三首，共鐫一石。在郊坰。

職官表聯句梁國治奉敕正書，乾隆四十八年，七言排律，自阿桂以下凡二十八人。在大内。

四登澄海樓聯句梁國治奉敕正書，乾隆四十八年，梁國治、董誥扈從巡幸盛京，五言古聯句。在大内。

御製山陽詩行書，乾隆四十八年，七言律一首。在静明園裂帛湖北山。

御製重修十方普覺寺瞻禮詩行書，乾隆四十八年，七言律一首。在静宜園。

御製石壁詩行書，乾隆四十八年，六言絶一首。在静宜園普覺寺觀音閣。

御製清浄化城塔記碑文國書、正書、蒙古、西番四體書，乾隆四十八年。在郊坰。

御筆詩帖並畫行書，乾隆四十九年，按：一刻乾隆甲戌御臨趙孟頫書，東坡詩行書，下繪蘭花。又一刻御製七言律詩并跋，行書，下附刻張照臨黄庭外景一段，小楷書。在大内。

立春日重華宫曲宴宗親及近臣並命觀燈火聯句梁國治奉敕正書，乾隆四十九年，七言排律，皇六子以下凡二十四人。在大内。

五經萃室聯句梁國治奉敕正書，乾隆四十九年，七言排律，自阿桂以下凡二十八人。在大内。

御製法淵寺碑文國書、正書、蒙古、西番四體書，乾隆四十九年。在皇城。

御製國學新建辟雍圜水工成碑記國書、正書，乾隆四十九年。在國子監。

御製題張廷玉三老五更議正書，乾隆四十九年，按：三老五更説碑，左勒張廷玉原議一篇，董誥奉敕正書。在國子監。

御書經筵御論行書，乾隆五十年，大學樂只君子節，按：御書經筵御論，首録大學詩云樂只君子一節，御跋云：此壬戌春御論中不自謂能盡父母之道，而翰臣繕寫綾本，誤作君子二字，刻本亦沿訛未改，今正之。在大内。

千叟宴聯句柏梁體梁國治奉敕正書，乾隆五十年，自貝勒允祁以下凡九十九人。在大内。

御製清明詩行書，乾隆五十年，七言古碑陰國一首。在圓明園安佑宫。碑陰國書。

御製石壁臨天池詩行書，乾隆五十年，五言古一首。在静宜園。

御製跋馬詩行書，乾隆五十年，五言古一首。在盤山。

御製妙應寺瞻禮詩行書，乾隆五十年，七言排律一首。在内城本寺。

御製實勝寺述義詩行書，乾隆五十年，五言古一首。在郊坰。

御製謁明陵詩行書，乾隆五十年，五言排律一首。在昌平州。

御書題養正圖詩行書，乾隆五十一年，按：題養正圖詩，乃乾隆二十三年，御製凡詩六十首，五十一年重書，末有御題跋。在大内。

御製觀張照草書韓愈石鼓歌前卷作歌篆書，乾隆五十五年。在國子監。

御製集石鼓所有文成十章製鼓重刻序碑鼓篆書，序注正書，乾隆五十五年。在國子監。

御製重排石鼓文篆書。在國子監。

御製再題石鼓詩并跋正書，乾隆五十五年。在國子監。

御製石刻蔣衡書十三經於辟雍序碑正書，乾隆五十七年。在國子監。

御定石經碑蔣衡正書，乾隆六十年。在國子監。

周易六碑第一碑在修道堂左側南嚮，第二至第六碑在修道堂東嚮。

尚書八碑在修道堂東嚮。

詩經十三碑在修道堂東嚮。

周禮十五碑第一至第四碑在修道堂東嚮，第五至第十五碑在正義堂東嚮。

儀禮十七碑在正義堂東嚮。

禮記二十八碑第一至第五碑在正義堂東嚮，第六至第二十八碑在廣業堂東嚮。

春秋左傳六十碑第一至第七碑在廣業堂東嚮，第八碑在廣業堂右側北嚮，第九碑在崇志堂左側北嚮，第十至第三十九碑在崇志堂西嚮，第四十至第六十碑在誠心堂西嚮。

春秋公羊傳十二碑在誠心堂西嚮。

春秋穀梁傳十一碑在率性堂西嚮。

論語五碑在率性堂西嚮。

孝經一碑在率性堂西嚮。

爾雅三碑在率性堂西嚮。

孟子十碑在率性堂西嚮。

御製丁祭釋奠詩 正書，乾隆六十年。在國子監。

御製説經文 正書，十三石。

御製虎神鎗記 近斗處飾銀花，文中鏤金，乾隆御用四字，正書，左右鐫御製虎神鎗記，國書、正書，款鐫乾隆壬申秋九月；又御製詩一首，款鐫乾隆丙午季秋月上澣，永安莽喀殪虎作。亦國書、正書。床末飾以玉，上鐫虎神鎗三字，下鐫重十二觔五兩，長四尺八寸，藥二錢五分，子重七錢，正書。在大内。

御製奇準神鎗款識 正書，大清乾隆年製六字。在大内。

御製準正神鎗款識 正書，大清乾隆年製六字。在大内。

御製純正神鎗款識 正書，大清乾隆年製六字。在大内。

御製連中鎗款識 正書，大清乾隆年製六字。在大内。

御製應手鎗款識 正書，大清乾隆年製六字。在大内。

御製威赫鎗款識 正書，大清乾隆年製六字。在大内。

御製威捷鎗款識 正書，大清乾隆年製六字。在大内。

御製刀款識 近鋄處横編某字若干號，依千文列次。刃右縱爲刀名，刃左横爲乾隆年製，皆隸書。其名曰鍊精、曰叩鳴、曰孔純、曰月刃、曰風熛、曰飛鵲、曰宿鋋、曰超阿、曰配威、曰飛虵、曰星行、曰含英、曰舒空、曰兔膽、曰毓芝、曰撣霆、曰德興、曰秋霜、曰秋水、曰切玉、曰湧泉、曰振遠、曰曜威、曰吐芒、曰彩鍔、曰瑩鋋、曰柔通、曰章威、曰霜明、曰寒鋒、曰出雲、曰剸犀、曰剪水、曰掩紅、曰致祥、曰衛國、曰象功、曰輔德、曰燭微、曰霜鍔、曰流光、曰躍星、曰霞彩、曰繼輔、曰鯉腹、曰蒼精、曰凝冰、曰摇電、曰逐指、曰應心、曰醲石、曰衡斗、曰暎月、曰鳴龍、曰剬鐘、曰決雲、曰轉電、曰息兵、曰躍虹、曰貫霄、曰鎮方、曰佩德、曰賓騰、曰善勝、曰昆鋙、曰越礪、曰瑩濤、曰淬鵜、曰博鏡、曰鋪練，凡七十。在大内。

欽定快雪堂帖馮銓原本，按：快雪堂帖五卷，故馮銓原刻，後歸閩中黄氏。督臣楊景素購進内，顔真卿鹿脯帖，蘇軾書三種，米芾書三種，原本木刻，奉旨重易以石，并御書快雪堂記一篇，御題七律二首，帖石嵌快雪堂兩廊，原刻木板並弆堂中。在大内。

御刻曹娥碑正書。在大内。

御刻歷代法帖在大内。

御書心經正書。在大内。

御製薩爾滸山之戰書事于敏中恭書鐫石。在大内。

御臨顔真卿裴將軍詩帖崔應階恭刻。在大内。

御製題孫覺春秋經解詩行書，七言排律，紀昀恭刻，後附紀昀恭跋。在大内。

御製恭紀皇考刊立石經詩正書，嘉慶八年。在國子監。

御題長陵詩正書，嘉慶九年，七言排律八韻。在昌平州。

御製八旗箴正書，嘉慶十三年。在國子監。

御製喜雨山房記鐵保奉敕正書，嘉慶十八年。

御製平定回疆剿擒逆裔告成太學碑正書，道光九年。在國子監。

武進屠　寄校

江陰繆荃孫纂

金石志二

歷代上

周

康侯鼎存。篆書。在京師國子監。

欽頒彝器十種之一，乾隆二十四年，命陳設先師廟大成殿。鼎高八寸四分，橫六寸六分，縱四寸三分，耳高一寸八分，腹高三寸三分，足高三寸五分，四面鑄饕餮紋，有銘。按銘曰：寶鐏而名鼎者，考宋薛尚功鐘鼎款識所載，商伯申鼎而銘爲寶彝，周師窽鼎銘爲尊鋓，正與此類。國子監志。

犧尊存。無款識。在國子監。

欽頒彝器之一，尊爲全犧形，鑿背爲尊口，徑二寸八分，身高九寸，橫一尺三寸五分，遍體雷紋。國子監志。

內言卣存。篆書，在國子監。

欽頒彝器之一，通高一尺，蓋高二寸一分，頂高一寸，腹高五寸三分，足高一寸九分，梁高五寸八分，蓋圍一尺四寸，腹圍二尺三寸，足圍一尺四寸，通體有饕餮雷紋，器、蓋皆有銘。國子監志。

犧首罍存。無款識。在國子監。

欽頒彝器之一，高一尺二寸四分，口圍一尺七寸七分，腹圍二尺二寸九分，口高一寸八分，腹高九寸八分，足高八分，兩肩有犧首二，各銜銅鐶一，近足處亦飾犧首二。國子監志。

雷紋壺存。無款識。在國子監。

欽頒彝器之一，高一尺四寸四分，蓋高四寸二分，腹高七寸七分，足高一寸九分，口圍一尺八寸四分，腹圍三尺八分，足圍二尺五寸，壺旁兩耳，徧體雷紋。國子監志。

召仲簠存。篆書。在國子監。

欽頒彝器之一，高七寸七分，蓋高三寸五分，腹高二寸四分，足高一寸八分，蓋寬九寸八分，通體蟠螭紋，蓋腹合縫處，四面各飾夔首一，兩旁各有夔耳一，器、蓋皆有銘。

按：此器爲簠，而銘詞稱壺。考宋薛尚功鐘鼎款識載，召仲考父壺銘詞三十七字，亦與此同，而形製大小、體質輕重，乃絶不相類，或簠與壺兩物可通稱也。國子監志。

盟簋存。篆書。在國子監。

欽頌彝器之一，通高七寸三分，蓋高二寸四分，足高一寸七分，周圍二尺三寸五分，通體周鑄夔紋，旁出夔耳二，有銘，在蓋及底。按：簋爲飯器，而銘曰䵼彝。考宋薛尚功鐘鼎款識，䵼訓熟食，簋盛黍稷，熟乃可食，義正相符。又宣和博古圖載望簋，銘文同此，亦作䵼彝，是其例矣。國子監志。

雷紋觚存。無款識。在國子監。

欽頌彝器之一，通高七寸八分，口圍一尺六寸，腹圍三寸六分，足圍九寸，口高三寸二分，腹高一寸八分，足高三寸，腹足以下周鑄饕餮、雷紋。國子監志。

子爵存。篆書。在國子監。

欽頌彝器之一，通高七寸七分，口高二寸五分，腹徑一寸七分，足高三寸五分，口有雷紋，腹有饕餮、雷紋，兩柱三足，有流，有鋬，有銘。國子監志。

素洗存。無款識。在國子監。

欽頌彝器之一，高一寸五分，周圍三尺。國子監志。

石鼓文存。凡十鼓，篆書。在京師內城先師廟大成門左右。

孫星衍編修以石鼓文爲宇文周時物，謂周書本紀數書狩于岐陽，可據。中請證之。周書太祖本紀：魏大統十一年，西狩岐陽。十三年，太祖奉魏帝西狩于岐陽。高祖紀：保定元年，狩于岐陽。天和三年，行幸岐陽。有此四事。今檢後漢書鄧騭傳：遭元二之災。注：元二，卽元元也。古書字當再讀者，卽于上字之下爲小二字，言此字當兩度言之。今岐州石鼓銘，凡重言者，皆爲二字，明驗也。詳此注之意，緣石鼓是三代之物，故取以釋漢書，而以古書發其凡。若使石鼓製自宇文，則是以後證前，雖愚者不出於此。章懷太子與後周耳目相接，張大安諸人均有文學，無容不知，一證也。元和郡縣志引吏部侍郎蘇勖之言曰：史籀之迹，近在關中，岐陽石鼓是也。虞、褚、歐陽共稱其古妙。按褚遂良年輩差後，今不具論。歐陽詢傳云：年八十餘卒，既不明箸其數，且不知卒以何年，攷古者亦無從措意。惟虞世南以貞觀十二年卒，年八十一，則以陳高祖永定二年生，實當周世宗之二年。洎陳滅入隋，世南年三十一矣，是時周之亡才九年，上距岐陽之狩，遠者四十四年，次四十二年，次二十八年，又次二十一年。使石鼓立于後周，則是甫經脫手之物，以世南之博物精鑒，豈得妄以爲史籀筆迹，而歎其古妙？傳曰：以今視古，古猶今也。今之爲篆者，有王澍給事中，中生十歲，而給事猶存，然中見給事之篆，固不以爲李陽冰、党懷英也。且歐陽及褚，何以與之闇合？二證也。周太祖割據關隴，軍國多虞，未遑文教，其時文士，惟有冀儁、趙文淵，及平江陵，始得王褒。褒、儁之書今不傳於世，文淵于碑牓是其所長，所書驪山温泉頌，石刻見存。荃孫按：趙文淵所書華岳頌，非温泉頌。其篆額筆法凡劣，又不合六書，以視石鼓文，豈止霄壤！使石鼓出自宇文之世，究是何人所書？豈得寂爾無聞？三證也。或謂周世蘇綽，嘗仍尚書作大誥，則石鼓仿小、大二雅，理固宜然。然史稱綽穅秕魏、晉，憲章虞、夏，雖屬辭有師古之美，矯枉非適時之用，故莫能常行焉。據武成元年五月戊子詔書，已變其格。又世宗幸同州過故宫詩，載於本紀，猶是當時之體，未嘗刻意摹古。若以爲出自綽手，則蘇勖者綽之曾孫，豈宜數典忘祖，而遠傅之史籀？四證也。太祖本紀：大統十四年，奉魏太子巡撫西竟，自新平出安定，刻石紀事。則刻石載于本紀矣。若石鼓爲當時所刻，何以但書狩於岐陽，不書刻石？五證也。编修之言，本於馬定國之説，今不得其詳。编修既有斯疑，同人或多信之，謹就其言，辨之如此；若其文字淳古，百世之下猶見倉史制作遺意，好學深思之士，當自得之，今不備論也。汪中述學外篇。按：舊聞考、萃編、國子監志所載，均不録。石鼓文今在國學欞星門内，左右各五。元潘迪音訓，刻碑立於右旁，稱見存三百八十六字。余於嘉慶乙丑秋，親至鼓所，手自氈椎，得三百十六字，以天一閣所藏北宋拓本校之，僅存十之七而已。古文、籀文見於鐘鼎彝器者甚多，石鼓殊不類。謂是周成王宣王時物，未敢傅和。金馬定國以西魏大統十一年十月西狩岐陽，斷此鼓爲宇文周物。按第九鼓有日佳丙申句，以魏史推之，十月得有丙申；以南北史推之，十月不得有丙申。續漢郡國志注，陳倉有石鼓山，或即以石鼓得名，則宇文之説亦難盡信。昌黎詩云：公從何處得紙本？毫髮盡備無差訛。又云：年深豈免有缺畫？知唐搨有半蝕字，無全闕字，而宋釋諸家皆不滿五百字，又多傅會之失。至楊慎僞造全文，尤無足辯。丙甲下一字，舊釋爲旭，余與孫淵如觀察識是𣅀，即昫字，非旭字。又遻即吾字，遨即御字，馭亦御字，鰟即魴字，鯙即鮊字，旆即⿰阝敫字，⿱𠂉⺼即胥字，㴇即儀禮湆字，並舊釋所未備。嚴可均鐵橋漫稿。

漢

冀州從事張純碑佚

春明夢餘録：張純碑在昌平。于奕正天下金石志誤張純爲王純，從事爲刺史。攷之隸釋，王純碑在中都，今之汶上，非昌平也。

左馮翊韓延壽碑未見

金石林時地攷：韓延壽碑在宛平。春明夢餘録：韓家山在京西三十六里，俗名罕山，有漢左馮翊韓延壽碑，漶滅不可讀。

全椒侯馬成墓碑未見

京畿金石考：在平谷縣東二里。

張孝張里墓碑未見

金石攷：墓在昌平州西北賢孝張口，碑文尚存。按以上二碑，不見前人箸録。孫氏所據，大約本諸方志，恐是後人立碑墓前，非兩漢貞石也。

晉

番公專存。分書，太康元年太歲在辛亥，九月七日。在南半截胡同出土。

黄岡洪御史良品宅，在南半截胡同，後院曠地，時有大蛇。光緒甲申之冬，時尋蛇出入之跡，得一穴，啟之，此專在焉，文云：元康元年，太歲在辛亥，九月七日，番公行造。十七字。蓋古冢也。元作天，元康元年，即永平元年，改元在三月間。

王密立征北將軍建成鄉景侯劉靖碑佚

水經灅水注：灅水逕薊縣故城南，大城東門內，道左有魏征北將軍劉靖碑。晉司隸王密表靖功加於民，宜在祀典，以元康四年九月二十日刊石建碑。

劉靖戾陵堰碑佚

水經鮑邱水注，劉靖碑，其詞曰：魏使持節都督河北道諸軍事、征北將軍、建城鄉侯沛國劉靖，字文恭，登梁山以觀源流，相灅水以度形勢，嘉武安之通渠，羨秦民之殷富，乃使帳下丁鴻督軍士千人，以嘉平二年，立遏於水，導高梁河，造戾陵遏，開車箱渠。其遏表云：高梁河者，出自并州，潞河之别源也。長岸峻固，直截中流，積石籠以爲主遏，高一丈，東西長三十丈，南北廣七十餘步，依北岸立水門，門廣四丈，立水十丈，山水暴發，則乘遏東下，平流守常，則自門北入，灌田歲二千頃，凡所封地，百萬餘晦。至景元三年辛酉，詔書以民食轉廣，陸廢不贍，遣謁者樊晨更制水門，限田千頃，刻地四千三百一十六頃，出給郡縣，改定田五千九百三十頃，水流乘車箱渠，自薊西北逕昌平，東盡漁陽、潞縣，凡所潤含四五百里，所灌田萬有餘頃，高下孔齊，原隰底平，疏之斯灌，決之斯散，導渠口以爲濤門，灑滮池以爲甘澤，施加於當時，敷被於後世。晉元康四年，君少子驍騎將軍平鄉侯弘受命，使持節監幽州諸軍事，領護烏丸校尉、寧朔將軍，遏立積三十六載。至五年夏六月，洪水暴出，毁損四分之三，剩北岸七十餘丈，上渠車箱，所在漫溢。追惟前立遏之勳，親臨山川，指授規略，命司馬關内侯逢惲、内外將士二千人，起長岸，立石渠，脩主遏，治水門，門廣四丈，立水四尺。興復載利通塞之宜，準遵舊制，凡用功四萬有餘焉。諸部王侯不召而自至，繈負而事者蓋數千人。詩載經始弗亟，易稱民忘其勞，斯之謂乎！於是二府文武之士，感秦國思鄭渠之績，魏人置豹祀之義，乃遐慕仁政，追述成功，元康五年十月十一日刊石立表，以紀勳烈，并記遏制度，永爲後式焉。

康王碑佚

水經聖水注：范陽郡今理涿縣故城，城内東北角有晉康王碑。范陽王司馬彪廟碑。佚

水經聖水注：涿縣故城有范陽王司馬彪廟碑。

高原碑佚

魏高閭傳：閭五世祖原晉安北將軍、上谷太守、關中侯，有碑在薊中。

燕

銅馬象銘讚佚

水經㶟水注：昔慕容廆有駿馬，至儁光壽元年，齒四十九矣，而駿逸不虧。儁奇之，比鮑氏驄，命鑄銅以圖其象，親爲銘贊，鐫頌其旁。象成而馬死矣。

秦

銅虎符石函銘佚

寰宇記引郡國縣道志：薊城大廳前，石函長二尺，高一尺，歷代不敢開，銘曰：秦建元

元年，造銅虎符。

魏

閆惠端爲太皇太后造象記存。正書，太和十三年三月十五日。在昌平州西南五十里妙峯山石佛寺。

前人未著録。光緒六年，通州張雲翼訪得之。象造於太和十三年，爲孝文帝即位之十九年。記中云：太皇太后，卽文成文明皇后，帝之祖母，承明元年，尊爲太皇太后，臨朝聽政。太和十四年崩，造象在十三年，正太后臨朝時也。餘皆閆氏人題名。

東魏

比邱僧曠造四面玉石象存。正書，□□二年歲次乙卯。

按乙卯爲天平二年。

夫造像者，事始胡風，製稀丈八。京師都會，疊有傳摹。或移從秦洛，流轉不恒；或贋同鼎彝，琱鐫始就。此刻踴現西郭，見稱南皮著録惟確。他若燕武容、隋僧壽之屬，僞迹炳然，非敢詳也。

北齊

范陽義坊頌石幢未見

趙之謙補訪碑録：正書，天統十年，在良鄉。

隋

范陽郡正陽瑾墓志未見

補訪碑録：正書，仁壽元年十一月廿九日，在涿州。

幽州智泉寺舍利塔下銘未見

劉侗帝京景物略：正書，王臣暕撰，在房山雷音洞。按：隋文帝仁壽元年，二十八州起塔，五十三州感瑞，勑文載於法苑珠林四十，末云：仁壽元年六月十三日，内史令豫章王臣暕宣。暕，煬帝子，開皇中封豫章王，後封齊王。宣者，宣勑也。景物略以王臣暕爲人姓名，誤矣。補訪碑録亦沿其失。

智泉寺舍利感應記未見

景物略：正書，王邵撰，仁壽二年四月八日，在雷音洞。

白馬寺經幢

幢未訪得，拓本尚存，八面，刻仁壽四年正月上旬造，在南城閔忠寺南白馬寺。

石經堂觀無量壽經碑存。正書，十石。

石經堂大方廣法華經碑存。正書，四石。

石經洞妙法蓮華經碑存。正書，七十六石。

石經洞維摩經碑存。正書，三十石。

石經洞兜率陀天經碑存。高麗國沙門達牧正書，三石。

石經洞金剛般若經蜜多心經碑存。正書，四石。

石經洞賢劫千佛名經碑存。正書，五石。

石經洞五十三佛名經碑存。正書，一石。

石經洞天王觀世音經碑存。正書，二石。

石經洞温室沐浴經碑存。正書，二石。

石經洞教戒經碑存。正書，三石。

石經洞八齋戒經並懺悔文碑存。正書，二石。

石經洞佛説法藏經殘碑存。正書，一石。以上十三種皆沙門静琬造。在房山按：北齊沙門慧思浄住芯題，誓宣鴻願，普鐫見籍，鏡幽穹巖。弟子静琬，密承法付，於大業末年，遞乎貞觀，疲毫琢版，疊窟盈堪，此一百四十六碑者，即静師初迹也。深依洪洞，累壁四周，左右各二十枚，後面四十一枚，門首及左右又三十三枚，人得慕傳，俾宏真福。以緣起隋代，著目於斯，濟濟石經，碑言刻自北齊，據慧公時代，非謂始功也。静琬事蹟詳釋道傳。

小西天舍利石函記存。文云：大隋大業十二年，歲次丙子，四月丁未朔，八日甲子，於此函内安置佛舍利一粒，願住持永刼。計三十六字，明萬曆二十年僧達觀啟洞拜石得之。

石柱佛像題字存。正書，凡四柱，每柱四面，各鐫佛像卅龕，旁題佛名字，與法律經柱類，系同時所刻。在雷音洞石經堂。

楊君讓墓碑佚

京畿金石攷：在陽鄉舊店西。

唐

然燈佛塔題字未見

通州高志：學宫牆外古塔，有石一方，云唐貞觀□年尉遲敬德修。樊彬畿輔碑目作七年。

静琬碑記未見

京畿金石攷：貞觀八年，在石洞壁上。

尉遲敬德造觀音銅像佚

燕都游覽志：晉陽菴，出宣武門二里許，内有古銅觀世音像，高三尺餘，下有款識云：大唐貞觀十四年，尉遲敬德監造。黎秘書民表隸書古佛菴三字，極工，後移置稽山會館。

臨濟縣男任恭碑佚

京畿金石攷：正書，貞觀十七年，在涿州。

淤泥寺經幢存。八面刻，宫官張功謹敬德監造，貞觀弍十二年三月吉日。在京師内城西北隅秀峯寺。

其末曰：大唐貞觀二十二年三月吉日建立。誤作三十二，以三字改成弍字。按貞觀止於二十三年，此碑疑是後人僞刻。然予見兗州龍興寺修三門記，宋太平興國七年刻，亦以八字改成七字，古人碑碣之文，亦有草率若此者。此碑又曰宫官張功謹敬德監造。今山東、河北寺院多云創自敬德，或謂是尉遲敬德，非也。敬德名恭。考許敬宗所作神道碑及本傳，並無鎮幽州事，亦不當列於宫官之下也。又史言尉遲敬德晚年閑居，學延年術，修飾池臺，奏清商樂以自奉養，不交通賓客，凡十六年，而不聞其事佛。金石文字記。按此幢題記，不類唐人所爲，顧亭林疑爲後人僞刻，是也。末題宫官張功謹敬德監造，敬德或卽張功謹之表字，或别是一人姓名。其曰宫官，則不可解。今之京師，在唐時爲幽州范陽郡，在武德元年曰燕州，遷於幽州城中，以首領世襲刺史。其地去長安遼遠，授官且用世襲，安得有宫官駐於此乎？且又不言何官，此不知何年有曾爲宫官而流寓於此者，造此幢以植福耳，姑識之。再以此較聖教序、心經標題上多佛説二字，經中無無明下脱亦無無明四字，又礙作㝵，顛作顚，呵作賀。

北留寺殘碑佚

京畿金石攷：有貞觀年月，及北留寺記等字，在京師内城西直門小街十方禪院。

孔子七十二子漢晉名儒像贊佚

唐書：顯慶中，韋宏爲檀州刺史，修學宫，畫孔子七十二子漢晉名儒像，自爲贊。

龐德相造金剛經頌存。正書，經七石，頌刻碑趺，垂拱元年四月八日。在房山。

按姓纂：龐氏本望南安，碑云，其先南安郡人，是已。遠祖不載其名，無從攷證；曾祖、祖父名亦不見史册。龐公諱懷，字伯。題名諸人，有懷潤、懷素、懷道者，此云諱懷，名止一字歟？抑下一字諱而不書歟？後列題名諸人，皆龐氏之戚族。頌語整飭有法，書字遒逸，大有虞、褚筆意，與法華經諸刻出一人之手，惜不著姓名也。郭神行署銜涿城府隊正。涿城府隸幽州。金石補正。

武隆令聞人元相造像石幢存。二段，正書，聖曆二年二月。在永清

右幢在城東南塔兒巷會福寺。唐武后時，縣令聞生元相造，高一丈二、三尺，四面俱方，徑寬尺許，上刻武后立像，四面皆同。正面大書，方二寸，凡六行，每行十字，末行止六字，字體類歐陽率更，其下小楷排列銜名，字半模糊不可辨識。左方亦列銜名，右方及後面爲明人磨泐，别刻記文。其銜名多人，皆無可攷，意當時縣中人也。官銜惟佐史、里𠙶最多。按唐百官志，凡縣有司功、司倉、司户、司兵、司法、司士六佐，意佐史即其流也。里𠙶，𠙶字疑正字之變，字書無𠙶文，古文正作𤴓，恐是其流訛也。又有坊𠙶，想亦坊正之訛。存此以備參考。永清文徵。

心經未見

顧炎武金石文字記：正書，僧有晦立，大足元年。

石塔題字未見

通州高志：學宫牆外古塔，存，周年號。

王璬石浮圖銘存。甯思道行書，景雲二年歲次辛亥夏四月八日建。在房山大雲居寺塔上。

文云：唐中興七年，歲次辛亥。此以中宗復位爲中興元年，故以景雲二年辛亥爲唐中興之七年。洪頤煊平津讀碑記五。

田義起石浮圖頌存。王利貞撰，行書，太極元年四月八日。在房山雲居寺塔上。

右碑題：大唐易州石亭府左果毅都尉薊縣田義起石浮圖頌，太極元年四月八日建，爲文者歷陽丞王利貞也。考唐書地理志，易州軍府有古亭，無石亭，蓋字相涉而誤爾。府兵之制，唐中葉已廢，地理志所載諸府名，已不能詳。雍州置府百三十一，志止得其十一，餘皆逸之，此碑末載義起弟義冲，荃孫按：碑雍州興國府右果毅都尉爲義起弟義隆，義冲陪戎副尉，上柱國也。雍州興國府右果毅都尉。於是又知有興國府之名，故史家不可以不博聞也。碑以薊爲蓟，亦異文。潛研堂金石文跋尾。

碑用孝乎惟孝，與楊珣碑同，亦論語古讀之一證。平津讀碑記。

雲居寺山頂浮圖頌存。釋玄奘詞，開元九年四月八日。在雲居寺。

劉元望造石浮圖銘存。釋元英撰銘，正書，開元九年四月八日。在房山。

右雲居山石浮圖銘，劉元望所造，釋元英撰，不著書人姓名，額題經主劉騰雲等四人。碑尚完整，磨泐六十餘字，末行剥蝕較甚，文義不可强屬。年月兩行，接銘詞之下，次行首季字與大字平列，後題名四行，有官職者惟陪戎尉及幽州府史二人，塡作填，同音假借。金石補正。

李文安石浮圖銘存。梁高望行書，開元十年四月八日。在雲居寺塔上。

文安結銜稱易州新安府折衝，新唐書地理志，易州有新安府。末題易州前遂城縣書助教梁高望書。新唐書百官志，書學助教一人，掌教八品以下及庶人子爲生者。平津讀碑續記。

石浮圖銘存。王大悦撰，正書，開元十五年歲次單閼仲春八日建。在雲居寺塔上。

碑稱鄭氏字玄泰，今范陽人。新唐書地理志無范陽縣。元和郡縣志：范陽故城，秦范陽縣也，在易州易縣東南六十二里，以在范水之陽故名。平津讀碑續記。是年丁卯，此云歲次單閼，惟舉其支，亦金石文所少。復初齋集。

房山湯記佚

京畿金石考：張嘉貞撰，開元十五年四月，在房山。

游擊將軍薛彦碑佚

寶刻叢編：趙含撰，并行書，開元十八年正月。

張説遺愛頌佚

孫思邈撰，爲薊縣父老追頌功德文。見文苑英華。

大房山投龍璧記未見

畿輔新志：張諶撰，并書。開元二十七年，在繪貝勒邸第。

右大房山碑，原無題額，張諶詞序云：開元廿七年己卯三月，府城西南有大房山孔水，自廿三年内供奉吕慎盈奉敕投龍璧，廿四年，又投璧，至是而三矣。按道家有金龍玉簡，學士院撰文、具一歲齋醮，投於名山洞府。則龍、璧爲二物。金石録所載雲門山投龍詩，北海太守於天寶元默歲下元日投金龍環璧於此山是也。元宗崇信道家之説，祭祀無秩，碑云：法師平步風、張若水、高味虚、童子延忠等，三日三夜，登壇投告。僕恐陵谷推移，封山刊焉。不僅糜資祈福爲無謂，使封山出於臣下，尤可嗤也。山在順天府良鄉縣。唐志云，大房山似當以碑爲正。金石録補。

金仙公主請譯經施田記存。王守泰撰，正書，開元廿八年庚辰歲朱明八日。

今在房山縣，記金仙公主奏賜譯經四千餘卷，并范陽縣東南五十里上垡村趙襄子淀中麥田莊并果園一所，及環山林麓。金石文字記。

按前云開元十八年，金仙長公主爲奏聖上云云。唐書公主傳，睿宗第九女金仙公主，始封西城縣主，景雲初進封。太極元年，與玉真公主皆爲道士，以方士史崇元爲師。當開元時，公主既爲道士，未嘗進封長公主，此稱長公主，後又有御書神道碑，亦稱長公主，蓋皆以元宗之妹而尊稱也。疆域之分，四至八到，始見於元和郡縣志，繼見於太平寰宇記，後之撰地理志者皆因之。此以寺記而後列東西南北，云四至分明，後人田宅署券，亦同此式，蓋昉于此也。刻記之所碑無山寺主名，但云石浮屠。後又云環山林麓，西止白帶山口。而文前云，賜大唐新舊譯經四千餘卷，爲石經本。攷畿輔通志山川卷内，有石經山在房山縣西南五十里。引隋圖經云，智泉寺僧琬見白帶山有石室，遂發心書經十二部刊石爲碑。又引逃虚子集云：石經貯於巖洞者七，地穴者二，洞以石門閉之，穴以浮圖鎮之。又引帝京景物略云：房山縣西南有山曰白帶山，生芯題草。又曰，芯題山藏石經者千年，故曰石經山。北齊南嶽慧思大師發願刻石藏座下，静琬承師囑，自隋大業迄唐貞觀，大涅槃經成，其夜山吼，生香樹三十餘本，六月水浮大木千株至山下，搆雲居寺焉。唐金仙公主修之。山上雷音洞高丈餘，四壁刻經。又仙釋卷内載，釋静琬訪求名勝，至白帶山，見峯巒靈秀，遂採石造十二部石經，因搆雲居寺。明皇第八妹金仙公主增修之。又寺觀卷内載，雲居寺在房山縣石經山下。寺有唐開元十年石浮圖銘，二十八年當云十八年。山頂石浮圖後記，今並存南麓，即西天寺塔下，有石經窟，其後則香樹林。据此，知此碑在房山縣石經山雲居寺也。金仙公主，本睿宗第九女，而云明皇第八妹者，今之房安興昭懷公主早薨，不在數内也。碑云，奏賜譯經，充幽州范陽縣爲石經本者，今之房山縣在唐時爲良鄉縣，屬幽州，而碑云幽州范陽縣，即今之涿州，隋時爲涿縣，屬涿郡，武德七年改范陽縣爲涿州治。並据唐書地理志。良鄉、范陽二縣接壤，想當開元時，白帶山在范陽境，而范陽又屬幽州，唐志所未晰也。金石萃編。

新唐書地理志：幽州范陽郡大都督府范陽縣屬涿州。記云：幽府范陽縣。時縣屬幽州，變州稱府，亦一例。平津讀碑記。

昭聖寺經幢未見

畿輔碑目：沙門不空譯，劉詔正書，在昌平舊城。

陳令望心經存。正書，天寶元年。在房山雷音洞。

雲麾將軍李秀殘碑存。二石礎，李邕行書，天寶元載正月。在京師内城文丞相祠。

右二石礎拓本。二礎顛末，詳見順天府丞石門吴涵所撰記。碑中所有字成句可讀者，如式表先公之墓，其詞曰則爲墓表可知。曰遼水渺瀰，則在范陽無疑。曰懿文壯武，廣孝移忠，利倍往昔，功省今兹。是其功業可略見也。曰賢和淑慎静恭貞，曰此必稱其所配之德，曰國家方築壇拜將。考元宗初年，契丹、突厥皆興戎事，而李秀既范陽人，則其所効武功，或卽鄉土所近。築壇拜將，當指薛訥伐契丹之事。惟朝議大夫使持節，不知其何所指耳。碑析爲六礎，度今拓本，每礎圓徑尺二寸，以方廣計之，則是碑高僅四尺餘，博不及三尺也。準以唐時碑製，恐所殘損者多矣。礎由良鄉輦致宛平縣署，又移入京兆少尹署，遂爲王京兆惟儉攜四礎之大梁。然王京兆既好此碑，何以又留二礎於尹署？此誠不可解者。豈非神物完缺聚散，實有數存？今雲麾隴墓，過良鄉者渺不知其處，而片碣留遺，轉徙離合，所遭不一。顧此二礎，得與信國祠堂永垂不朽，殆雲麾之靈自爲呵護。京師去良鄉四十里，桑梓憑依，亦雲麾之所樂也。朱文藻碧溪文集。

趙録云：明皇以天寶三年，改年爲載，此碑元年正月立，而稱元載，何哉？按：蘇頲撰涼國長公主碑云：開元十二載。前此二十年，亦稱載者，文字中偶一用之，與此同也。又按：李邕撰靈巖寺碑頌，在天寶元年，亦曰靈昌郡太守，而新舊史止云天寶中邕爲汲郡、北海二太守，可以補兩書之闕。金石後録。

天寶瓦存。正書，天寶二年。在京師内城瑞王府。

李璿墓志存。正書，天寶四載。在文安。

感𢙄文存。正書，天寶十一載。在房山。

碑刻完好，無撰書人姓名。孫氏卽王晉之妻，云二品孫者，猶梁府君碑稱四品孫、五品孫也。竹汀先生跋梁府君碑，引唐書選舉志，三品以上蔭曾孫，五品以上蔭孫，孫降子一等。謂朱賓、鄭莊二人法當蔭敘，而尚未得官，故以四品孫、五品孫署銜。然則此二品孫者，亦蔭未得官之稱，當是晉之署銜，然以加於婦人，創見於此，未可遽爲金石之例。文記造浮圖之由英二妹，以下述花萼、柏舟之志，下方鐫像兩軀，張令忠等各題名於旁。六月庚寅，非十五卽十六日，是年五月丙午朔也。怨作𢙄，段氏云：班馬字類、韻會，皆引史記封禪書百姓𢙄其法，字作𢙄。今史記無此字者，此字亡矣。廣韻云：同怨。

王晉石經山中臺造浮圖記 存。正書，有像，天寶十二載。在房山。

安禄山題名 存。正書。在房山。

感石浮圖記 存。正書，天寶十一載。在房山。

歸德郡太守兼諸軍事李時德政記 存。正書，天寶十二載。在房山。

按：歸德郡，天寶元年燕州改名，即蕃州也。

觀音之閣四大字 存。李白正書。在薊州獨樂寺。

心經 存。在永清信安鎮龍泉寺後殿。

首云：奉爲燕國范陽□王。蓋禄山時刻，故列於此。

憫忠寺无垢浄光寶塔頌 存。張不矜撰，蘇靈芝行書，左行，至德二載十一月十五日。在本寺西廊。

宋文惟簡虜庭事實曰：燕京城東壁有大寺一區，名曰憫忠，唐太宗征高麗回，念忠臣義士没於王事者，建此寺爲之薦福。東西有兩磚塔，高可十丈，是安禄山、史思明所建。此碑稱：御史大夫史思明奉爲大唐光天大聖文武孝感皇帝敬无垢浄光寶塔頌者是也。春明夢餘録曰：此碑蓋建於思明初歸附之時，其碑完好。近日劉同人 名侗。作帝京景物略，謂碑上半斷裂。不可讀，且蘇靈芝書名甚著，當時乃謂爲李北海自鐫名，尤誤之甚。不知北海自鐫名，乃伏靈芝也。此碑書丹於石，故以左爲前。舊唐書肅宗紀：至德二載十二月己丑，賊將僞范陽節度使史思明，以其兵衆八萬，與僞河東節度使高秀巖並表送降。三載正旦戊寅，上皇御宣政殿，册皇帝尊號曰光天文武大聖孝感皇帝。二月丁未，大赦天下，改至德三載爲乾元元年。今此碑建於二載十一月，而已稱尊號，又以大聖字移此文武之上，與史書不合。宣和書譜：蘇靈芝，儒生也，嘗爲易州刺史郭明肅書候臺記。靈芝行書有二王法，而成就頓放，當與徐浩鴈行；戈脚復類世南體，亦善於臨倣者。予後至燕，一日，與鄞人萬言同至憫忠寺，諦觀此碑。萬曰：前行大唐光天大聖文武孝感皇帝，及中間唐字、史思明字，類磨去重刻者，石皆凹。而前行憫忠寺上元只二字，今改范陽郡三字，蓋思明復叛之後磨去之，及思明誅後，此地歸唐，後人重刻者也。當日君臣之分，殆如奕棊，然非親至其下，摩挲遺石，而徒搨紙上之字，未有能得其情者。若年月尊號之先後，亦從此而無疑矣。金石文字記。

碑首范陽郡守字，史思明三字，次行大唐等十二字，文中維唐紹統，及彼命啟與禪虞，又東宅四水，西都八川，暨唐祚字，至德二載字，其文深陷，然書法實出一人。考思明之降，在至德二載十二月，至明年正月，肅宗始加尊號，二月乃赦天下改元。碑既建於二載十一月，不應預書尊號。又思明初附，肅宗授以歸義王，范陽節度使，若碑建於降後，宜大書王爵，不當衹稱御史大夫，則是碑之建，蓋在思明未降唐之先。范陽郡三字，其初本二字，禄山僭稱范陽爲東都，必東都也。大唐一行，其初必禄山父子僞號。文中唐字，其初必燕字。而至德二載，其初必禄山父子僭號之年無疑。載攷安慶緒襲位，賜思明姓安名榮國，迨既降附，復更舊名，因命靈芝改書者爾。碑文以左爲前，甯人謂書丹於石之故，疑從禄山俗尚，未可定也。不矜與判官耿仁智同僚，思明之將復叛也，表請誅李光弼，不矜實爲起草，辭曰：陛下不爲臣誅光弼，臣當自引兵就太原誅之。及將入函，爲仁智削去。思明知之，遂執二人。仁智死，不矜度難獨免可知已。當日思明降而復叛，既誅之後，唐人見其碑，踣之惟恐不力，安有反勒其名於石者乎？此其事之所必無也。曝書亭集。

按：朱彝尊之辨詳矣，然尚有未盡者。原碑至德二載四字，亦係改刻，至字微有聖字形，載字微有年字形。禄山僞建元聖武，至德二載字，先必聖武某年字也。蘇靈芝署銜經略參軍。經署字亦改刻，其先或署僞官也。又改刻除惡務静句，除惡字行末，以二字佔用四字格；務静字别行，以二字佔用三字格。除務静三字係就文陷刻，而惡字則石面平添者。疑原文誅逆之辭，有擡頭空格，逮後滿格填湊，故參錯若此，字形攲斜而長，不復成書也。其他改刻之字，如唐紹統兮，兮字，斗拱字，唐祚字，鎮陲陲字，皆朱彝尊所未按。又除惡務静，静字朱彝尊誤鈔作盡字。髣像，像字誤鈔作髴字，今一依原碑校正。又原碑以首行十六字佔用十八字格，金石文字記謂改刻者，止於大唐光天大聖文武孝感皇帝十二字，而不知敬无垢浄光五字亦改刻者也。以碑末聖武僞元字考之，則首行必爲禄山僞號，朱彝尊之説允無疑矣。碑在本寺方丈前穿廊東壁上，石質堅瑩，唐碑之最完好者。日下舊聞考。

頌，范陽府節度掌書記張不矜撰。不云范陽郡，而云府者，蓋禄山僭號之後，改郡爲府爾。蘇靈芝署銜云：承奉郎守經畧軍胄曹參軍。按：唐書地理志，幽州城内有經畧軍。百官志：諸軍各置使一人，軍皆有倉、兵、胄三曹參軍事。故經畧軍得置胄曹也。潛研堂金石文跋尾。

頌文自左起，其文則范陽府功曹參軍兼節度掌書記張不矜撰。舊唐書地理志，范陽郡爲大都督府，功曹列於府屬，是宜結銜變文言府矣。不矜見史思明傳，令耿仁智、張不矜修表，請誅光弼，以謝河北者。修表郎，書記之任也。與碑可相證。後又列承奉郎守經畧軍胄曹糸軍蘇靈芝書。新唐書地理志，范陽郡城内有經畧軍，今此題與志合。而靈芝當開元二十七年猶稱前行易州録事，鐵像碑頌。至此爲經畧軍之屬，蓋亦凶孽引置幕下矣。授堂金石續跋。

憫忠寺寶塔頌，蘇靈芝書，張不矜撰。張不矜者，耿仁智之僚屬，故其爲思明草疏。史系不矜於仁智之下，蓋二人俱死於易去疏語之時，而竹垞云同僚者，非也。至碑中肅宗尊號與史不同，當是北土傳聞未實，是以有異。辛楣據唐志，謂幽州城内有經畧軍，得置冑曹。然此經畧二字，亦系改刻者耳。竹垞又謂以左爲前，疑從禄山之俗。不知金石之文，凡書丹於石者，皆自後而前，且有並非書丹於石，而亦自後而前者，若浯溪中興頌是也，豈非從誰之俗耶？復初齋集二十四。

高士鄭忠墓碑存。明詹撰，成巖分書并篆，乙巳歲癸亥月丁丑日。在武清東北店。

右高士鄭忠墓碑，前人未著録。光緒八年，武清令蔡壽臻搜得之。忠，武清人，安史之亂，安禄山僞授長豐尉，史思明僞授東光縣丞。壬寅年殁，爲肅宗寶應元年，史朝義之二年。乙巳歲葬，爲代宗永泰元年，則史氏平二年矣。碑言高祖羅漢，武清令。屬隋室土崩，豪傑雲起，有若竇建德者，聚兵稱亂，圍逼武清，時獨堅守孤城，確固臣節，神堯□□壯之，加右衛大將軍，辛縣如故。案新唐地理志，武清本漢雍奴縣，天寶元年更名，隋時焉得有武清令？蓋撰文者以當時縣名加之，實隋雍奴令也。通鑑，建德於隋大業十二年稱長樂王，滅於唐武德四年，其圍雍奴事，不見於史，蓋在武德二年，遣大將高士興擊李藝於幽州，屯籠火城時也。忠高尚其志，優游山林，遭遇世變，連受僞命，蓋耿仁智、張不矜之流，並非甘心從逆，實不能先自引決耳。明詹、成巖，均人姓名。鄧名世古今姓氏書辨證：明出自姬姓，孟視之孫以王父字爲氏。明僧紹，見南史，唐有諫議大夫明崇儼。成出自芈姓，令尹成得臣以王父字爲氏，其後有成虎漢、成雄，居上谷。今尚有此二姓。

心經 未見

金石文字記，趙偃正書，廣德二年八月。在京師内城西南石鐙庵。

開元寺碑 佚

金石攷：鄭宣力撰，大曆五年立。在順義縣東寺中。

恆王府典軍王景秀墓志銘 存。正書，大曆十年八月。在京師内城寅宅。

右王景秀志，在宛平出土，昇寅得之，藏於家。恆王，元宗子瑱所封。八月丙辰朔，則二十九日，直甲申；甲戌，乃十九日。此云二十九日甲戌者，誤也。志書鉅鹿之鹿作鏕，始見於漢尹宙碑，六朝以至唐人亦間用之，金石文字記以爲不當從金。風骨稟然，稟卽凛字之借。志立於大曆十一年，補訪碑録以爲十年，失；編内又以爲十八年，一碑兩列，而紀年皆誤，疏矣。

雲居上寺詩刻 存。吉逾、軒轅偉等撰，行書，左行。在雷音洞。

右唐人題雲居上寺詩六首，前有范陽縣丞吉逾序曰：辛酉秋八月，僕與節度都巡使王潛，墨客軒轅偉，猶子騊、駼，潛息益，同躋攀於此，勒四韻。又有播一首，不知何氏。又有元和四年四月八日范惟清、吕延一行，則後人所題也。時序不著時世。按舊唐書地理志：隋涿縣，武德七年改范陽縣，大曆四年復於縣置涿州。職官志：節度使，天寶後置此，稱范陽縣尉，又稱節度都巡使。則此辛酉，當是德宗建中二年。范陽之縣，雖初置涿州，而尉猶在也。都巡之名，則史志所不載。不獨此六詩可以補唐籤矣。曝書亭文集。

按雲居上寺，未詳處所。據詩前稱范陽縣丞吉逾同躋攀於此云云，則寺當在范陽矣。唐詩范陽縣屬涿州，今檢日下舊聞引名勝志云：涿州有智度寺，在城東北隅，創自唐時，有舊碑刻，其後卽雲居寺，俱有石基浮圖，疑卽此雲居上寺也。謂之上寺者，以在智度寺之後也。唐時舊碑刻，或卽指此碑。吉逾諸人之詩，全唐詩無一載者，因並録之，以見唐人詩千餘年來淪於草莽，爲人所未見者，蓋不勝紀云。碑書暮煙作墓煙，筆誤也。金石萃編。

此刻在王守泰記石浮屠後之下截，在房山，王司寇所見本，兩截分拓，故云未詳處所。碑首云，辛酉歲中有元和四年范惟清等題名。案元和四年，值己丑，後辛酉二十八年，當是後來題名。萃編據此一行，次詩刻於元和四年，誤矣。此刻在開元廿八年，王守泰記之後，元和四年之前。歲值辛酉，是德宗建中二年也。萃編跋云：碑書暮煙作墓煙。其所載碑文，却不作墓，今以拓本校之，碑實作暮。

瀛州景城縣主簿彭涚權殯志未見

訪碑録：王諫撰，正書，建中三年十一月，在通州。通州高志：志石出土時，已裂爲數段。

雲麾將軍守金吾衛大將軍上柱國宋儼志銘存，正書，建中四年四月廿七日，在昌平州。

右宋儼墓志，新出昌平土中，蓋朱滔之偏裨，陣没於愜山之戰者。志云元戎朱公，又云冀國王，即朱滔也。滔，建中三年自稱冀王。志又云：建中二年三月，出薊城，親領甲兵，收掌恆定，圍深州。十一月，破恆定節度張惟岳十萬餘人。按通鑑，建中二年正月，成德節度使李寶臣卒，子惟岳求旌節，不許。惟岳與田悦連兵拒命。詔馬燧討悦。又詔幽州留後朱滔討惟岳。滔攻束鹿，拔之，圍深州，又戰於束鹿下，惟岳大敗，皆與志合。李寶臣本張忠志賜姓名，故云張惟岳也。志又云：國家負德，不與功勳，反禍燕師，受太原河東節度馬燧惡奏，先領朔方兵甲，隴右道李懷光領秦兵及殿前兵馬廿餘萬，屯營魏州御河西側。通鑑：滔求深州，不許，由是怨望，遂與武俊東救田悦。是時河東節度使馬燧、昭義節度使李抱真、神策先鋒都知兵馬使李晟，共圍魏，屯御河上。又詔朔方節度使李懷光赴之，皆與志合。志又云：建中三年三月，至魏、貝、相，去秦兵十里。六月卅日，大破馬燧兵馬廿餘萬，積屍徧野，血流御河。通鑑：朱滔、王武俊至魏州，是日懷光軍亦至，懷光乘其營壘未定欲擊之。馬燧請休，不聽。遂擊滔於愜山之西，殺步卒千餘人。武俊引二千騎横衝懷光軍，軍分爲二，滔軍繼之，官軍大敗，蹙入永濟渠，溺死者不可勝計，其積如山，水爲之不流。燧懼，卑辭謝滔，求與諸節度歸本道。志中所云，皆是實録，並非夸大之詞。而儼卽陣没於是日。通鑑考異云：實録，六月辛巳，朱滔、王武俊至魏州，是日懷光亦至。七月庚子，馬燧等四節度兵退保魏縣。燕南記：六月，朱滔、王武俊、懷光俱至，懷光卽欲戰，馬燧、抱真不得已從之。七月六日，懷光等擊滔，勝之，尋爲武俊所敗。其夜決河水，絶懷光西歸之路，明日水深三尺餘，燧等卑辭退保魏縣。按：長曆六月壬子朔，七月壬午朔，辛巳爲六月三十日，庚子七月十九日。滔與懷光至魏之日，滔營壘尚未立，懷光卽與之戰，豈得至七月六日？戰於愜山之夜，武俊決水，明日燧等卽退保魏縣，豈得至十九日？疑退師過遲，情事不合。因謂實録、燕南記所載日，皆不可采。今志中明言戰於三十日，是實録之戰日可據。舊唐書馬燧傳，六月晦，懷光至軍，至之日，未休息，堅請與滔等戰，不利，悦等決水灌燧軍，燧兵屈糧少，七日，燧與諸軍退次魏縣。是則燧戰敗於卅日，是日辛巳，七月七日退保魏縣，是日戊子，實録之庚子乃戊子之譌，不得云無據。燕南記則誤甚。御河卽隋煬帝開永濟渠。長豐本秦漢之利豐縣，高齊廢。唐開元十年於文安縣三十里復立利豐縣，又以縣北有長豐渠，遂改名，在今文安縣境。志中，國家背德，及大破燧兵，昌言無忌。是時河朔之人知有節度，不知有天子，習俗移人，至於如此，可慨也夫！

長豐令李丕墓志 志石未見，僅得拓本。行書，貞元三年十一月。今石考在通州。

太平寰宇記：莫州，漢鄚縣。唐景雲二年，分瀛州屬邑立鄚州，割瀛州鄚、任邱、文安、清苑，幽州之歸義等五縣屬焉。開元十三年，以鄚字類鄭，改爲莫字。天寶元年，改文安郡。乾元元年，復爲莫州。長豐縣本秦漢之利豐縣，高齊廢。唐開元十年，於文安南三十里復立利豐縣，又以縣北有長豐渠，遂改名長豐，析文安、任邱二縣以實之。幽州，唐天寶元年改爲范陽郡，乾元元年復爲幽州。潞縣，本漢舊縣，屬漁陽郡。唐貞觀元年，以潞歸幽州。長豐在今順天府文安縣境。潞縣爲今通州，誌石蓋出於此。金石續編。

范陽郡新置文宣王廟碑 存。韋稔撰，張濬行書，貞元五年二月。在涿州文廟。

右碑題云。幽州盧龍節度觀察等使、工部尚書、御史大夫、幽州大都督闕八字。使劉公新置文宣王廟碑。新置云者，天下郡縣皆有文宣王廟，范陽獨無，而劉公創建之也。碑不著其名字。按史：劉濟父子爲盧龍節度，怦卒於貞元三年，又二年而碑始建。碑云：建中初，公宰是邑，特興斯廟。又云：時公年始弱冠，與濟傳合。濟以貞元五年充幽州節度，卽以是年立碑，追頌其牧宰時事也。夫子之教，能使蠻貊盜賊感而爲善，故唐之藩鎮，擅自繼襲者，皆驕蹇不奉法，濟特恭順，朝獻相繼，殆本崇奉先師之一念，而後能遵王度、守臣節歟？金石録補。

御史大夫劉怦碑佚

金史劉頍傳：南范有唐舊碑，書貞元十年御史大夫劉怦葬。上見之曰：苑中不宜有墓，以劉頍家本怦後，詔賜頍錢三百貫，改葬之。

于昌嶠墓志未見

補訪碑録：正書貞元十一年七月。在密雲。

復舜廟頌佚

金石録目，韋稔撰，顔頵正書并篆額，貞元十二年閏八月。

虞帝廟，顔書，元時尚在，見王惲文集。有大都復虞帝廟碑記，謂此碑人屢欲易去，礱以他用，主者心惝恍，若有儆動，乃已。後有道士陳志元起長春别院，復購之，約不犯原刻，止用石背。及來徙，碑趺坼矣，而梃植，重不克舉，道士愓息不敢徙，仍安原處。其著異如此。春明夢餘録。

監察御史裏行王仲堪墓志銘存。族弟叔平述，正書，貞元十三年二月。在京師外城百子坊崇效寺。

唐王仲堪墓誌，乾隆己酉、庚戌間出於京師廣渠門内，翁檢討樹培宜泉得之，置卧榻下，秘不示人，既而時作光怪，或中夜見緋衣坐榻隅，宜泉懼，不敢有。嘉慶中，詔開唐文館，余充總纂官，遂以石屬余曰：不以此時表彰之，使前賢姓氏湮没不傳，吾之辠也。余亟命工拓數十紙，既録其文，以補館書之遺，并分贈海内金石家。此碑蘇齋老人曾跋其尾，謂所云相國彭城郡王者，幽州節度使劉濟也。所云奉使於蒲者，河中節度使渾瑊也。銘曰，曰字猶見唐以前古意。石藏余家二十九年，道光丁酉，移置崇效寺院壁。崇效寺，劉濟捨宅，事見析津志，載永樂大典。仲堪爲劉濟叅謀，故使與幕府相依。北平徐松記。

碑稱仲堪授幽州大都督府户曹叅軍，以能轉兵曹叅軍。新唐書百官志，大都督府列曹叅軍事，皆正七品下，户曹第三，兵曹第五，此由户曹轉兵曹，蓋事有繁簡也。碑又稱奏充餘度行軍參謀。百官志：節度行軍參謀，關豫軍中機密。開元十二年罷行軍參謀，尋復置。洪頤煊平津讀碑記七。

仲堪舉大歷七年進士，是年知貢舉上都禮部侍郎張謂，進士三十三人，今可考者張式，見昌黎集少府監胡公神道碑注；與仲堪而五，餘無可考矣。見柳宗元先友記；暢當，見唐才子傳；王礎，見韓昌黎集與陸傪員外書注；胡珦，

行涿州司馬劉建墓志銘存。郭供撰，正書，貞元十四年。在通州。

濮陽卞氏墓志銘石已佚，拓本尚存，正書。貞元十五年七月。

康熙辛酉，西安門内有中官治宅掘地，誤發古墓。中有瓦爐一，瓦罌一，墓石二，方廣各一尺二寸。一刻卞氏墓誌四字，環列十二辰相，皆獸首人身；一刻誌銘，而書作誌，誌題曰：大唐故濮陽卞氏墓誌。誌文曰：貞元十年，歲次己卯，七月癸卯朔，夫人寢疾，卒於幽州薊縣薊北坊。以其年權窆於幽州幽都東北五里禮賢鄉之平原。是今之西安門去唐幽州城東北五里而遥矣日下舊聞考。

靳英希墓志未見

右碑題云：大唐故靳府君墓誌銘。朝議郎、試少府監丞張遇撰并書。府君諱英希，字英希，族靳氏，西河人也。楚有大夫靳尚，即其後矣。以貞元十六年七月十八日卒，即以十七年二月四日與夫人魯氏合葬。今少宰孫退谷先生名承澤，號北海，跋云：此誌近出

溯縣錠子邨，字仿蘭亭法，其石在予硯山齋中。聞近日秦豫之間，新出賈閬僊志尤佳，惜未之見也。金石録補。

鉅鹿時傒墓志未見

金石文字記：劉通明撰，行書，貞元二十一年四月。其文曰：葬薊縣燕下鄉海王村之南原，近出土中，字拙而率。按：錢先生大昕跋李内貞志中，海王村以爲遼時村名，觀此，則海王村之名唐時已有之矣。

右碑題云：唐故鉅鹿時公墓誌銘并序。鄉賦進士劉通明述。序云：公諱傒，字鑑，其先鉅鹿人，家於武清，壽不永年，以貞元二十一年卒，一子未勝喪禮，妻鄭氏、弟良鍔葬公云云。此碑在薊縣海王村，岸圮而出。唐制取士之科，由州縣者曰鄉貢，升於有司，此曰鄉賦，豈卽貢之之意耶？唐書，裴休從鄉賦登第，能爲謌詩。鄉賦之年，諷誦多在人口。當時固有是語也。金石録補。

涿鹿山石經堂記存。劉濟撰，正書，元和四年四月八日。在房山雷音洞井亭。

石經山方迪劉可大題名存。正書，元和五年，在房山。

石經山范惟清題名存。正書，元和四年四月八日。在房山。

此刻在同前二字之下，軒轅偉之前一行，范惟清非吉逾同時人，萃編合爲一刻，誤矣，應別標一題，按年代系載。

石經山孔雀洞刻佛本行集經并題記存。劉總造，行書，額正書，元和十四年四月八日。在房山。

右佛本行集經，在直隸房山，僅存二殘石，上題佛本行集經卷三十一，幽州盧龍兩節度使劉相公敬造。劉相公者，劉總也。舊唐書本紀，元和十一年十月丙寅，幽州節度使劉總加平章事，故稱相公。新唐書方鎮表，寶應元年，范陽節度使復爲幽州節度使，及平盧陷，又兼盧龍節度使。平津讀碑記。

碑額題幽州盧龍節度使劉相公者，劉總也。總弑父、兄，晚年父兄爲祟，乃削髮爲僧。其刻本行集經，當有數十石，今存卷卅一之一石已斷爲三。鐵橋金石跋。

太子洗馬崔載墓志存。成表微撰，正書，元和十四年十一月。京師内城覺羅寶桂藏石。

右太子洗馬崔載墓志銘，在大興縣，葉東卿學録所贈，誌題承務郎、試蜀王府參軍成表微撰。載王父謙皇易州修政府折衝。新唐書地理志，易州府九有修武，而無修政。疑武卽政譌。列考季，季試恆王府司馬。恆王瑱，元宗子，從帝幸蜀，代宗時薨。載伯仲五人，皆美鬚鬣，麗容貌，各身長六尺二寸，名列不甚顯，俱不見於史。平津讀碑記再續。

按：唐太子洗馬崔載終於幽州薊縣招聖里，窆於幽都縣保大鄉杜村。唐書地里志：河北道幽州領縣九，薊州所治，幽都管郭下，西界與薊分理。金石續編。

唐幽都縣，卽今宛平縣。列考之列，當作烈。廣韻：齊丁公之子，食邑於崔。丁公之子，太公之孫也，有博陵、清河二望，載博陵崔也。古誌石華。新唐書地理志，易州九府，有修武而無修政。天下六百三十四府，闕佚甚多，每於金石文字見之，此其一也。金石補正。

井闌刻字存。正書，開成四年五月。在京師外城慈仁寺顧先生祠。

盤山李從簡題名存。正書，無年月。在薊州盤山李靖舞劍臺側。

薊州西北三十里盤山上，有李靖舞劍臺。李從簡曾遊。十大字刻於石。按册府元龜：李從簡，文宗開成初爲左金吾衛將軍兼御史中丞，將命鹵庭，不能專對，貶復州刺史，意者其人乎？金石文字記。

幽州大都督府兵曹參軍陳立行墓志銘存。李儉撰，于全益正書，皇唐甲子四週，歲在丁丑。石出於京師城外，今歸山東濰縣陳氏。

右幽兵參軍陳立行墓志，首云：皇唐四周甲子，歲在丁丑，夏四月甲戌。又云：越日景申晦。按：唐代建元，始於武德元年戊寅，至大中十一年丁丑，適符四周甲于之數。通鑑目録，是年四月戊辰朔，五月丁酉朔，以此推之，甲戌爲七日，丙申爲廿九日，是月小盡，故稱晦，蓋卒於大中十一年四月七日，越廿二日丙申而葬也。據誌述立行事蹟，卓然可法，宜入孝義傳，官位不顯，堙滅無聞，非誌石出土，何由傳於千載之後邪？韋雍死於亂鋒，事見張宏靖傳。文所謂詔訪遺類，官給葬事者，於史無徵。陳立行及其祖父暨夫人之父柳楚，皆無史傳可攷。撰文之李儉，書石之于全益，亦無傳。張仁憲碑亦李儉所撰，彼碑署銜，僅存上柱國三字，卽此李儉也。唐書宰相世系表，肅宗相李揆之曾孫，有名儉者，不言官職，未識卽其人否？宣宗重惜服章，當時以緋紫爲榮。李儉賜紫，于全益賞緋，是二人者當有功績可嘉也。金石補正。

碑云：皇唐甲子四周，歲在丁丑。按：唐高祖受命建號，歲在戊寅，至高宗儀鳳二年丁丑，爲甲子一周；元宗開元二十五年丁丑，爲甲子再周；德宗貞元十三年丁丑，爲甲子三周；志言大中十一年丁丑，爲甲子四周。陳君年五十有八，由丁丑上溯，系生於貞元十六年庚辰。志中有云，從事韋雍，死於亂鋒，琴瑟併命，老母弱子，拘諸佛寺，音信不通，樵蘇不爨，君與其弟遊□□□咎瘞其遺骸，慰其□耋，晝乞州里，夜餉饔餐，進恐吏訶，退憂□□。詔訪遺類，官給葬事，亡者免飫於烏鳶，存者復歸於鄉井，名教□□□豪傑尚其義，此又難之尤者。按通鑑：長慶元年，張弘靖鎮幽州，判官韋雍輩，多年少輕薄之士，嗜酒豪縱，復裁刻軍士糧賜，繩之以法，數以反虜詬責吏卒，謂軍士曰：今天下太平，汝曹能挽兩石弓，不若識一丁字。由是軍中人人怨怒。七月，韋雍出，逢小將策馬衝其前導，雍命曳下，欲於街中杖之。河朔軍士不貫受杖，不服。雍以白弘靖。弘靖命軍虞候繫治之。是夕，士卒連營呼譟作亂，將校不能制，遂入府舍，掠弘靖貨財婦女，因弘靖於薊門館，殺雍等。舊唐書列女傳：韋雍妻蕭氏，聞難號呼，專執夫袂，左右格去，以死不從。及雍臨刃，蕭氏涕而告曰：妾不幸年少，義不苟活，今日之事，願先就死。執刀者斷其臂而殺雍。蕭氏詞氣不撓，雖凶悍圜視，無不嗟嘆。其夕，蕭氏亦卒。太和六年，節度使楊志誠表明其事，因降敕追封蘭陵縣君，事與志合，惟不言雍之老母弱子，並立行周旋之事耳。立行軫念故友，風義不愧古人。克融作亂於長慶元年，立行年二十有一，昭雪於太和六年，立行年三十有三，皆在未仕以前。

閔忠寺重藏舍利記 佚

金石文字記，采師倫正書，會昌六年六月，在閔忠寺。

是碑建自唐會昌六年，文稱舍利舊藏智泉寺。寺經始於元魏幽州刺史尉萇命，故又號尉使君寺。按：北史，萇命，萇作長，其曰節制司空清河張，則仲武也。當武宗詔毀佛寺，地分三等，幽州等居上，許留僧二十人。尋又詔諸道留二十人者減其半。故碑云，勅於封管八州内寺留一所，僧限十人。至是年宣宗卽位，遂弛其禁。先是，智泉寺已燬，遂以舍利歸憫忠寺焉。仲武在幽州，屢破回鶻，鄭畋謂會昌時功第一。方毀寺之歲，五臺僧多奔幽州，仲武封二刀付居庸關曰：有游僧入境，則斬之。及宣宗增置僧寺，碑稱司空固護釋門，殷誠修敬。若是乎前後不相侔者，蓋仲武功名之士，宜其好惡與時移也。師倫無善書名，然猶存王知敬、薛稷遺意，亦能拔乎俗者。日下舊聞攷。

朔州尚德府别將劉士弘墓志銘存。李仲文製，正書，大中元年十月。在京師外城工部倫宅。

太子中允工部尚書清河張仁憲神道碑存。李儉撰，蔡陵分書并篆額，大中二年。在文安相公莊。

唐張仁憲碑，幽州節度掌書記李儉撰，節度參軍蔡陵八分書并篆額。仁憲字仁憲，官至太子中允，其孫仲武爲盧龍節度使，追贈仁憲爲工部尚書，碑以大中二年立，在文安縣。集古録目。

碑稱祖佐明，幽州游徼府右果毅都尉。新唐書地理志，不載游徼府之名。平津讀碑記。

唐張仁憲神道碑，李儉撰，蔡陵八分書并篆額，大中二年立，在縣相公莊。京畿金石考。

右張仁憲碑，在文安縣，碑已中斷，上截又裂爲二。以銘詞計之，每行六十二字，年月只存日癸酉三字。據集古録，知大中二年所立，首行檢校下所闕爲太子中允贈五字，九行大夫下所闕爲太子中允貞五字，皆可據集古録知之。仁憲歿於貞元四年戊辰。後廿二年，元和十七年辛卯，仁憲之妻魯氏卒。又閲三十七年，大中二年戊辰，乃祔於仁憲之墓。其孫仲武追述立碑距仁憲没時，周一甲子矣。此碑自集古録後，僅見於京畿金石考，皆有目無文，世所罕見。辛未正月，潘伯寅侍郎以拓本見詒，亟讀而録之。案：仲武唐書有傳，云范陽人，云舊將張光朝子，云其弟仲至，云子直方，云大中初擢累檢校司徒同中書門下平章事，皆與碑合。惟碑云蘭陵郡王，史云蘭陵郡公，與碑微異，要當以碑爲正。史敘仲武官階云：會昌初爲雄武軍使，擢兵馬留後，拜副大使，檢校工部尚書，進檢校兵部尚書。皆碑所未及。碑爲仁憲而作，仲武歷官固宜從略。碑云：經略盧龍軍兼充招撫回鶻使、兼幽州大都督府長史，食邑三□户。皆史所未詳。至史敘直方官階，則在此碑之後。碑言國子祭酒兼御史中丞，則在右金吾將軍襲節度留後之前。史皆略之。碑言破玁鬻之衆，帳盈七千；拓鮮卑之疆，地開千里。證之以傳云：回鶻特勒那頡啜擁赤心部七千帳逼漁陽，仲武使其弟仲至與别將游奉寰等率鋭兵三萬破之，獲馬、牛、槖它、旗纛不勝計。又云：大中初，破奚北部及山奚，俘獲雜畜不貲。即其事也。回鶻傳亦載之，云：乃詔諸道兵合討嗢没斯，以赤心姦桀，難得要領，即密約天德戍將田牟誘赤心斬帳下，那頡啜收赤心衆七千帳，東走振武、大同，因室韋黑沙南闚幽州，節度使張仲武破之，悉得其衆，那頡啜走烏介，執而殺之。又云：遏捻可汗裒殘部五千，仰食於奚大酋碩舍朗。大中初，仲武討奚，破之，回鶻寖耗滅，所存名王貴臣五百餘，轉依室韋。仲武諭令羈致可汗等。遏捻懼，挾妻葛禄、子特勒毒斯馳九騎，夜委衆西走。較諸仲武傳爲詳也。又案帝紀：會昌元年十月，幽州盧龍軍逐絳雄武軍使張仲武入於幽州。二年，回鶻可汗寇大同。九月，劉沔爲回鶻南面招撫使，幽州盧龍軍節度使張仲武爲東面招撫使。大中元年五月，張仲武及奚北部落戰，敗之。回鶻傳亦云：詔劉沔爲回鶻南面招撫使，張仲武東面招撫使。碑但言招撫使，不言東面者，略耳。仲武功績甚偉，帝嘗詔李德裕爲銘，揭碑盧龍，以告後世。鄭畋謂仲武會昌時功第一，碑言七狄稽顙，百蠻投誠者，洵非諛美之辭焉。後此一年，仲武卒。見宣宗本紀。洪氏所見游徼府字，今本已泐。金石補正。

碑云：伯氏仲斌，薊州刺史，有子長曰□輔。按：輔字上缺德字。閻好問志云：莊王猶子德輔，潛謀遣禍，卽此人也。

再修歸義寺碑佚

金石攷引方志，張冉撰，大中十年庚子九月，剎肇自天寶，迫以安氏之亂，史氏歸順，特詔封歸義郡王，兼總幽燕節制，始置此寺。詔以歸義爲額，在舊城時和坊，其地在善果寺西半里。

紀聖功銘佚

李德裕撰。張仲武破回鶻紀功文，載舊唐書張仲武傳。

王公夫人張氏墓志存。李元中撰，子弘泰行書，咸通四年七月。在京城外城慈仁寺壁。

廣韻云：張姓凡十四望，本自軒轅第五子揮，始造弦，寔張網羅，世掌其職，後因氏焉。誌敘姓源誤第五子爲弟子，誤弦作安，掌下誤衍中字，文義遂不可通。又家族奇常，當是異常之誤。幽都今宛平縣，其夫名公晟，則据後合葬誌而知也。古誌石華。

右王公夫人張氏墓志，志云：夫人姓自軒轅之弟子揮，始造矢，實張羅網，世掌中其職，遂爲氏焉。按：鄧名世姓氏書辨證云，張出自姬姓，黄帝子少昊清陽氏弟五子揮爲弓正，始造弓矢，實張羅以取禽獸，主祀弧星，世掌其職，賜姓張氏。與此志合。志又云：長子弘泰見任雄武軍平地柵巡檢烽鋪大將、游擊將軍。新唐志，薊州有雄武軍，故廣漢川也，幽州節度使所屬。通考載巡檢，始於宋時。觀之此志，則唐末已有巡檢之名矣。

再修天長觀碑佚

元一統志：天長觀在舊城内，有唐再修天長觀碑，節度衙推劉九霄撰，咸通七年四月，道士李知仁重摹。

雲居寺主真性神道碑存。何籌撰，張景琮正書并篆額，咸通八年十一月。在房山。

右雲居寺主律大德碑，在房山。碑稱大德姓史氏，涿郡范陽人，元和中廉察使。相國彭城劉公慕其高節，亟請臨壇。又云：暨太和，有口祀方伯司徒史公之領戎也，常目重山，聆風仰德。新唐書本紀：元和五年七月乙卯，幽州盧龍軍節度使劉濟卒，其子總自稱留後。此稱劉公，未知是濟，是總。又太和八年十月辛巳，幽州盧龍軍大將史元忠逐其節度使楊志誠，自稱權句當節度使，馬碑所稱史公卽其人。碑題灤江栖夷子何籌撰，以號入結銜，亦唐末有此。授堂金石文字續跋。

王公晟夫人張氏合祔墓志存。許舟撰，行書。咸通十一年八月。

道光辛卯，西直門外出二石，一爲王公夫人張氏墓志，葬於咸通四年七月十三日；一爲王公晟與夫人張氏合祔墓志，葬於咸通十一年八月四日。蓋張氏先卒先葬，至公晟卒，乃合祔也。兩志結銜幽州節度隨使押衙檢校國子祭酒。四子均同，惟長子前曰弘泰，後曰弘太；三子前曰弘藉，後曰弘寂，音同字異。至官階，前云銀青光禄大夫，爲從三品；後云正議大夫，爲正四品。按：國子祭酒正居正四品。後志又云上柱國，則二品，爲夫人没後所得官矣。幽都縣保大鄉，寰宇記：幽都縣十一鄉。此云保大鄉，與陳立行志云禮賢鄉，可考者有二。

石經堂姚可矩等題名存。正書，咸通十一年，在房山。

甘泉普濟禪寺靈塔記存。郎肅撰，正書，咸通十二年歲次辛卯閏八月。在薊州甘泉山。

嬀瀛莫三州刺史閻好問墓志存。姪周彥撰，正書。咸通十四年仲秋廿八日。

右御史中丞閻好問墓志，在京師西直門外出土。補訪碑録云：此志出土，僅拓數紙，土人埋之，遂不可得。審視拓本，鐫有藏常山李氏成蹊家字。撝叔所言未確。撰文者，好問之姪，撝叔以爲周彦恭撰文，誤。据敘文，好問官終於幽州司馬，而標題不著。文有烏台三上語，豈幽州司馬之後又嘗爲御史中丞？故首句云：中丞諱好問。第一字雖缺，要爲中字無疑。當卽据以題之。誌云：蜀巴西太守芝三十四代孫，二十三代祖冀州刺史鼎。按：元和姓纂，閻氏，天水郡，有西城侯蜀巴郡太守閻竺，當卽其人。竺與芝字涉形似，傳寫之誤也。新唐書宰相世系表，晉有北平太守安成亭侯鼎字玉鉉，死劉聰原誤作總之難，子昌奔於代王猗盧，遂居馬邑。誌所稱冀州刺史者，當卽其人。然晉書閻鼎傳云：字台臣，天水人，以豫州刺史奉秦王至長安，與賈疋、王保等共立愍帝。後麴允等忌而陷之，出奔雍，爲氏竇首所殺。與世系表不合。豈同時有兩閻鼎耶？抑鼎字玉鉉，又字台臣？所稱北平太守安成亭侯者，以其有建立之功，歿後追贈，而史官遺之，表又誤以竇首爲劉聰耶？所不能明矣。誌又云：祢諱晉，祢卽禰字。公羊傳注云：生稱父，死稱考，入廟稱禰。誌蓋本此。誌又有云，藥師贈太尉蘭陵張莊王者，張仲武也，仲武，范陽人，封蘭陵郡公，卒謚曰莊。史不書贈太尉者，史之漏略也。史稱公，誌稱王者，進爵爲王而史遺之也。張仁憲碑亦稱郡王藥師，當卽仲武之字，史所未載。誌不言檢校司徒同中書門下平章事者，誌略之也。其子直方襲位，史云以右金吾將軍襲留後，俄進副大史。誌云以户部襲位，與史不符。据史，直方入京後，嘗檢校工部尚書，或工部卽户部之誤，然直方歷官終於左金吾衛大將軍，不應捨後稱前，疑史所稱右金吾將軍者，誤也。直方入京，史云：畏下變起，乃託出畋奔京師。誌云：吐以血誠，請覲龍闕。當是隱飾之辭。至德輔搆禍，則史所失載，可据此補之。當時藩鎮强横，事非朝廷所能制，不獨蕭牆變患，旋卽弭平，爲史官所不盡知也。白敏中，字用晦，史附其父居易傳。李宗冉史於宗閔傳僅附其名，不述一語。所謂守埔橋者，不審何時何事？故府，燕國公張允伸也。允伸字逢昌，范陽人，封燕國公，咸通十二年卒。今府，僕射李茂勳也。茂勳本回鶻阿布思之裔，降於仲武，積功賜姓名，官尚書右僕射，皆盧龍節度也。幽都縣、安塞軍、納降軍，皆隸幽州。莫州鄚縣，新書地理志作莫縣，云莫州本鄚州，開元十三年，以鄚莫文相類，更名莫，本鄚。開元十三年，更以誌證之，是改州未改縣也。銘云允從周室者，宰相世系表，閻氏出自姬姓，周武王封太伯曾孫仲奕於閻鄉，因以爲氏。又云昭王少子生，而手文曰閻，康王封於閻城。又云，唐叔虞之後，晉成公子懿食采於閻邑。元和姓纂略同，惟不言昭王少子，要皆出自周室也。銘又云，嬪榮漢皇者，後漢宜春侯閻暢女爲安帝皇后也。爰從東弟，弟卽第，實穌邊，俗穌卽蘇。少遠晗膏，慕遺清白。咱，脂之誤，慕，暮之誤。金石補正。

志云，會昌中，燕師贈太尉蘭陵張莊王，攷爲張仲武。舊書列傳，仲武歷官至司徒、中書門下平章事，謚曰莊，而不言贈太尉，可以補史之闕。志又云，莊王嫡直方以户部襲位，情娱弋獵，性樂微行，常以讜言維持於宿衛。明年冬諫，户部吐以血誠，請覲龍闕。按皇甫枚三水小牘云：咸通庚寅歲，盧龍軍節度使檢校尚書左僕射張直方抗表請修入覲之禮，優詔允焉。先是，張氏世莅燕土，民亦世服其恩。禮燕臺之嘉賓，撫易水之壯士，地沃兵庶，朝廷每姑息之。洎直方之嗣事也，出綺紈之中，據方岳之上，未嘗以民間之休戚爲意。而酣酒於室，淫獸於原，巨賞狎於皮冠，厚寵集於緑幘。暮年而三軍大怨，直方稍不自安，左右有爲其計者，乃盡室西上至京，懿宗授之左武衛大將軍。觀此志，知勸直方入覲者爲好問矣。志又云，莊王猶子德輔，潛祈大福，陰構禍階，爰從東第直臨正寢，乃披堅執鋭，從辰洎申，威掠前鋒，血盈左脅。新舊兩書列傳均不載此事。志又云，故府燕國公，攷爲張允伸。舊書列傳：咸通九年，累加至光禄大夫，檢校司徒兼太傅、同中書門下平章事燕國公。志中埇橋爲宿州治。通鑑二百五十胡三省注，憲宗元和四年，析徐州之符離、蘄，泗州之虹置宿州，治埇橋，在徐州南界。安塞軍、納降軍，軍府名，均見新書地理志。

楊元宏造般若波羅密經存。楊元宏正書，王居安書額，兩面刻，咸通十五年四月八日。在房山。

右楊元宏造般若波羅密多經，兩面刻，額曰奉爲□相公敬造般若波羅密多經，刻於咸通十五年四月八日。按唐書，懿宗咸通無十五年，蓋十四年七月懿宗崩，僖宗卽位，是年爲癸巳，至甲午十一月，方改乾符元年。此經刻於四月，是在未改元之前，所以稱咸通十五年矣。相公上泐一字，以元和劉總刻經例之，當是張字。是時張公素爲盧龍節度使，於十四年九月加同平章事，故稱曰相公。楊元宏、王居安，並無考。

涿州蜀先主廟碑存。郭筠撰并正書，乾符四年。在涿州。

幽州節度押衙敬延祚墓志存。張賓述正書，中和三年二月。石出昌平，今歸濰縣陳氏。

誌出順天府大興縣，海豐吴誦孫式芬得之，以拓本見貽。唐書，中宗相敬暉，五王之一也。誌云：祖諱輝，守宣州右丞相，當卽暉之誤也。本傳不詳暉之父名。世系表云，父山松，澄城令。誌云：曾祖諱包，攝幽都縣令。表云，暉四子：讓、誠、詢、諲。誌云，考諱全紀。皆與唐書不合。唐代敬氏，別無名輝而爲宰相之人，史誤邪？抑誌誤邪？不可攷矣。誌中事作士，矛作予，揚作楊，淑作熟，河作何，皆誤字。邁王脩之社，社上脱罷字。古誌石華。

右國子祭酒敬延祚墓志，標題有云，鎮安軍使者。鎮安軍屬營州，本燕郡守捉城，貞元二年爲軍。見新書。地理志有云，綾錦坊使者。綾錦坊屬少府監，見百官志。志但言綾錦坊巧兒三百六十五人，不言有使，當是後來添置者。誌於繁宗盛裔，不廣敘焉之下，卽云，遂授隨使節度押衙，遥攝鎮安軍使，充綾錦坊使。又忽云：於戲，壽之與夭，不保黄髪。然後乃敘其先世。其敘先世，先考，次曾祖，又次乃及其祖，是文之無紀律者。標題有檢校國子祭酒兼御史中丞，而文内絶無一語及之，亦太疏略。曾祖包攝幽都縣令，幽都屬河北道幽州。祖暉守宣州右丞相。黄氏疑節相中宗之敬暉。按新唐書暉傳，並無守宣州之文，蓋别一人也。稱右丞相者，誌誤也，未可据以疑史矣。驕身，疑驕人之誤。不怒而臨下句，疑脱一字。螽斯作⿱斯䖵，異文。肺肝作胇。懽笑作⿰扌雚。均誤。黄氏未舉。

國子祭酒張峒題詩未見

張公修金山寺碣未見

盤山志：金山寺，唐光啟二年七月建，有石碣存，薊州大夫張公修造此寺。又有國子祭酒張峒題詩勒石，薊州大夫峒之仲孫也。

閔忠寺重藏舍利記存。沙門南敘述，知常正書，景福元年十二月。在京師外城閔忠寺西廊。

舍利塔，一燔於太和八年，一燼於中和二年，至是，僧復嚴葬舍利於閔忠寺觀音像前，南敘述記，如常書之。碑中所云隴西令公大王者，李匡威也。匡威欲遷舍利於閣内，至拜疏於朝，請發封壤，詔可而後行，當時崇重法寶如是。（金石文字記。）

碑云隴西令公大王者，李匡威也。是歲李克用、王處存合兵攻王鎔，匡威救之，有詔和解河東及鎮定、幽四鎮。碑稱欲遷舍利於閣内，陳辭請發封壤，上許之。蓋匡威方恃燕薊勁旅，有雄天下意，宜有請無不許者。碑文侈陳發緘時舍利光芒，異香郁烈，外石函封，内金函閟，其崇奉象教至矣。迨明年，匡威復出師救鎔，其弟匡儔據軍府，自稱留後，匡威進退無所之，鎔迎館於鎮，登城西大悲浮圖，顧望流涕，未幾以圖鎔見殺。然則事佛果得福乎？舍利之塔，一燔於太和八年，一燼於中和二年，今匡威所建之閣，遺跡已不可問，其碑僅存焉爾。已踣佛脚，俾工拽而出之，搨以藏諸笥。（曝書亭集。）

重藏舍利記：右街内講殿論兼應制大德沙門南敘述，僧知常書，景福元年十二月十八日記。碑云，隴西令公大王者，朱錫鬯以爲李匡威。以予攷之，匡威之立，在光啟二年八月，歲在丙午。而碑稱中和二年，歲在壬寅，值火災延閔忠寺，樓臺俱燼。又云，不朞年，隴西令公大王舍俸造觀音閣，則造閣之時，匡威尚未建節，所云令公者，當是李可舉耳。唐書藩鎮傳，載可舉所授官甚略，其稱令公而封王爵，史未之及也。可舉以光啟元年乙巳被殺，李全忠代之。明年全忠卒，子匡威爲留後，距壬寅已四年餘矣，不當云未朞年也。碑於大唐文宗及武皇及宣宗及上，皆空二格，其云旌麾清河公者，張仲武也，亦空二格書之。獨於隴西令公，跳行書之。當時河朔之俗，知有節使，不知有天子久矣。其云大燕者，沿安史之僭稱也。潛研堂金石文字跋尾。

右閔忠寺重修舍利塔記，在京師閔忠寺。記云，隴西令公大王，朱竹垞以爲李匡威，錢辛楣少詹以爲李可舉，然記於中和二年，不朞年稱隴西令公大王，固是李可舉，其於景福壬子年請發封壤，上許之者，則李匡威也。記特未明析言之爾。

盤山上方道宗大師遺行碑存。沙門知常撰，梁知止正書，乾甯二年□月。在薊州。

幽州延洪寺禪伯遵公遺行碑佚

金石攷：守薊州録事參軍攝幽州安次令試大理評事閻栻撰，乾甯三年四月。

涿州刺史常尚貞修廟記存。劉守文撰，正書，光化元年十二月。在涿州乾符先主廟碑陰。

太尉朱懷珪碑佚

天下金石志：元載撰，李融書，在昌平州。

幽州寶集寺碑佚

日下舊聞攷引析津志云：寺建於唐，大概見於宗原堂記。其詞曰：宗原堂者，大寶集寺之丈室也。佛殿前石幢刻曰大唐幽州寶集寺。唐碑亦有寶集之名，寺創於唐世，可攷見矣。

草書千文佚

天下金石志：僧亞棲書。在國子監。

御史董甫墓志

文安楊志：唐御史董甫墓石，在城西南安祖店。萬曆初，士人掘得志石，乃裴度撰文，畏而毁之。

孫士林墓志佚

日上舊聞攷：房山縣有孫臏墓，至康熙年間，房山縣知縣羅在公得墓誌，始知在房山者爲唐將軍孫士林墓云。

靳夫人墓志未見

大城張志：唐兖州刺史靳思之妻墓，已没，志石尚存。

千佛寺詩佚

京畿金石攷引方志云：僧所取礪若砧者，皆斷唐人詩碑。

涿鹿山雲居寺新鐘記存。正書，在房山雲居寺左菜園。

處士王君造浮圖經存。正書，在房山。

劉洛通刻經記存。正書，在房山孔雀洞。

東峯石室正法念經碑存。正書，七十卷，二百一十石。

東峯石室大涅槃經碑存。正書，四十卷，一百二十石。

東峯石室大華嚴經碑存。正書，八十卷，二百四十石。

東峯石室大般若經碑存。正書，五百二十卷，一千五百六十石。

茲四大部經，二千一百三十碑者，亦唐雲居寺四代禪師之閎典也。高藏泉崛，上抗雲巔，永代未開，徒存名目，契丹碑紀可證因緣。

石經堂洹水流樹經碑存。正書一部，石數未詳。在大洞右第一洞。

石經堂陀羅尼集等經碑存。正書三部。在右第二洞。

石經堂今生歡喜名無垢等經碑存。正書，部數未詳。在左第一洞。

石經洞金剛般若等經碑存。正書。在左第二洞。

石經洞菩薩瓔珞等經碑存。正書。在石井左一洞。

石經洞摩訶般若等經碑存。正書。在石井左二洞。

石經洞文殊師利普超三昧等經碑存，正書。在伽藍殿右一洞。

石經洞觀世音大悲心陀羅尼經碑存，正書。在殿右二洞。

石經洞金剛般若經碑存。正書二石。在大洞左側。

茲八洞經碑者，唐雲居住持導公、儀公、暹公、法公之所嗣製也。井陰殿曲，岩竇突通，穴牖闃中，層庋充堵，或逢啟揭，枚數斯疲。至金剛三碑，偃卧離立，維那施造，疑有題名。

石經洞金剛般若經碑存。正書一石。在大洞伽藍殿旁，卧碑。

宋

宋碑殘字存。字跡漫滅，止一慶字完好。在永清龐各莊。

据明萬曆碑，定爲宋時石刻。

大觀聖作碑存。正書，大觀元年八月。在文安學宫。

葛可惟爲亡父造陀羅尼幢存。前經後記，正書，八面刻，宣和四年十月二十三日。在涿州城西。

按：宣和四年九月，郭藥師以涿州降，故用宣和年號。

延壽寺紀功碑佚

東都事略：童貫、蔡攸帥師入燕，號撫定，勒碑於延壽寺以紀功。將佐姓氏皆刻於碑。

燕山清勝寺慈慧大師塔幢存。前經後記，正書，八面刻，宣和七年二月十三日。在京師右安門外廣恩寺。

智炬如來心破地獄真言石幢存。王士宗造，前真言，後記，八面刻，正書，宣和七年十一月戊辰朔五日壬申日丙時。在永清南辛溜村大佛寺。

按：宋徽宗宣和七年，歲在乙巳，金太宗天會三年也，是年十二月，金兵南逼，徽宗內禪。燕山地入於金。此幢立於十一月，故猶用宋年號。幢文男六人，第一、二、三、四及六俱名字相屬，并綴妻，第五爲僧恆企，則一子出家者也。

永清縣南辛溜村大佛寺，有石幢，周遭鐫智炬如來心破地獄真言，其末云：大宋燕山府永清縣景隆鄉新留里王士宗奉爲亡考，特建頂幢一口，亡耶耶王安、娘娘劉氏、亡父文清、母梁氏、亡伯文佐、亡叔文思、男六人、士宗妻劉氏、士言妻郝氏、士英妻楊氏、士廉妻孫氏、僧恆企、士忠妻寇氏、女楊郎婦，維宣和七年十一月戊辰朔五日壬申日丙時建。按宋石刻在多有，唯燕山一路不在宋疆域之內。宣和暫復，不旋踵失之。今京城內外絶無宋片碣，而此幢巋然於小邑荒邨。朱氏日下舊聞，亦未采入，故表而出之。辛溜卽新留，土人相沿譌變而音不異。其稱大父耶耶，則北人猶有此稱，大母曰娘娘，則未之聞也。又縣南信安鎮龍泉寺有金大定三年碑，其文亦有王孝子耶耶之文，當亦謂其大父耳。十駕齋養新録十五。

石經佚

天下金石志：碑刻春秋、禮記，今磨滅不完，在舊燕城南金國子學。又春明夢餘録云：九經石刻書在汴，金人移置於燕。

鍼灸經佚

天下金石志：仁宗篆題，元至元間，自汴移此，在三皇廟。

鐘銘存。在永清縣署左首。

鐘鑄重千餘斤，四面有文，斑剥不可辨識，惟一面可辨，有云，朝散郎知冀州□□□勸農□□□兵馬□監雲騎尉。以官名推之，當是宋時物也。舊志及日下舊聞皆以爲唐時來自永定河邊。又云，文字漫滅不辨。蓋未深考此銘，冀州下當有軍字，勸農下當有使字，兵馬下當有都字，餘不可臆解。其歲月已不可考，故附宋末。

遼

再義寺尊勝經幢存。前經後記，正書，會同九祀龍集敦牂爲元月二十一日。在京師外城善果寺。

祐唐寺古佛舍利塔記存。正書，天禄二年三月。在薊州本寺。

仙露寺葬舍利佛牙石函記佚

日下舊聞云：釋志愿撰并正書，天禄三年歲次己酉四月十三日。

仙露寺，金人俘宋室子女置其中。見蔡絛北狩行録、趙子砥燕雲録。顧地志失載，遺蹤遂不可稽。康熙二十六年五月，宣武門西南居民掘地得石匣，匣傍有記，自稱講經律論大德志愿録并書，乃遼世宗天禄三年瘞舍利佛牙於此。記後有千人邑三字，蓋社名也。施主姓名前列帝后諸王大臣，下及童男小女。考遼史，世宗妃甄氏，後唐宫人，帝從太宗南征得之，寵遇甚厚。及卽位，立爲皇后，至天禄四年，方册立皇后蕭氏。二后同死察割之亂，並葬於醫巫閭山。記刻於三年，所云皇后，蓋指甄也。東明王者，疑是明王安端，卽察割之父，以功王東丹國，故曰東明王也。燕主大王者，中臺省右相牒蠟爲南京留守，封燕王，故曰燕主大王也。國舅相公者，靖安蕭太后族只撒古魯，以天禄元年爲國舅帳詳穩，故曰國舅相公也。獨趙思温子延照，史作延昭，而通鑑亦作照，嘗爲石晉祁州刺史，後仍歸遼。餘子本末不得其詳矣。又記有建窣堵波之文，疑當時石匣置於塔久廢，而石匣僅存土中，匣已無蓋，其舍利佛牙又不知何時散佚也。曝書亭集。

承進爲薦福禪師造尊勝經幢存。前經後記，八面刻，記劉贊撰，王思進正書，應曆七年六月二十一日。在閔忠寺戒壇前。

右幢上截漫漶，每行末約亦缺一二字，分行録之。幢爲薦福而造。薦福十三出家，天禄中爲殿主，莊嚴佛像，遼主加號爲薦福；歿於應曆七年六月，其門人承進等爲之營葬，因敘述行業而立斯幢。造幢者承進諸人，京畿金石攷以爲薦福所造，殆非。末行年月僅存日壬午丁時五字，莫由定爲何時，係諸應曆七年六月可也。應曆七年當後周顯德四年，世宗卽位之三年。金石補正。

重修雲居寺一千人邑會碑存。王正述，鄭熙正書、篆額，應曆乙丑歲，天順皇帝御宇之十五歲。在房山。

都亭□侯太原王公修石幢記存。記行書，題名正書，年月泐，舊聞考云，保甯元年九月泐。在善果寺會同石幢記後。

太子左衛率府率御史大夫上柱國李内貞墓志佚

乾隆庚寅三月，琉璃廠窑户掘土得古墓，棺槨不具，而骨節異常人，旁有一石，眡其文則遼故銀青崇禄大夫檢校司空行太子左衛率府率兼御史大夫上柱國隴西李公墓誌銘也。提督兩窑廠工部郎中孟君澔，募人改葬於故兆東二十步，別買石書李公官位表於道，而誌石則仍瘞之。越十數日，予始得聞，亟往，欲椎拓其文不可得，世竟無拓本，惜哉！聞孟君曾令吏寫一通，索而讀之，文駢麗頗可誦。李公仕契丹，子侄皆通顯，而姓氏不載正史，恐後之人過此地者，終不知爲何許人也，故記其畧云。李公諱内貞，字吉美，嬀汭人。唐莊宗時舉秀才，授將仕郎試祕書省校書郎，守雁門縣主簿；次授蔚州興唐縣主簿；次授儒林郎試大理寺丞，守嬀州懷來縣丞。大聖皇帝兵至，迎降，加朝散大夫、檢校工部尚書兼御史大夫、賜紫金魚袋兼屬珊都提舉使。嗣聖皇帝改銀青光禄大夫、檢校尚書右僕射兼御史大夫。天授皇帝加檢校尚書左僕射。燕京留守、南面行營都統燕王知其才，補充隨使左都押衙中門使兼知廳勾；次攝薊州刺史，次授都峰銀冶都監。天贊皇帝改檢校司空兼御史大夫、上柱國、行太子左衛率府率。保甯十年六月一日，薨於盧龍坊私第，年八十。以當年八月八日葬於京東燕下鄉海王村。先𡠗殷氏女，有三子，後𡠗何氏女，生二男。弟僧可延，天順皇帝授普濟大師，賜紫。長子瓚，金紫崇禄大夫、檢校司空、南奚界都提紀使兼御史大夫。次子玉，燕京都麴院都監、金紫崇禄大夫、檢校司空兼御史大夫、上柱國。次子□，銀青崇禄大夫、檢校尚書右僕射兼御史大夫、上柱國、前大石銀冶都監。次子玿，前遼興軍節度推官，將仕郎試祕書省校書郎。次子璟，攝宜州觀察推官。文稱大聖皇帝者，遼太祖之尊號也。太宗稱嗣聖皇帝，世宗稱天授皇帝，穆宗稱天順皇帝，景宗稱天贊皇帝，皆與史合。其云燕京留守、南面行營都統燕王者，耶律牒蠟也。本傳不言爲南面行營都統，史之闕也。中門使，蓋留守司之屬，而百官志不載。屬珊軍，應天皇后所置，志祇載詳穩司，而不及都提舉使。銀冶都監、麴院都監皆南面財賦官，志亦遺之，皆可補史之闕。太子率府，職名志稱：興宗重熙十四年見率府率習羅，此李公於景宗時授左衛率府率，又在重熙之前矣。自古史家之患，在於不博，而遼史尤其牽率之甚者。予在京師久，往往見遼時石刻文物，制度頗多可采，未嘗不追咎歐陽、張、揭諸公之草草也。然三史之修，始於至正三年三月，訖五年十月而成，以七百四十餘卷之書，筆削於三載以内，欲其網羅散失，有無滲漏，是亦難矣。遼南京城因唐藩鎮之舊，唐時閔忠寺在城内東南隅，今之琉璃廠在遼爲城東燕下鄉，正可互證，而海王村之名，亦好事者所當知也。潛研堂集。

以李君歷官考之遼史百官志，初加朝散大夫改銀青崇禄大夫，階也；上柱國，勳也。志皆無文。又兼屬珊都提舉使，考志於北面内載珊軍詳穩司，應天皇太后置軍二十萬，選番漢精兵，珍美如珊瑚，故名。而都統所屬，有隨使左都押衙中門使兼知廳勾，由都統委授。南面財賦官有銀冶都監。志皆不及之，非得此誌，則奚所補焉？牒蠟見逆臣傳，爲行營都統。志稱行軍都統，亦異文也。稱崇禄大夫，不言光禄者，避太宗諱也。授堂金石文字續跋。

判官都官員外郎王教再修雲居寺記存。釋智光記並正書，統和乙巳歲八月。在房山應歷重修雲居寺碑陰。

右王正、智光雲居寺二記，共勒一碑。碑額篆書：重修雲居寺一千人邑會之碑。一稱結一千人之社，一千人之心。一稱完葺一寺，結邑千人。近年京城發地，得仙露寺石函記，後有千人邑三字，尼曰邑頭尼，覽者疑是地名。合此碑觀之，則知千人邑者，社會之名爾。天順皇帝者，遼穆宗尊号。丞相秦王者，重元爲南京留守也。遼史：聖宗初卽位，羣臣上尊号曰昭聖皇帝。統和元年六月，上尊号曰天輔皇帝。五年四月，上尊号曰至德廣孝昭聖天輔皇帝。二十四年十月，上尊号曰至德廣孝昭聖天輔皇帝。今碑建於二十三年，尊號無天輔字，是則二十四年十月以前聖宗尊号，但云至德廣孝昭聖皇帝，如碑所記，至二十四年，乃合元年尊号天輔字以稱之，否則二十四年所上之號，與五年無異，何用羣臣復上乎？竊疑史有誤也。曝書亭集。

獨樂寺修觀音閣碑存。劉成撰并正書，統和四年孟夏。在薊州本寺。

祐唐寺刱建講堂碑記存。李仲宣撰，沙門德麟正書并篆額，統和五年四月。在薊州本寺。

衍法寺尊勝經幢存。李翊造，正書，八面刻，統和十八年四月。在京師内城阜成門外衍法寺。

幢爲李翊所建。京畿金石攷以爲李懿，非。李翊，史無傳。經咒爲不空所譯。不空有碑萃編載其文，謚曰大辯正廣智三藏和尚。此又多一大字。金石補正。

法寶寺經幢佚

金石考：仇正己撰，統和二十二年立，在舊城。

廣濟寺佛殿記存。宋璋撰，龐可昇正書，太平五年三月。在寶坻本寺。

右勅賜廣濟寺碑，前銀青崇禄大夫檢校司徒、使持節儒州諸軍事儒州刺史兼御史大夫、上柱國、廣平縣開國男、食邑三百户宋璋撰。攝大定府文學龐可昇書。碑陰左側皆邑人題名，右側爲重熙五年重修寺題記。碑記僧宏演率門人道廣、維那王文襲等修寺宇，勅賜寺額等事。弘演詳釋道傳。儒州，遼地理志，隸西京道，今直隸宣化府延慶州治。大定府，隸中京道，今喀喇沁右翼南一百里。廣平立縣，始於唐而省於遼，地志不言何時省入幽都，今此碑刻於太平五年，而有廣平縣開國男，知省縣在太平後矣。若宋志之廣平，則宛平之訛，不足據。

采魏院陁羅尼石塔記存。沙門如正述，正書，景福元年。在宛平采育營。

戒壇碑佚

金石考：虞仲文撰，景福元年立，在西山。

重修廣濟寺題記存。重熙元年，正書，在寶坻太平廣濟寺碑側。

重修法華寺募緣記存。張希顏撰，張翚正書，重熙十一年。在昌平東北六十里銀山本寺。

天甯寺尊勝經幢佚

金石考：前閣門祇候文詠、魯王府隨軒掌書記文昌造，正書，重熙十七年，在天甯寺塔前。

尊勝經幢存。前咒後記，八面刻，周大萬撰記，正書，清甯二年歲在涒灘建戌月。在涿州。

清涼寺千佛經幢存。正書，八面刻，清甯三年二月。在良鄉竇店。

清涼寺有石幢八面，各鐫佛像，製殊古朴。讀其題識云：清甯三年，歲次丁酉，二月丁未朔，二十七日癸酉日，提點成辦人馮絢、燕京作頭王文善成造，長男辰兒鐫。清甯，遼道宗紀元也。不書大遼者，遼自聖宗復國號契丹，至道宗咸雍二年丙午，始仍稱遼，造幢之時，猶稱契丹故也。潛研堂文集。

白帶山雲居寺東峯續鐫成四大部經記 存。趙遵仁撰，王詮正書，清甯四年三月。在房山小西天。

白帶山，漢書地理志：清河郡有芯題縣，顔師古注，芯古莎字。雲居寺在白帶山西峪，石經在小西天石洞中。四大部者，一曰涅槃部，一曰華嚴部，一曰般若部，一曰寶積部。其説查恂叔紀遊集已言之詳矣。碑記云：太平七年，故樞密直學士韓公諱紹芳知牧是州，暇遊是山，見石室經碑且多，皆沙門靜琬於隋大業中所造，奏於天朝，出御府錢，歲析輕利，俾供書經鐫碑之價。自太平七年，至清甯三年，續鐫造成四大部數，清甯三年五月十二日，大寶積初成，郡守蕭公惟平，召余製辭刊記。按遼史傳：韓延徽，幽州安次人。孫紹勳、紹芳。紹芳重熙間恭知政事，加兼侍中，出爲廣德軍節度使卒。遼史地理志：乾州，廣德軍上節度，本漢無慮縣地，聖宗統和三年置，以奉景宗乾陵。傳載紹芳之爲廣德節度，在重熙以後，而不載其太平七年知牧是州。郡守蕭惟平，史無傳，蕭作簫，借用字，結銜稱崇禄大夫，史百官志不詳官階，崇禄之階無攷。末載其男佶之婦爲司徒娘子，亦未詳。撰者殿試進士趙遵仁，其父前剖符是郡，亦不知其名。史無選舉志，惟於禮志嘉儀下，載進士接見儀。進士賜等甲勑儀，進士賜章服儀三條，而不詳殿試之制。遼本紀，聖宗諱隆緒，母蕭氏，小字燕燕，乾甯四年九月癸丑卽位，統和元年六月甲午，上皇太后尊號，曰承天皇太后。羣臣上皇帝尊號曰天輔皇帝。與東都事畧合。

大昊天寺碑佚

書史會要：遼道宗喜作字，秦越大長公主捨棠陰坊第爲大昊天寺，帝爲書碑及額，今在燕京舊城。

妙行大師遺行碑佚

元一統志：大昊天寺在舊城，寺建於遼。按：乾文閣待制孟初所撰燕京大昊天寺傳菩薩戒，故妙行大師遺行碑銘，道宗清甯五年，秦越大長公主捨棠陰坊第爲寺，土百頃，道宗施五萬緡以助，勑宣政殿學士王行己領役。既成，詔以大昊天寺爲額，額與碑皆道宗御書。大殿之後，建寶塔高二百尺，有神光飛繞如火輪，清信施財者沓至，師壽八十二。

奉福寺尊勝經幢存。前經後記，八面刻，講論真言撰記并正書，清甯九年七月十三日。在宛平白雲觀西廣恩寺。

護國院石幢記未見

畿輔石刻目：正書，咸雍元年。

智度寺尼法妙等題名存。正書，咸雍元年。在涿州。

歸義寺彌陁邑特建起院碑並陰佚

倚晴閣雜鈔：歸義寺在善果寺西，遼刹也。天王殿前一碑，無撰書人姓氏，額題彌陀邑特建起院。碑文稱寺肇自清甯七年，買徐員外地，遂爲歸義寺，備書寺基牆垣尋尺，以及佛像經藏之數。碑陰首書疏主懺悔師守司徒純慧大師賜紫、沙門守臻，本行僧録檢校司空、精修大師賜紫、沙門智清。次載邑衆姓名：開府儀同三司、守太尉兼中書令、豳國公劉二元，開府儀同三司兼侍中、開國公趙徽，建雄軍節度使、開國公劉霈，諫議馬子詮，尚書張挺中，舍李思闕秘書省校書郎劉文，左班殿直韓允，右班殿直王規，燕遼國妃劉蕭氏、劉國夫人杜鄭氏。其餘邑首、邑長、邑正、押司官、印官、副正、副録、知歷錢物，名號不一，又數十人。

賈得妻史氏等題名存。正書，咸雍二年三月六日。在房山天寶心經碑側。

咸雍殘碑存。正書，咸雍二年。在良鄉東門外塔頂。

昊天寺碑佚

元一統志：遼咸雍三年，翰林院學士王觀奉勑撰。

暘臺山清水院藏經記存。沙門志延撰，李克忠正書，咸雍四年歲次戊申三月癸酉朔四日丙子。在宛平黑龍潭大覺寺。

清水院在京城七十里，距圓明園三十餘里，宛平縣所屬，山半有泉，下注如垂紳，至山麓則有龍潭以瀦之。山側有鸛鷀谷。見明王嘉謨薊邱集，今無攷矣。清水院之額，始於遼，而沿於金。帝京景物畧載金章宗有八院，此其一也。後易名靈泉。明宣宗宣德三年建寺，更額大覺，今仍之。寺中穹碑易見者惟明碑，兩面刻宣宗、英宗御製文。此碑在寺内龍王堂，遊蹟所不到，故傳搨絶少。乾隆戊戌九月二十七日，昶從寒蕪落葉堆中搜得之，摩挲雒誦，回環數四，因歎北方石刻可證遼、金史者甚夥，惜無好事者搜抉出之也。碑額書奉爲太后皇帝萬壽大王千秋。皇帝卽道宗，太后則道宗母仁懿皇后蕭氏也。遼史傳：蕭氏小字撻里，興宗后，道宗卽位，尊爲皇太后，清甯二年，上尊號曰慈懿仁和文惠孝敬廣愛宗天皇太后。大王者，遼百官志：初名夷離堇，太宗會同二年，改稱大王，有南北二院，皆分掌部族軍民之政，謂之知大王事。道宗紀：咸雍二年三月，以東北路詳穩耶律韓福奴爲北院大王。三年十二月，以東北路詳穩高八爲南院大王。以臆度之，燕京當爲南院所屬。所稱大王，或卽高八也。碑云：暘臺山者，薊壤之名峯。清水院者，幽都之勝槩。薊壤卽薊縣，唐建中二年析薊縣，置幽都縣，遼開泰元年改幽都爲宛平，碑蓋從今稱也。遼地理志：玉河縣本泉山地，劉仁恭於大安山創宫觀，師煉丹羽化之術於方士王若訥，因割薊縣分置以供給之，在京西四十里。遼之薊縣改名析津，今爲大興。遼之玉河，析宛平地置，而云割薊縣者，當由兩縣犬牙相錯之地也。志明云在京西。今之順天府，遼爲南京析津府，遼言京西，正與今同。則清水院似在玉河縣地，今山左右尚有南安窠、北安窠之名，或卽遼志所謂大安山之南北也。鄧從貴爲南安窠村人，所居近清水院也。檢畿輔唐志，建置沿革不載，玉河山川内不載暘臺山，朱氏日下舊聞不載志延藏經記，皆失之疏畧，因詳識之。碑末沙門覺苑結銜稱檢校太保大卿。大卿之稱，金百官志無攷。金石萃編一百五十三。

戒壇聚慧寺大吉祥佛頂圓滿陁羅尼幢存，尼惠照建，前經後記，八面刻，正書，太康元年歲次乙卯七月辛酉朔二十四日甲申庚時建，在宛平西山戒壇明王殿門之左。

此幢前刻佛頂尊勝陁羅尼咒，次刻如意輪陁羅尼咒，次刻大吉祥大興一切順陁羅尼咒。後列范陽王□□記，泐其名。又列沙門等名内，裕浄、裕正、裕世、裕顯、裕轉、裕振、裕權、裕徵，名與下幢同。此幢大德講論賜紫沙門泐其名，當是裕仁、裕正，下泐二人名，當是裕祥、裕諦。並据下幢證之，記内氈依當卽瞻依借用字；求道癮泛明當是求道癮之明別體字。金石萃編一百五十三。

大悲心陁羅尼經幢存。正書，太康二年六月。在房山。

壇主崇禄大夫守司空傳戒大師法幢記存。八面刻，正書，太康三年歲次丁巳三月辛亥朔十四甲子坤時。在宛平西山戒壇。

此幢前刻大悲心密言，次刻寶篋印真言，（文皆與今本多不同）後記不詳撰者何人，記稱幢爲故壇主大師而作。壇主結銜，但曰崇禄大夫守司空傳菩薩戒大師，而不詳其名號。後列門人寺主等十九人内，裕浄、裕正、裕世、裕顯、裕轉、裕振、裕權、裕徽，名與陀羅尼幢同。又列邑人道俗一百四十二人，書幢人康□一人。幢建於太康三年。太康爲道宗紀元，下署甲子坤時建。坤時疑卽申時，或當時書體多借用字，此蓋借坤爲申也。然陁羅尼幢署甲申庚時建，則用干不用支，此幢之建，與前祇隔三年，似同一例，不應作申，殊不可臆斷。（金石萃編一百五十三。）

按：萃編以乾爲申之借，甚誤。遼時以甲、乙、丙、丁、庚、辛、壬、癸、乾、坤、艮、巽代十二支，蓋用陰陽家言。

甘泉普濟寺非覺大師塔銘（存。正書，太康三年七月，在薊州。）

城東井亭院圓寂道場藏舍利記（存，記沙門善瓌述，比邱思迪正書，太康六年歲次庚申四月甲午朔二十八日亥時。在房山。）

劉仲方仲脩建尊勝陀羅尼真言（存。八面刻，梵書，釋文真書，大安元年正月。在永清南關。）

伯昌等造經幢（存。八面刻，經文梵書，題款張君玉正書，大安己巳丁卯月丙戌日。在涿州張相公廟。）

□□及妻葛氏造經幢（存。八面刻，正書，大安二年拾月拾日。在涿州張相公廟。）

譙樓鐘（佚）

東安李志：大安二年鑄。

楊彦均天尊名號幢存。八面刻，正書，大安叁年。在涿州張相公廟。

涿州廣因寺尊勝經幢存。先咒後記，八面刻，正書，大安六年二月二十五日庚申。在涿州張相公廟。

壇主寺司空大師道行碑存。王鼎撰並正書，大安七年閏八月。在宛平西山戒壇。

上方感化寺故監寺澄方道行碑存。門人志隆撰并正書，大安七年五月。在薊州。

潞縣人李從善造羅漢像記存。正書，大安八年四月八日。在通州城南王恕園關帝廟内。

尊勝經幢存。前經後記，八面刻，張儉撰記，正書，大安八年九月二十五日申時。在密雲。

雲居寺李志效造陀羅尼石塔幢存。八面刻，正書，大安九年□月。在房山。

觀音菩薩地宮舍利函記存。沙門善製述，義中正書，大安十年歲次甲戌閏四月辛未朔二十二日壬辰申時。在閔忠寺西廊。

碑所稱大安十年，乃遼道宗年號。帝京景物畧目爲金時物，蓋金衛紹王亦改元大安，因致誤耳。考金衛紹王稱大安者衹三年，此云十年，可知非金大安矣。其撰文之僧名，又見前所載遼時石函上，蓋同時物也。日下舊聞考。

右大憫忠寺觀音菩薩地宮舍利函記，劉氏帝京景物略、朱氏日下舊聞俱曾載之。予在京師，數遊斯寺，問寺僧記所在，俱云無有。今春同家詹事載、朱學士筠、紀太僕復亨、曹給事學閔到寺觀海棠，偶見旁院牆脚支瓮方石，形製有異，撤而視之，則寺記也，文甚完好。後題大安十年，歲次甲戌閏四月辛未朔、二十二日壬辰甲時。考遼道宗、金東海侯，俱以大安紀年。東海侯享國纔三年耳，此云大安十年，蓋遼之大安，而劉氏以爲金刻，亦考之未詳矣。予頃遊馬鞍山戒壇寺，見遼學士王鼎撰法均禪師碑，後題乾時。又石幢二，皆遼時刻，一題庚時，一題坤時。潭柘山有了公禪師塔銘，金大定中刻，亦題庚時，今此記稱甲時，蓋遼金石刻之文多作斯語，以甲、乙、丙、丁、庚、辛、壬、癸、乾、坤、艮、巽代十二支也。潛研堂金石石字跋尾。

按：後題有大安十年，歲次甲戌，閏四月辛未朔，二十二日甲時。錢君跋云：予頃遊馬鞍山戒壇寺，見遼學士王鼎撰法均禪師碑，後題乾時。又石幢二，皆遼時刻，一題庚時，一題坤時。潭柘寺有了公禪師塔銘，金大定中刻，亦題庚時，今此記稱甲時，蓋遼金石刻之文多作斯語，以甲、乙、丙、丁、庚、辛、壬、癸、乾、坤、艮、巽代十二支也。愚謂此陰陽拘忌之説，其傳已久。顧亭林嘗謂曆家天盤二十四時有艮、巽、乾、坤，不知其所始。因按之淮南子天文訓，子午、卯酉爲二繩，丑寅、辰巳、未申、戌亥爲四鈎，東北爲報德之維，西南爲背陽之維，東南爲常羊之維，西北爲蹏通之維。此四維即艮、巽、坤、乾，後人省文，取卦名當之，其説詳矣。然以卦名汶易亦未實指其故。攷舊唐書呂才傳，若依葬書，多用乾、艮二時，並是近夜半。呂才在唐之初，所序葬書已云，然蓋術士竄易爲之也。又宋天禧四年送奉神述碑石題名，有云四月二十七日巳後午前丙時竪立訖。唐潘智昭墓誌後題天寶七載七月五日景時。北齊書南陽王綽傳，以五月五日景時生，至午時後，王乃生。景時者，丙時也。然則金石刻之文，不獨遼金爲然矣。授堂金石文字續跋。

舍利石函紫褐師德大衆題名存。四面刻，嚴甫正書，與舍利函記同時刻。在閔忠寺西廊。憫忠寺內戒壇前，有遼幢一，乃爲寺尼薦福刻者。幢後置有石函一，函四周刻字，首行標題大遼燕京大憫忠寺紫褐師德大衆等，次書覺晟等四人，以下駢書諸僧名凡三百七十人，又書康曰永等三人，天水嚴甫書，太原王維約刻。最後刻布施諸物。石函不記年號，相傳爲緘舍利用者。其舍利等，則不可攷矣。舊聞考。

題稱紫衣爲紫褐，刱見此碑。其僧職有曰懺悔師，鈔主有曰懺悔師鈔主，亦他碑所未見。後列職官二人，曰蓋閣都作頭，曰蓋殿寶塔都作頭，似係修寺時權宜設置之官也。石函多紀施舍利之事，其藏器有銀鶻餅、小金鉼、銀浄瓶、藥玉瓶、鍮石浄瓶、銀筒子。其增飾諸器者，有玉錢、銀錢、花銀錢、火鏡、火珠、勃海珠、珊瑚、玻璃、金結裘、水晶垂頭、玉羊、玉犳、玉墜子、玉弼、銅狗、銀釵、玉匣、龍腦、鍮石匙筯，此外有銀觀音菩薩一尊，銀塔一坐，小金剛子數珠一串，金楞玉滴子一對。裘似與毬通用，垂頭似與墜頭通用，犳字見韻會，本作狗字，鍮石見玉篇，鍮石似金，格古要論云，自然銅之精也。据此所紀，想見當時物力饒裕，故所施之美麗如此。萃編一百五十三。

慈知大德尊勝大悲陀羅尼幢存。八面刻，僧德麟正書，壽昌五年四月。在京師外城慈悲庵菜園中。

遼道宗壽昌年號，史作壽隆，不知其所由致誤，當据石刻以壽昌爲正也。壽昌五年，即宋元符二年己卯。遼時金石文以甲、乙、丙、丁、庚、辛、壬、癸、乾、坤、艮、巽代十二支，故此刻稱乙時也。唐以通書，語曰之曰，形痶而長，遼代去唐未遠，此幢首行曰字尚近古，而何以宋人順釋諸經已莫能詳攷乎？是幢在城南慈悲庵後圃，四十年前予與葎石、辛楣、慕堂諸君遊憇於此。辛楣每指説此壽昌年號，以證遼史，而未及手拓也。今敦夫編修拓其文屬題，爲識於後。授堂金石續跋。

尊勝陀羅尼幢存。八面刻，正書，壽昌五年八月三日。在房山。

甘泉普濟寺嚴慧大師塔碑存。南抃撰，正書，乾統二年五月。在薊州本寺。

崇孝寺碑佚

金石考：僧了銖撰，乾統二年立。

報國寺尊勝經幢存。八面刻，正書，年月泐，金石攷云乾統三年。在京師外城慈仁寺。

燕京析津縣華黎莊興建木塔記存。張軫撰，石恕同正書，乾統五年五月。在東直門外花黎坎。

白懷友造尊勝經幢存。先經後記，八面刻，沙門了銖撰記，正書，乾統五年乙酉冬十月乙丑朔二十一日乙酉。在良鄉劉李河。

志妙爲亡弟子建陀羅尼塔記存。八面刻，經梵書，記正書，乾統七年七月。在涿州。

上方感化寺碑存。南抃撰，沙門肅回正書，乾統七年正月。在薊州本寺。

三河縣重修文宣王廟記存。王鑒撰，正書，乾統七年十一月八日。在三河縣學明倫堂。

碑於道光庚戌修廟時出土。按：乾統者，天祚紀元，七年丁亥，爲宋大觀元年。是時耶律氏國勢已衰，而縣令猶知勤政愛民，興修學廟，差爲可稱。碑文之拖沓蕪雜，固當略而不論矣。字端勁，有唐人意，惟葪、冉、閑、穚、宴、㽞、墻等字，好用異文，沿北朝碑板餘習。恕濤應是怒字訛，非異文。汪謝城曰：禎曰碑中別體字尚有矜、攏、垾、壤、葺、弅、褒、僃、關等字，而裾从示，爲字書所無，其明字作明，缺二筆，當是避諱，俟攷。而童子及第、商酒都監等名目，可備讀遼史者參攷。遼碑世既無多，此尤後出，嗜古者當亦樂觀也。吹網錄三。

爲志延和尚建尊勝陁羅尼塔記存。八面刻，正書，乾統八年四月。在涿州。

駐蹕寺沙門奉航幢記存。門弟子善堅述，正書，乾統八年四月。在宛平玉河鄉池水村蔡公廟。

祖聚德造陀羅尼呪幢存。八面刻，經文梵書，款題正書，乾統八年十二月十五日。在涿州張相公廟。

趙公議爲亡考建尊勝經幢存。八面刻，正書，乾統十年三月四日。在房山瓦井。

雲居寺供塔燈邑幢存。僧行能撰，圓融正書，乾統十年九月。在房山。

碑前列崇教寺沙門行鮮撰，後列陽嵠沙門圓融書。其文載，舍利始於西來高僧，出之臂間，後有百法上人得之，寺僧大德文密與衆謀議，化錢建塔一座。燈邑高文用等誓志，每歲上元廣設燈燭，環於塔上，三夜不息。遼之遺俗，侈於佛事，此其一也。燈邑，卽近人稱燈社爾。他無定紀者。圓融書勢，深似李北海，遼刻佳本，可寶也。授堂金石續跋。

香爐石基題字存。正書，乾統中立。在永清叉口鎮隆慶寺。

白懷祐造尊勝經幢存。八面刻，正書間國書，天慶二年七月十八日。在良鄉琉璃河。

奉聖州判官蔡彥浛尊勝呪幢存。正書，八面刻，天定元年。後有進士焦山等題名，在永清東徐村。

按：史無天定年號，金石攷以爲紀載缺略，實則誤天慶爲天定，鄉人以音近而譌，石刻亦間有之。

定覺寺碑存。張鋭撰并正書，天慶二年十月。在東安。

釋迦定光二佛舍利塔記存。慧才撰，正書，天慶二年。在東安。

雲居寺續秘藏石經記幢存。沙門志才撰，惟和正書，天慶八年五月。在房山雲居寺南塔下。

尊勝經幢存。八面刻，正書，天慶九年歲次乙亥九月甲辰朔廿一日□□。在涿州。

歸依寺尊勝經幢存。八面刻，正書，天慶十年。在永清。

尊勝經幢存。正書，天慶□年。

天慶鐘殘字佚

見元王惲碑。

尚書左僕射中書令遼西郡王楊晳碑未見

畿輔碑目：王鼎撰，正書年月泐，在東安。

報先寺碑佚

見析津志。

釋惠源重修舍利塔記佚

見盤山志。

尊勝陀羅尼經幢殘石存。正書，在永清。

尊勝陀羅尼呪幢存。呪梵書，記正書，年月缺，在京師内城玉帶胡同朝陽庵。

按：明碑稱幢，上刻開皇年號，曰朝陽寺云云。今石幢猶存庵中，幢二面正書，六面梵書，正書殘缺，其可見者第一行爲寺故口靈塔記五字，第二行爲宛平西關人也，父李祥，母王氏，師自十一十六字，第三行爲寺主爲師施經受具自後徧習經論於大十六字，第四行爲僧臘二十二荼毘七字，第五行爲二十六日建五字，第六行爲法弟比邱尼沙門智懃九字。按遼史，開泰二年改唐幽都縣爲宛平縣，宛平之名自此始。今幢有宛平，其爲遼幢無疑。

雲居寺宋賓王詩殘石存。正書，無年月，在房山。

据畿輔石刻録編入遼。

雲居寺東峯石室大般若經碑存。正書，八十卷，二百四十石，在房山，下同。

東峯石室大寶積經碑存。正書，一百二十卷，三百六十石。

兹二部經，二千七百三十碑，遼可元大師之續鐫也，始於太平之柔兆，蕆於清甯之彊圉，統稱四部，同封九室。

東峯石室賜刻楞嚴經碑存。正書。

雲居寺賜刻菩薩地特經碑存。正書。

雲居寺賜刻善戒經碑存。正書。

雲居寺賜刻净業障經碑存。正書。

雲居寺賜刻優婆塞戒經碑存。正書。

雲居寺賜刻梵網經碑存。正書。

雲居寺賜刻瓔珞本業經碑存。正書。

雲居寺賜刻佛藏經碑存。正書。

雲居寺賜刻菩薩善戒經碑存。正書。

雲居寺賜刻内戒經碑存。正書。

雲居寺賜刻五戒經碑存。正書。

雲居寺賜刻威儀經碑存。正書。

雲居寺賜刻菩薩藏經碑存。正書。

雲居寺賜刻三聚懺悔經碑存。正書。

雲居寺賜刻五法懺悔經碑存。正書。

茲一百八十碑者，遼道宗孝文皇帝賜錢之所造也。蕭梁設講於同泰，末詔書丹晉昌寫經於滏陽，無煩泉府輪王霈德彌廣受持。

東峯石室十住斷結經碑存五石。正書。

東峯石室花手經碑存十五石。正書。

東峯石室佛名經碑存一石。正書。

東峯石室大威德陀羅尼碑存二十八石。正書。

東峯石室摩訶摩耶經碑存一石。正書。

東峯石室菩薩瓔珞經碑存十一石。正書。

東峯石室大法炬陀羅尼經碑存三十石。正書。

東峯石室五千五百佛名經碑存十三石。正書。

東峯石室不空羅神變真言碑存七石。正書。

東峯石室賢刧經碑存十八石。正書。

東峯石室入法界體碑存一石。正書。

東峯石室須真太子經碑存二石。正書。

東峯石室德護長者經碑存二石。正書。

東峯石室超日明三昧經碑存五石。正書。

東峯石室浴佛功德經碑存一石。正書。

東峯石室未曾有因緣經碑存一石。正書。

東峯石室不思議功德諸佛所護念經碑存三石。正書。

東峯石室定念經碑存一石。正書。

東峯石室妙法決定業障經碑存一石。正書。

東峯石室寶網經碑存一石。正書。

東峯石室過去莊嚴刧千佛名經碑存一石。正書。

東峯石室未來星宿刧千佛名經碑存一石。正書。

東峯石室見在賢刼千佛名經碑存一石。正書。
東峯石室三曼陁颰陁羅經碑存。正書。已下石數未詳。
東峯石室受戒經碑存。正書。
東峯石室寶積經碑存。正書。
東峯石室舍利弗悔過經碑存。正書。
東峯石室文殊悔過經碑存。正書。
東峯石室法律三昧經碑存。正書。
東峯石室十善業道經碑存。正書。
東峯石室本生心地觀經碑存。正書。
東峯石室理趣六波羅蜜經碑存。正書。
東峯石室大智度論碑存。正書。
東峯石室十地經論碑存。正書。
東峯石室彌勒菩薩所問經論碑存。正書。
東峯石室佛地經論碑存。正書。
東峯石室金剛般若論碑存。正書。

東峯石室金剛經破取著不壞假名論碑存。正書。

東峯石室文殊問菩提經論碑存。正書。

東峯石室勝思惟梵天所問經論碑存。正書。

東峯石室涅槃論碑存。正書。

東峯石室涅槃經古有今無偈論碑存。正書。

東峯石室遺教經論碑存。正書。

東峯石室三具足經論碑存。正書。

東峯石室無量壽經論碑存。正書。

東峯石室轉法輪經論碑存。正書。

東峯石室瑜伽師地論碑存。正書。

東峯石室顯揚聖教論碑存。正書。

東峯石室王法正理論碑存。正書。

東峯石室阿毗達摩集論碑存。正書。

東峯石室達摩雜論碑存。正書。

東峯石室中論碑存。正書。

東峯石室十二門論碑存。正書。

東峯石室般若燈論碑存。正書。

東峯石室空論碑存。正書。

東峯石室百論碑存。正書。

東峯石室廣百論碑存。正書。

東峯石室廣百擇論碑存。正書。

東峯石室成唯識論碑存。正書。

東峯石室大丈夫論碑存。正書。

東峯石室入大乘論碑存。正書。

東峯石室掌珍論碑存。正書。

東峯石室五蘊論碑存。正書。

東峯石室起信論碑存。正書。

東峯石室摩訶衍論碑存。正書。

兹凡四千八十碑者，遼通理大師之成就也。樹福檀施，寫文龍藏，重巒深掩，終古長完，正復鉢緣既盡，諍亂魔兵；原火何燒，法雲常護。用録志才之譔，徧示有情。

華陽吴祖椿校

金石志三

光緒順天府志一百二十九

歷代下

江陰繆荃孫纂

金

太祖平遼碑佚

金石考：韓昉撰，宇文虚中書，在城南豐宜門外。今未見。

太祖睿德神功碑未見

金韓昉傳作太祖睿德神功碑，當世稱之。按：太祖陵在房山，未知此碑尚存否？

比邱圓委爲父母建佛頂諸雜陀羅尼幢存。前經後記，八面刻，正書，天會五年二月十二日，前有明天順元年題記。在京師外城三轉橋華嚴寺。

募化大悲禪院碑未見

金石考：天會六年立，在大興閻家莊。

延壽寺尊勝經幢存。鄭無常建，八面刻，正書，天會八年十月四日。在永清陳各莊延壽寺。

觀音甘露破地獄浄法界真言幢存。四面刻佛像，梵書，標題、年月正書，天會九年四月，後有明成化五年再修記。在京師外城陶然亭慈悲庵。

智度寺邑人供塔碑銘存。李端謀撰，沙門法謂正書，額正書，天會十年六月二十日。在涿州智度寺。

碑載涿州城東北隅智度寺中有塔，爲如來具體之一，郡人周永逸、楊遵式倡衆興供佛塔，當四月八日如來降生之辰，其事最侈，陳因以刻石前列，鄉人將仕郎試大理評事李端謀撰，同泰寺沙門法謂書，後列邑長彰信軍節度使、金紫崇禄大夫、檢校太保、知涿州軍州事、清河縣開國子、食邑五百户張元徵，中散大夫、起居郎、同知涿州軍州事、都騎尉、東陽縣開國男、食邑三百户、賜紫金魚袋甯獬，涿州軍事判官、文林郎、試秘書省校書郎張綱。按：元徵見金史張汝弼傳，云父元徵，彰信軍節度使元素之兄也。此碑所署銜，與史合，惟崇禄大夫不載百官志。攷遼史百官志，崇禄寺，避太宗諱光，改階光禄大夫者，皆易崇禄。意金之初，尚襲其制，未及釐正也。與甯獬階中散大夫，志稱中散爲内侍之階，天德創制，今加于文職事官。大金國志五品謂文臣中散大夫，至朝列大夫，是其徵也。都騎尉及秘書省皆與志騎都尉、秘書監不符。都騎尉或上石者倒訛。又省監亦可互稱，故云然。授堂金石續跋。

霸州大城縣重修廟學記存。劉光國撰，正書，天會二年十二月。在大城學宮。

王壽造陀羅尼呪幢存。八面刻，正書，天會二年四月二十一日。在涿州張相公廟。

雲居寺孝公塔幢存。前陀羅尼呪，後記，八面刻，正書，天德三年九月。在房山。

□□禪師遺行碑存。韓昉撰，正書，天德四年。在宛平西山戒壇寺。

按：天下金石志有金戒壇波離尊者碑，即此。

淨土寺沙門修法塔銘幢存。門人道開撰，正書，貞元四年正月十二日。在通州城東南隅。

按：貞元無四年，此刻在正月，猶在未改元之先。

漁陽重修宣聖廟學碑存。施宜生撰，正書，正隆元年。在薊州學宫。

良鄉縣宏業寺悦禪師塔記幢存。前經後記，八面刻，正書，正隆二年三月十八日。在房山城内大寺。

陀羅尼經幢記存。前經後記，八面刻，經梵書，記正書，正隆二年。在房山。

雲居寺重修釋迦佛舍利記碑存。李構撰，正書，正隆五年七月。在房山。

碑前題朝列大夫、前行代州五臺縣令、騎都尉、賜紫金魚袋李構撰，無書人姓名。其序藏舍利事，當重熙中，有郡守侍中劉公六符，與寺僧可信、藏俊、智通、文密等相謀踵興，至大安八年，屢有修建。其餘夸飾之詞不足録也。後序中都寶塔寺前三學律主傳妙大德知殊初由本科試中于有司，特補崇議，大德領前件職。大金國志記浮圖之教，不載僧職皆由試受，輒爲舉此補逸。六符，遼史有傳，重熙初，遷政事舍人，擢翰林學士。十一年使宋，還，爲漢人行宫副郎署，又加同中書門下平章事，出爲長甯軍節度使，俄召爲三司使。其于爲涿州郡守侍中，未及也。授堂金石文字續跋。

頭陀大師靈塔實行碑存。僧知心撰，善進正書，大定元年。在薊州空同山日照寺。

龍泉寺碑記存。侯邦達撰，正書，大定三年歲次癸未，十月戊午朔，十六日癸酉庚時建。在永清信安鎮龍泉寺。

曹瑛建甯國寺碑未見

金石考：大定三年立。在東安留犢里。

昊萬寺碑佚

金石考：大定四年立。在南山磨石口隆恩寺。

慧聚寺通妙大師塔碑存。蔡珪撰，高衎正書并篆額，大定五年三月生日。在涿州清涼寺。

定覺寺碑存。僧道煦正書，大定五年。在東安本寺。

甘泉寺行通塔記存。僧圓照撰，正書，大定五年。在薊州盤山本寺。

金章宗仰山詩佚

按：全金詩一載此詩云：金色界中兜率景，碧蓮花裹梵王宫；鶴驚清露三更月，虎嘯疎林萬壑風。注：燕京西七十里有仰山，峯巒拱秀，中有平頂如蓮花心，旁有五峯，曰獨秀、翠微、紫蓋、妙高、紫微，下多禪刹。章宗游幸，有詩刻石。長安可游記云：下黄牛岡口，取仰山道，轉一岡爲南莊，復歷峻坂，土中有三斷石，讀之乃知爲大興府西連山棲隱寺，金大定初建，有五峯八亭。章宗詩刻，今亡矣。畿輔石刻目作大定八年。

日照寺圓霞塔記存。孫設撰，正書，大定九年。在薊州盤山本寺。

廣濟寺舍利塔銘存。正書，大定十年四月。在寶坻。

天開寺觀音院寺主源公塔記存。前記後呪，比邱善崇正書大定十二年十一月。在房山。

潛寺主靈塔銘存。正書，大定十三年三月。在涿州。

潭柘寺碑佚

金石考：楊節度撰，大定十三年立。

華嚴堂施錢記存。劉天甫撰，正書，大定十四年十五日。在房山陳令望心經碑陰。

竹林寺奇和尚塔銘存。沙門廣善撰，姚亨會正書，大定十五年五月。在宛平潭柘岫雲寺塔園。

禮部令史題名記存。党懷英撰，行書，大定十八年八日立，後人續題，至明昌三年止。在京師外城法源寺。

按：金史百官志，禮部令史十五人，内女直五人，譯史二人，通史一人。此碑題名凡二十六人，不見有女直、譯史、通史之别。文云大定乙酉，既刻題名，至崔君頴士，廼更刻石，悉書鄉里官品，與夫入部出職歲月。今碑題名，始于大定八年，正是乙酉歲，是合前後并刻也。但所書止有到部年月，並無出職歲月，與記不同。題名自大定八年至明昌三年而止，凡二十五年，此後不復續刻。禮部官品止於主事，其令史有官無品，職亦卑矣。乃刻石題名爲諸部倡，亦是勤于職業之一端。然未見諸部有碑能仿而行之者。獨此碑流傳於世，亦可珍也。党懷英作記，歲在戊戌，爲大定十八年。傳稱懷英字世傑，馮翊人，大定十年進士，除汝陰縣尹、國史館編修、應奉翰林文字、翰林待制，兼同修國史，能屬文，工篆籀，當時稱爲第一。据此碑結銜，是尚未官待制時也。題名諸人，史俱無傳。

三泉寺碑存。正書，大定二十四年四月。在平谷雞足山下馬家莊東北。

何淵等爲亡考造陀羅尼經幢存。八面刻，正書，大定二十年歲次庚子七月二十二日甲申。在涿州。

王彦珍造陀羅尼經幢存。八面刻，正書，大定二十年十一月一日。在永清石各莊寺内。

瑜珈院主崇公靈塔記存。正書，大定二十年。在房山瓣香庵。

艾宏造經幢存。八面刻，正書，大定二十四年三月。在涿州張相公廟。

報先寺尼浄墳石幢記存。沙門裕賢正書，大定二十五年。在房山。

永安寺碑佚

天下金石志：李晏撰，正書，大定二十六年。在宛平香山寺。

文宣王廟碑存。黄久約撰，李嗣周正書，党懷英篆額，大定二十七年正月九日。在涿州學宫。

范陽舊有夫子廟，在城東南，貞元五年盧龍節度劉公所建。遼統和中始移置于此。大定二十三年冬，汾陽郭侯預自尚書郎出殿是邦，周覽庭宇，憫其敝陋，與僚顯武將軍梁傚先共謀斯舉，起二十五年夏四月二十日癸丑，訖五月八日庚寅。前列銜：少中大夫、左諫議大夫兼尚書禮部侍郎、翰林直學士、知制誥、上輕車都尉、江夏郡開國伯、食邑七百户、賜紫金魚袋黄久約撰，承德郎充翰林修撰、同知制誥兼修起居注、國史院編修官、飛騎尉、賜緋魚袋党懷英篆額。後列西溪李嗣周書，不與撰文、篆額同，名位懸殊故也。立石者少中大夫、行涿州刺史兼知軍事、提點山陵、輕車都尉、太原郡開國伯、食邑七百户郭預。金史世宗紀：大定八年十月，以涿州刺史兼提點山陵。與郭預題銜合。顯武將軍、涿州倉都監兼軍資庫事、騎都尉、安定縣開國男、食邑三百户梁傚先。黄久約傳略其階勳及爵，懷英傳亦失載階勳與充翰林修撰兼修起居注官。皆宜以碑補之。日下舊聞據涿州志録此，文多删削，亦由未見石本也。授堂金石文字續跋。

龍泉寺言禪師塔銘存。祖敬撰，正書，大定二十八年六月。在宛平潭柘岫雲寺。

魏佐造尊勝經幢存。先咒後記，八面刻，正書，大定二十九年歲次己酉，九月甲戌朔，二十八日己酉。在涿州清涼寺。

重修白岩寺記未見

盤山志：僧志恒撰，大定中立。在薊州盤山。

圓新和尚窣堵坡記未見

盤山志：僧法銓撰，大定中立。在薊州盤山。

左丞相唐括安禮碑佚

玉堂嘉話：燕城西南門曰端禮，有大定末劉無黨所撰唐括安禮碑。

贈儒林郎清河張君墓碣佚

金石考：明昌二年，在固安押敵村。

爲先亡老娘造陁羅尼幢存。先經後記，八面刻，梵書，記正書，文中有明昌二年七月，後題當年十一月□州奉先縣懷玉鄉樹西□□□爲先亡老娘建。在房山。

孝義鄉王順及妻張氏造經幢存。八面刻，正書，明昌二年九月十五日。在涿州張相公廟。

張靈寒爲祖父母造陀羅尼經幢記存。八面刻，四正刻呪，四隅刻記，正書，明昌三年歲次庚子，庚午朔十六日乙酉丁時建。在永清南辛溜大寺。

右幢文字訛闕，多不可曉。幢爲八面，四正刻陀羅尼經咒，四隅刻右款，文末書明昌三年，歲次壬子，庚午朔十六日乙酉，丁時建，奉先主特建佛頂尊勝陀羅尼。幢作⿰石童，盧作⿱穴盧，朔作⿰月朔，此類甚多。明昌，金章宗年號也。

廣濟寺□公和尚塔銘存。六面刻，正書，明昌三年三月。在寶坻本寺。

秘書省碑佚

析津志：趙諷撰，党懷英篆書，明昌四年立。在舊城宏法寺。

潭柘寺僧重玉從皇帝龍泉寺應制詩存。正書，明昌五年十二月。在宛平潭柘寺。

古營寺碑佚

金石考：明昌五年。

團城寺碑佚

金石考：明昌六年。

漢清河張秀墓碑佚

元夏以忠昭佑靈惠公廟碑云：啟土，得明昌六年石刻，紀後漢將軍没于是邑而葬焉。

浄土寺恭禪師尊勝真言幢存。前經後記，八面刻，姜德升正書，承安己未戊辰月甲午日。在通州大關帝廟。

重修蜀先主廟碑存。王庭筠撰，行書，承安四年四月。在涿州。

右涿州重修蜀先主廟碑，王庭筠撰，字體遒勁，郝陵川所云，書法二王作真行，得意頗勝如時花者也。朱錫鬯日下舊聞載此碑全文，但改題中蜀先主爲漢昭烈帝，又脱落三十餘字，舛誤者亦數字，皆當據石本正之。張桓侯字益德，見於蜀志本傳，惟世俗所傳三國演義譌益爲翼。錢遵王謂内府板演義，猶未譌。此碑本作益德，而日下舊聞亦譌爲翼，蓋錫鬯得之傳抄，未嘗親至碑所也。潛研堂金石文字跋尾。

三英寺故英上人塔記存。釋覺聰撰并正書，承安四年五月生日。在寶坻。

僧竹臻塔幢記未見

金石考：承安五年四月立。在玉河鄉廣濟院。

心經存。承安五年七月。在通州城隍廟。

龍泉寺□公和尚塔記存。正書，承安五年。在永清北門樓下。

謙公法師靈塔記存。六面刻，正書，首行標題篆書，泰和元年二月十三日。在房山雲居寺。

雲居寺豐公和尚靈塔記存。趙仲先正書，泰和元年。在房山。

雲居寺廣公和尚靈塔記幢存。正書，泰和二年十月二十三日。在房山香樹庵。

了公禪師塔銘存。沙門德潤撰，正書，泰和四年四月。在宛平潭柘寺。

太師梁忠烈王祠堂碑佚

元一統志：玉虛觀中有故太師梁忠烈王祠堂，王諱宗弼，乃太祖武元第八子。金泰和四年八月，道士高守冲爲之立碑，其文亦龐鑄所作。

清涼寺女冠卜道堅昇雲幢存。八面刻，正書，泰和六年四月。在良鄉竇店。

重修玉虛觀三清殿記佚

元一統志：玉虛觀在舊城僊露坊，金泰和六年，尚書、户部主事、雲騎尉龐鑄所撰重修玉虛觀三清殿記，文簡而理明。

金延壽寺記佚

金石考：路鐸撰，泰和六年八月立。

紫虛觀碑佚

金石考：龐鑄撰，泰和八年立。

金章宗飛渡橋飛虹橋六大字佚

春明夢餘録云：在慶壽寺。按書史會要，章宗喜作書，專師宋徽宗瘦金書。考王惲秋澗集，慶壽精藍丈室之前，松樾盈庭，景色蕭爽，嘗引流水貫東西梁；今水堙橋廢，止存二石屏，上刻飛渡橋、飛虹橋六字，筆力遒勁，勢極飛動，有王禮部無競風格，寺中相傳金道陵筆也。

章宗棲雲嘯台題字佚

天下金石志：章宗游駐蹕山，題刻於石。

六聘山天開寺懺悔上人墳塔記存。王虛中撰，賈溉正書，大安元年。在房山上方寺。

大興隆寺碑佚

金石考：李晏撰。

慶壽寺碑佚

格古要録：党懷英分書，明正統中爲中人所毀，即今雙塔寺。

曹娥碑佚

宋史謝枋得傳：至燕，遷憫忠寺，見壁間曹娥碑，泣曰：小女子猶爾，吾豈不汝若哉！不食而死。

節度使巨構墓碑未見

金石考：在平谷縣南八里。

飛騎尉兼管常平倉李成彦碑記佚

固安陳志：在學宫。

萬壽王碑未見

帝京景物略：嘉禧寺西二里，金萬壽王冢一穹碑，孑立田畔。按夢餘録，墓在阜成門外。

大覺寺記佚

東安李志：張瓚撰。

葛山重修龍福院記佚

見薊州沈志。

香水院殘碑佚

景物略：金章宗設八院游覽，此其一院，草際斷碑，香水院三字尚存。

建塔人名碣佚

盤山志。

慶壽提點裕公塔銘佚

金石考：在盤山白岩寺。

延壽寺清浄光相陁羅尼幢存。梵書，四面佛像。在京師外城本寺。

尊勝陀羅尼真言幢存。正書，佛像四面。在京師外城柏林寺經閣前。

高主造陀羅尼幢存。前經後記，八面刻，正書。在永清西義河村。

右幢在西義河村。幢分上下兩層，層各八面，上層小書，方五六分；下層大書，方徑寸餘，題款如右，但不載年月。以官階推之，當是金時制也。唐人重郡望，李必隴西，劉必沛國，流獘相沿，至此幢上文明用永清縣景隆鄉，而下猶稱隴西郡李，則習俗之不察，抑又甚矣。又殿試亦入官銜，而下有前鄉貢，蓋鄉舉而未經省試之稱，其前鄉貢，則省試下第，須待再舉者也。此固唐宋通制，金仍用之。遼則無是制。而元則當稱京師，不當稱燕京三司官也。

阿閦如來減釋重羅陀羅尼幢存。八面刻，梵書，末行首行正書。在涿州張相公廟。

廣惠禪院祕密真言幢存。比邱尼杜氏造，梵書。在房山廣惠庵。

盤山紅龍池題字 存。正書。在薊州盤山。

元

長春真人成道碑 佚

姬志真長春真人成道碑，大定丁亥，重陽真人自陝右來，真人師之，同志有馬丹陽、譚長真、劉長生、王玉陽、郝廣甯，各得所傳。重陽既逝，真人乃遊秦隴，戢志磻溪。大定戊申，金世宗徵赴闕，特旨住全真堂。辛亥，復居濱都之太虛觀。己卯冬赴召，及見，帝問以長生之藥，真人曰：有衞生之經，無長生之藥。帝嘉其誠。每召就坐，即勸帝少殺戮及慈孝之說。癸未春，敕建長春宮，仍賜金符，其徒得乘傳往還。

按：癸未爲元太祖之十八年。

長春宮記 佚

元一統志：長春宮之南，有觀曰元禧，昔開遠坊李忠道者，嘗建長春真人堂于此，以奉香火。甲午夏，忠道以地歸之真常李公。乙未秋，道衆雲集，觀始創建。真常公名以元禧，北平王粹記其本末云。

按：乙未爲元太祖之三十年。

長春真人本行碑佚

甘水仙源録：陳時可撰，立於丁亥，爲太祖之二十二年。

史氏慶源碑存。崔鉉撰，平元正書，趙安世篆額，歲在庚子，九月丙戌，十八日戊寅。在永清焦垈村。

按：庚子爲太宗十二年，碑載其三世子女嫁娶最詳。秉直長女爲太師國王夫人，其事不見於它書。史氏父子兄弟，各以功名自立，要亦連姻貴族所致，論史者不可不知也。

義州節度使北京路兵馬都元帥史進道碑存。段紹先撰，平元正書，趙安世篆額，乙巳年五月。在焦垈村。

按：乙巳歲，太宗皇后稱制四年，進道爲秉直之弟，職亦不卑，元史不見其名，得此可補元史之闕。

尚書史秉直神道碑存。劉祁撰，平元正書，趙安世篆額，歲乙巳九月四日。在焦垈村。

按：秉直，元史附見其子天倪傳。

潭柘寺歸雲禪師塔銘存。陳時可撰，正書，大朝丁未歲三月。在宛平西山本寺。

按：丁未爲定宗二年。

重修蘆台興寶聖母廟記存。趙鑄撰并書丹篆額，丁未歲四月望日。在甯河。

張鉢信順造尊勝經幢佚

詠歸録：普元奴立，大朝歲次己酉年十一月十七日立，在玉河鄉池水村。

按：己酉爲定宗四年。

棲雲觀碑佚

至元辨僞録：盤山中盤法興，亥、子年間，天兵始過，罕有僧人。甘泉本無元和尚之嗣，振公首居上方，橡栗充食，以度朝夕。全真之徒，挾邱處機之力，謀占中盤，乃就振公，假言借住。振公允之，既居久，遂規永定王道政、陳知觀等拆殿宇，毁佛像，冒奏國母太后，立碑額，爲棲雲觀。寺内古佛舍利塔，高二百尺，及正殿三門，一并拆毁。至乙卯後，上方長老雲公忿其無禮，碎其碑，奏告皇帝。又共那摩大師、少林雲庭福裕禪師朝覲，具陳其事，改正其弊，仍爲僧院。戊午年九月初四也。

按：乙卯爲憲宗之五年，此碑之立，當在其前。

上萬村重修興聖寺記存。僧從倫撰并正書，己未三月。在房山。

按：己未爲憲宗九年。

慶壽寺西堂海雲禪師碑存。王萬慶撰，正書。在雙塔寺。

元慶壽西堂海雲禪師碑，燕京編修所次二官黄華後人熊岳王萬慶撰文。稱禪師名印簡，曾爲金衛紹王知遇，我大蒙古國聖祖成吉思皇帝、太宗合罕皇帝暨今蒙哥皇帝，累降詔旨，興宗崇教，並尊禮海雲，命爲天下僧衆之首。萬慶承護必烈大王之命，爲作道行碑。按蒙哥，憲宗御名，此碑立于憲宗時，故但稱蒙古，且無年月，其時未有國號及紀年也。考元史本紀，太祖諱鐵木真，卽位于斡難河，羣臣上尊號曰成吉思皇帝。二十二年崩，至大二年追謚法天啟運聖武皇帝，廟號太祖。太宗諱窩闊台，卽位于庫鐵烏阿剌里，十三年崩，追謚英文皇帝，廟號太宗。據碑，則太祖于憲宗時已加廟號曰聖祖，而太宗卽位時，羣臣曾上尊號曰合罕皇帝，本紀皆失載。惟劉秉忠傳，載其侍世祖潛邸時，上書稱合罕皇帝聖旨。此號僅見于此傳，而世不知爲太宗，宜據此碑，以補本紀。護必烈卽忽必烈，世祖御名。紀稱憲宗卽位，同母弟惟世祖長且賢，憲宗盡屬以漠南漢地軍國庶事，此海雲立碑，必請命于皇弟也。秉忠之侍世祖，實由海雲薦之，事亦見秉忠傳。題曰燕京編修所次二官者，太宗八年，耶律楚材請立編修所于燕京，經籍所於平陽，編集經史，召儒士梁陟充長官，以王萬慶、趙著副之。王圻續通考載此，遺漏燕京一語，疎矣。其曰黄華後人者，王庭筠號黄華，萬慶殆其裔耳。予嘗見至元辛卯交城縣萬卦山天甯禪寺碑陰，有燕京慶壽寺住持僧印一名。又虞氏集稱延祐甲寅，息齋爲太常博士，寓慶壽寺。息齋爲李衎之字，而陳孚遊慶壽寺詩，有金碧樓臺護紫霞之句，其鉅麗殆可想見。今在西長安街，俗呼雙塔寺，僅存數椽，餘悉入民居。乾隆庚辰春，余罷官無事，閑坊冷巷，恣意搜討，因訪得此碑，下半截陷土中，余欲發土讀之，而居人堅不許，乃止，竟未能得其全文，不禁爲之悵悵也。西莊集。

弋穀尹宗師碑佚

甘水仙源録：元中統二年立。

興禪寺重建大殿碑佚

日下舊聞考引圖經：提舉學校王萬慶撰并題額，中統三年六月。

長春宫瑞應記佚

甘水仙源録：長春宫方丈西有堂曰萃元，側有小樓，積書萬卷，真常李真人以鎖鑰付張志敬，恣所窺覽，大暢元旨。中統三年，制曰：元門掌教真人張志敬，自童子身著道士服，志行修潔，問學淹該，甫逾不惑之年，純作難能之事，增光前輩，垂法後人，可賜號光先體道誠明真人。至元二年，就長春宫設金籙大醮，有羣鶴翔舞，下掠壇墠，去而復來者累日。天子命詞臣作瑞應記，刻之碑。

興寶聖母廟記佚

寶坻洪志：翰林直學士高鳴撰，至元二年。

昭勇大將軍中都路總管郭汝梅新塋碑存。王鶚撰，正書，至元三年三月。在通州。

大都城隍廟碑未見

金石考：任栻撰，李郁正書，至元五年六月，在京師内城都城隍廟。

國子監題名記未見

菉竹堂碑目：劉謙重立，至元六年七月。

玉虚觀大道祖師傳授碑佚

元一統志：參知政事楊杲撰，商挺書，至元七年。

天慶寺碑未見

金石考：王惲撰，并正書，至元九年，在天壇北藥王廟西天慶觀。

洞神觀記佚

元一統志：洞神觀在舊城，有虚舟老人太原李鼎所撰記，葆光大師谷神子所創建也。葆光先就雲中拜長春爲師，傳法於圓明普照崇德宋真人，其道行皆見于記，至元十二年，提點洞神觀事。王志謙立石。

左丞相贈太尉中書史天澤神道碑存。王磐撰，正書，郭貫篆額，至元十三年三月。在永清大焦垡。

丹陽觀記佚

元一統志：丹陽觀，全真道士通元子劉君所建也。通元子，年二十餘，辟王府參謀，委任近密。一日散財，棄妻子，修全真教，所交遊達官貴人，競施財物助之，買地致材，以建此觀。至元十六年冬，翰林學士王磐撰記。

四國公配享記佚

畿輔石刻目：潘迪撰並正書，至元己卯。

石鼓文音訓并記存。潘迪記，分書，音訓正書，篆額，至元己卯五月。在國子監。

按：音訓中間有攷證舛誤者，如第一鼓：兹目寺，當是持字，與下文秀弓寺射義同。其來大卽，案：鼓中卽字，皆書作[illegible]，而宋本大字下尚存半字作[illegible]，則非卽字。第二鼓：君子𤅩之。案：周禮漁作　，廣韻魰同漁，𤅩字疑卽　、魰二字省文，籀文加水爾。其字當从攴，篆文[illegible]與[illegible]相似，此云籀文，漁从寸，臆説也。第三鼓：田車既安。既字當從宋本作孔，其□趚□，趚字下，石本並無空字。第四鼓：彤矢□□。矢下止應空一字，當是重文成句。第五鼓：滐□至自鄘中空十二字，末云墨本舊有𣶒𣶒迄湧盈濟君子卽涉流汧殹洎洎𣶒𣶒舫舟西遀湯湯户二十餘字，今按宋本，作滐□疑瀼字，鄭云濟，郭云濕。君子卽涉=馬□湍汧殹洎=𣶒=□□舫舟□遀湯户自鄘中有二十字迄湧之前，亦無𣶒𣶒二字，遀上作[illegible]，釋爲西字，恐亦未確。第六鼓：猷作[illegible]柞，盩衕三行之上，既知其闕二三字，則並應列一空格，又除師𡥜陫，今本陫猶作阪。第七鼓：首行而字上應空數字，後字之下具肝之上應空二字。第八鼓：末云施氏墨本，有馬薦哲若等字。按薦字，宋本作蘼。説文：薦，獸之所食艸也。莊子齊物論：麋鹿食薦。此云馬薦，當是馬食之艸。下二字應就艸言義，故三字皆從艸。説文艸部末附諸字云，左文大篆，皆从茻，此鼓𦼮、蕬二字，及第五鼓䕯䕯字，並从四中，與許慎説合，益信此爲大篆無疑也。第九鼓：丙申下應空二字，驐下應空二字，驐下今石本尚存半字作𩡧，則非識字。第十鼓：載北之下，尚有勿□勿代數字。䊵甯，宋本甯作寓。□鹿□□遊□其□□𩊍=鹿下應空一字，其下應空四字，此類皆潘氏之誤。然其所釋，較前人爲長。況石刻久與十鼓同列國學，後人藉以攷驗，茲故附録而條辨之。其餘摹録訓釋諸家傳於今者，譌謬尚多，不及深論也。金石萃編。

崇國寺聖旨碑存。正書，至元二十一年。在京師内城護國寺千佛殿内。

崇國北寺地産圖存。在聖旨碑陰。

涿州文廟四至記存。趙琦撰，馬仲璉正書，何南午篆額，至元二十二年八月。在涿州學宫。

智度寺無住禪師塔銘存。王頎撰，僧西雲子安正書，安藏篆額，至元二十三年歲次丙戌清明後六日。在涿州。

碑前列翰林院編修王頎撰，大都海雲禪寺前住持傳法嗣祖沙門西雲子安書丹，翰林國史集賢院領會通館道教事正奉大夫安藏篆額。無住馬氏，諱智廣，世居懷慶河内，初禮本縣閻公宗主爲師，後歷參萬松老人、清隱湛公、西菴仲休，皆有密契，遂爲奉聖州前經略使王國寶敬請住持州西雲濟寺。又開法、法雲等更主東禪、西禪二院，最後居北塔雲居。今碑所識可按如是。萬松老人，僧行秀，嘗號萬松野老也。授堂金石文字續跋。

純公雲塔經幢存。沙門正智撰，政元正書，至元二十三年二月。在房山，缺上段。

黄山玉堂洞天記存。真常子撰，張志履正書，至元二十五年四月。在房山西北七十里張良洞。

元靖達觀大師劉志厚墓志存。文通廣撰，張志履正書，至元二十五年四月。在房山。

元靖大師遺世頌幢存。正書。在房山。

重修延洪寺記佚

舊聞考引圖經：延洪禪寺在遼乾統間稱爲甲刹，至元朝統御之初，金人南奔，兵燼之餘，此寺殿閣巋然獨存。壬子歲，賜白金爲香資。至元二十五年中元日，住持僧戒海立石紀其事。

興聖寺田園記存。正書，無年月，中有戊子年六月施狀附至元二十五年。在房山。

大都馬鞍山聚禪寺月泉新公長老塔銘存。僧從倫撰，正書，至元二十八年。在宛平西峯寺後東北塔園。

房山縣重修天開寺碑存。魏必復撰并正書，沙門居實篆額，至元二十八年辛卯月。在房山。

碑陰天開寺地畝記存。閻讓正書。

興聖寺堅公禪師壽塔銘存。僧居實撰并正書，至元三十年三月。在房山。

贈大道正宗四代稱號碑佚

元一統志有制贈大道正宗四世稱號碑。元貞元年，翰林學士李謙撰，御史中丞崔彧書碑。云自第五代入元朝，皆賜號真人，其四代宜追賜稱號，如全真氏故事。制可，贈其始祖曰無憂普濟真人，第二代曰大通演教真人，第三代曰沖虚静照真人，第四代曰體元妙行真人。

石鐘銘佚

國門近游録：甘池村東曰瓦井，小庵中有石鐘一，上有銘，至元中物。

佑聖王靈應碑未見

金石考：韓從政撰，許復正書并篆額，元貞元年在京師都城隍廟。

創建天寶宫碑佚

元一統志：翰林直學士王之綱撰，碑本宫提點陳德元等刻木。天寶宫在舊城春臺坊，至元八年建，十年賜額，元貞二年嗣教崇元廣化真人岳德文請之綱作記。

崇德祠堂記佚

元一統志：長生觀，長春邱仙翁門弟崇德宋真人所創建，在舊都豐宜坊。有崇德祠堂記，長春宫元學講經宣義大師史志經撰。

重修城隍廟碑存。温迪罕德載撰，盧居正書，趙孟頫篆額，元貞二年五月吉日。在涿州。

玉清觀碑佚

甘水仙源録：趙復撰。

重修天長觀碑佚

元一統志：王鶚撰，元貞二年立碑。云燕京之會仙坊，有觀曰天長，其來舊矣。肇基於唐之開元，復於咸通七年，及遼摧圮，金大定初增修，泰和壬戌正月望日，焚燬殆盡，貞祐南遷，止餘石像，觀額爲風雨所剥，委荆榛者有年。聖代龍興，元風大振，長春應聘還，命盤山棲雲子王志謹主領興建，垂二十年，建正殿五間，裝石像於其中，方丈廬室，舍館厨庫，焕然一新，凡舊址之存者，罔不畢具，永爲聖朝萬世祈福之地，顧不偉哉！

太乙集仙觀記佚

戴斗夜談：宛平縣京西馮家里，舊有太乙集仙觀，元元貞元年以其地畀純一真人闕全祐有栗五千株，全祐相栗林隙地，重岡環抱，下有寒泉，旁地衍沃，可引灌溉。構正殿三楹，翼以兩廡，繚以石垣。王惲爲之作記，大德元年刻於石。

崇國寺轉長生藏經記未見

金石考：正書，大德二年。

國子監先聖廟碑佚

畿輔碑目：程鉅夫撰，大德三年。

仁公塔記存。僧定正書，大德三年八月。在香河東大寺。

重修清河將軍廟碑存。劉懿撰，并正書，篆額，大德三年歲次己亥八月廿有一日。在涿州張相公廟。

重修狄梁公祠記存。宋渤撰，正書，大德四年。在昌平。

仰山棲霞寺滿禪師道行記佚

金石考：趙孟頫撰。按：碑云大德癸卯，當是大德七年。

涿州新修廟學記存。李謙撰，李元體正書，劉慶篆額，大德五年夏六月。在涿州學宮。

白雲觀記存。宋渤撰并正書，大德八年。在順義呼奴山。

修文廟講堂碑存。賈庸貴撰，邊守禮正書，蔡欽篆額，大德九年五月。在固安學宮。

昭祐靈顯王廟碑存。劉懿撰，并正書、篆額，大德十年歲次丙辰，十有一月戊辰朔日。在涿州二郎廟。

加封聖號詔書碑存。潘廸正書，謝端篆額，大德十一年七月十九日。在京師先師廟。

碑陰題名存。正書。

成宗皇帝天壽萬甯寺神御殿碑存。歐陽元撰，張起巖正書，姚慶篆額，大德十一年十月。在京師本寺。

加封至聖號制詔碑存。正書，大德十一年。在薊州州學。

碑陰閻復草書。

崇恩福元寺碑佚

元輿地要覽：歐陽元撰，大德十一年。

陀羅尼經幢存。前經後記，正書，八面刻，大德□□年。在昌平狄梁公祠。

大承華普慶寺碑銘佚

趙孟頫撰並書。見松雪集。按：碑文應立於至大元年。

薊邱雜鈔：成化庚寅，内官麻俊治宅，掘得趙承旨碑，復建山門，改賜額曰寶禪寺。

崇恩福元寺碑佚

姚燧撰，至大元年。見牧庵集。

仁王寺恒産碑佚

虞集撰。見道園學古録。

文安重修廟學記存。尚野撰，正書，至大四年。在文安學宫。

崇國寺崇教大師演公碑存。趙孟頫撰，并行書、篆額，皇慶元年三月。在護國寺。

慶壽寺大藏經碑佚

程鉅夫撰，皇慶元年夏六月。見雪樓集。

大都治總管碑存。王構撰，劉賡正書，王泰亨篆額，皇慶二年十月。在京師順天府。

右大都路總治碑，翰林學士承旨王構撰文，立言有體。集賢大學士劉賡書，亦謹嚴，不失唐人法度。蓋元刻之佳者。碑在今順天府公廨大堂前，完好可搨，而朱錫鬯日下舊聞略不及焉。文稱，至元丁卯春，既城大都，卽以路總京畿，自乙酉，廨爲宗正據有而徙之冬官者，踰二十寒暑。至大初元，敕中書還北省，而六卿所舍，悉如其舊，至假屋於民以庀事，再徙，迄無定所。詳其文義，蓋自大都路公廨爲宗正所據，移治工部者閲二十餘年，及中書還北省，六部各歸其署，由是大都路總管無所容，而假屋於民耳。孫氏春明夢餘録謂官署爲宗正所據，官吏辦事佛寺中者，乃臆説也。武宗之世，遥授之官衆，莫吉以平章政事行大都路達魯花赤，王泰亨以平章政事商議中書省事行太子詹事，皆非正授，故宰相表不列其名。碑文撰於至大二年三月，至皇慶二年十月建，相距僅四年餘，而碑末列達魯花赤總管兼府尹、副達魯花赤同知諸人名，無一與前同者，官吏之輕於更代如此，欲其盡心職守，難矣。泰亨字子通，一字仲通，晉甯人，嘗從許文正公學，晚歲自號康莊老人，謚清憲。潛研堂金石文字跋尾。

碑陰記存。張養浩撰，趙孟頫正書。

贍學田碑存。正書，皇慶三年。在霸州學宮。
房山建學碑存。魏必復撰，正書，延祐元年春。在房山學宮。
鐵師子刻字存。正書，延祐元年十月。在南海子新衙門行宮。
圓通寺斷碑存。正書，延祐元年十月十五日。在通州張家灣圓通寺。
薛禪皇帝聖旨碑存。正書，虎兒年考爲延祐三年。在房山孤山口西。
大覺寺長明鐙記存。揭奚斯撰，趙孟頫正書，延祐四年十月。在京師。
吕梁鎮慶豐觀碑未見
畿輔新志：吴善撰，趙孟頫正書并篆額，延祐四年十月。文云：建昭應宫於京師和義門外。案帝京景物略，昭應宫在雙林寺西。此碑應在京師。又云：碑没入土，明萬曆間黄猷吉出之，未幾復就湮，陳邦彦復募夫出之，俱有題字。
護持天開中院記存。魏必復撰并正書，廉簡題額，延祐四年。在房山。
關侯廟碑存。李仝撰，正書，年月泐，金石考云：延祐五年九月。在固安關帝廟。
義勇武安王廟石榜存。牛師厚正書，延祐五年九月。在固安關帝廟。
薦福寺碑佚
金石考：碑云，元朝辛亥歲，謙公長老興修，戊午落成，己未立碑。蓋延祐六年。

國子監崇文閣碑佚

金石考：吴澄撰，邵文源正書，延祐六年。

大德加封孔子詔書碑存。正書，下層孔思逷等題名，延祐六年二月。在涿州學宫。

新修真武廟碑存。張孔鑄撰，劉肅正書，曹勛篆額，延祐七年七月十五日。在涿州真武廟。

崇國寺看轉大藏經長供碑未見

金石考：正書，至治元年在護國寺。

重修文廟碑存。吴澄撰，正書，至治二年八月。在通州學宫。

元文敏公碑佚

畿輔碑目：馬祖常撰，虞集書，至治二年。在京都國子監。

天慶寺碑佚

金石考：袁桷撰，泰定元年正月。

義勇武安王廟碑存。李用撰，正書，篆額，泰定元年甲子太歲三月。在京師内城北雙關帝廟。

義勇武安王祠記存。逯居敬撰，正書，隸額，泰定三年四月二十日。在雙關帝廟。

佛住圓覺大禪師松溪和尚碑存。釋行興撰并正書，李泰一篆額，泰定二年三月吉日。在房山。

大都城隍佑聖王廟碑存。正書，泰定三年。在都城隍廟。

大興府學孔子廟碑佚

畿輔碑目：揭奚斯撰，在京師。

重修城隍土地廟記存。□勗撰，史□直正書，泰定四年歲次丁卯，夏五月己亥朔巳時。在涿州。

元應張真人道行碑存。吴澄撰，王毅正書，劉賡篆額，泰定四年四月。在涿州。

碑前列翰林學士大中大夫知制誥同修國史吴澄文，光禄大夫議中書省事平章王毅書，翰林學士承旨榮禄大夫知制誥兼修國史劉賡篆額。元史武宗紀：至大元年十二月甲戌，以平章政事商議中書省事。百官志：至元二十九年，罷尚書省，增中書平章爲五員，而一員爲商議省事。今碑所題王毅議中書省事與官制符。然志稱成宗元貞元年改商議省事爲平章軍國重事，自是不書復置，而毅署銜當泰定時仍有議中書省事，必其後更爲設員，史疏記也。毅見泰定帝紀，當四年三月，召太子賓客王毅復舊職，今所題銜，蓋舊臣也。賡本傳，泰定元年加光禄大夫。案草廬撰碑文，自稱泰定二年春，於時賡方階榮禄大夫。榮禄次光禄之下，則元年必非加光禄矣。史載真大道教並依此碑入傳，而事跡特略。碑云：師張氏，乾州奉天人，年十六，從天實李師爲道流，錫名清志。傳不書其籍，又倒訛清志爲志清。碑云：入東海大珠牢山。傳脱大字。碑書酈希成傳，以成作誠。凡是數者，悉與碑相違。而清志道力所在有神異，史慮其跡涉怪妄，削之不書，是也。若母嘗病疽，口吮其膿，遂得蘇差。又患膈氣，疾幾不救，師禱神進藥，不寢食四旬，母忽吐涎塊如瓜，漸底平復。居喪致哀，於儒家喪制不悖。此蓋爲獨行之尤，而不囿於彼教法者，傳惟以事親孝該之，毋亦没其實與？予故爲著之。授堂金石文字續跋。

順州廟學記存。梁宜撰，正書，泰定丁卯。在順義學宫。

武安王廟碑存。韓師夔撰，翟時中正書，天曆元年。在宛平榆垡關廟中。

東嶽仁聖宫碑佚

日下舊聞考：虞集撰，分書，天曆元年，在東岳廟。

東嶽仁聖宫碑佚

吴澄撰。見吴文正公集。

國子監題名記佚

喪竹堂碑曰：虞集序，天曆二年三月。

東岳廟昭德殿碑銘存。趙世延撰并正書，天曆三年三月。在東岳廟。

御史鄭立等題名存，正書，天曆己巳年五月。在平谷學宫大德詔書碑陰。

上卿真人張留孫碑存。趙孟頫撰并正書，篆額，兩面刻，碑陰亦有額，天曆二年五月。在京師朝陽門外東嶽廟。

涿郡歷代名賢碑存。歐陽元撰并正書，張起巖篆額，天曆二年五月。在涿州。

碑前列賜進士出身、翰林待制兼國史院編修官廬陵歐陽元撰并書，賜進士及第、中書右司郎中、太子左贊善濟南張起巖篆額。元史列傳：起巖遷中書右司員外郎，進左司郎中兼經筵官，拜太子右贊善，以碑證之，實爲右司郎中及左贊善，傳文誤也。碑据前史，所占籍者，約其出處，大畧刻疏左方，自西漢蒯通迄金梁塘而止。然史記淮陰侯傳，稱齊人蒯通，疑范陽爲齊之近邑，與涿郡不相屬，又通以辨亂導人背其所主，而躋諸名賢之目，採摭失其倫矣。碑後載通奉大夫、河南江北等處行中書省參知政事、護軍、追封范陽郡公謚端靖弭禮，嘉議大夫、工部尚書宋惟忠，中憲大夫、中山大夫張汝楫，奉議大夫、大都路涿州達魯花赤兼管本州諸軍奥魯勸農事山壽等立石。案：弭禮官至參知政事，史既無傳，特書銜于此。而碑記諸賢皆書名，獨昭烈帝稱字，特例書之，尊之也。碑末金玉府石匠頭目，中統二年初立金玉局，至元三年改總管府，故署金玉府者以此。授堂金石文字續跋。

重修雲居寺碑存。鄭熙撰并正書，至順元年。在房山。

加封孔子父母夫人暨四配制辭碑存。正書，至順二年九月。在京師先師廟。

重修大都城隍廟碑未見

畿輔新志：虞集撰，康里巎巎正書，至順二年。在城隍廟。

碧雲寺碑佚

金石考：至順二年立。在香山寺中。

大承天護聖寺碑佚

日下舊聞攷：至順三年。

霸州宣聖廟學記佚

黄溍撰，至順三年。見黄文獻集。

國子監官舍記佚

畿輔碑目：至順三年。

大興題名記未見

訪碑録：索术魯翀撰，逯居敬正書，至順四年春月。在順天府署。

雁奴壙銘佚

人海記：張中丞養浩爲其子作。

潞陽郡公李廷墓志佚

通州舊志：南臺坡在舊城南關，有元潞陽郡公李廷墓，天啟初，水潦岸崩，志石盡露，乃藝文監丞揭傒斯所撰，元統二年二月。土人録其文，仍瘞之。

碧雲寺碑（佚）

金石考：元統三年立。在碧雲寺中。

雲居寺藏經記（存。釋法禎撰并正書，陳顥篆額，後至元三年六月一日。在房山。）

天開寺重建碑記（存。僧福珪撰，正書，必剌篆額，後至元三年四月望。在房山。）

檀州重修夫子廟碑（存。王思誠撰，張嶼正書，後至元四年十月。在密雲學宫。）

碑陰（存。崔崇禮撰，劉元修正書。）

重修華嚴堂經本記（存。賈志道撰并正書，至正元年五月八日。在房山。）

李文珍孝行記（存。正書，至正元年。在東安。）

重修昌平縣儒學記（存。馬房輝撰，正書，至正二年正月既望。在昌平學宫。）

盧孝妻祝氏墓志（佚）

至正二年，見耳談。按：文載列女傳。

涿州重修孔子廟碑（存。蔡欽撰，王惟麟正書，王良篆額，至正二年夏六月吉日。在涿州。）

永貞觀石額（存。正書，至正三年。在昌平。）

紅螺山重修大明禪寺碑（存。樊從義撰，王興正書，張堪篆額，至正四年六月。在懷柔。）

大都路城隍廟碑（未見）

畿輔新志：余闕撰，莊文昭書，至正四年九月。在都城隍廟。

加封靈惠侯廟碑存。郭繼祖撰，李彥彬正書，王良篆額，至正五年歲次己卯二月吉日。在張相公廟。

石臺佛經存。蒙古、畏兀、女真、梵、漢五體書，至正五年。在昌平居庸關。

按：元史，泰定三年正月，遣指揮僕兀都蠻鐫西番呪語於居庸關。蓋始於丙寅，成於乙酉也。

縣尹朱公去思碑存。馬守恕撰，正書，至正六年。在房山。

明倫堂記存。納憐不花撰，正書，至正七年三月。在平谷學宮。

感化寺提點賢公長供記存。沙門福珪撰并正書，至正八年，在薊州盤山。

三河剏建兩廡記存。珠克撰，至正戊子。在三河學宮。

潭柘寺碑未見

日下舊聞考：葛天麟撰，至正八年。

重修瑞雲寺碑存。沙門雪成撰，正書，至正十年。在宛平觀音山瑞雲寺，俗稱百家寺。

涿郡儒學藏書記存。吳當撰，貢師泰正書，周伯琦題額，分書，至正十年九月吉日。在涿州學宮。

寶坻縣重修儒學記佚

寶坻洪志：雷州路總管府經歷鄭憙撰，至正十年。

進士題名記存。王思誠撰，南正文燁篆額，至正十一年歲次辛卯二月。在國子監。監丞文□篆額，祭酒王思誠撰記，無書人姓名。記文首行空數字，至不可屬讀。制曰可，脱去曰字，可謁作河。朶列圖，朶作篤，與下題名異。題名現存者蒙古、色目一甲朶列圖一人，二甲善林遠等五人，三甲普延台等二十三人，餘俱蝕損無考。又漢人、南人現存者，一甲文允中一人，二甲吴裕等五人，三甲宋貞等三十三人，餘亦全闕無考。是年□月立。國子監志。

重修新建崇國寺碑存。沙門雪禎撰，葛禋正書，許居直篆額，至正十一年歲次辛卯孟夏中旬有一日。在護國寺。碑稱，京師崇國寺，前至元乙酉世祖皇帝所賜地，傳戒大德沙門定演所開創，敕賜薊州遵化縣般若院爲副刹。皇慶、延祐間，仁宗皇帝刺㰚室利皇后賜鈔三千餘錠，壽元皇太后復賜鈔五百錠。至正乙酉，僧智學號孤峰來主方丈，復修之。考元史列傳，壽元皇太后者，順宗之妃，武宗及仁宗之母。自武宗至大三年，已上尊號曰儀天興聖慈仁昭懿壽元皇太后。至仁宗延祐二年，加上尊號曰儀天興聖慈仁昭懿壽元全德泰寗福慶皇太后是也。若后妃表所載，仁宗皇后則但有阿納失舍里皇后、荅里麻失里皇后。荅里麻失里皇后已無傳，至刺㰚室利皇后，則并其名無之，蓋史家遺失，宜據此碑以補其闕。碑又有云，今大明至尊爲世界主，時順帝在位稱爲大明至尊者，元大内有大明殿，諸帝卽位及御殿受朝賀皆在此，故有此號也。王西莊集。

權實義利寺開山和尚了公行蹟碑殘石存。正書，至正十一年十二月。在京師内城保安寺。

天開寺陁羅尼幢存。八面刻，正書，至正十一年。在房山。

霸州重修廟學記存。王思誠撰，正書，至正十一年。在霸州。

天開寺碑存。僧洪珪撰，正書，至正十二年。在房山。

崇國寺聖旨碑存。行書，至正十四年。在護國寺。

碑稱：成吉思皇帝、窩濶台皇帝、薛禪皇帝、完澤篤皇帝、曲律皇帝、普顔篤皇帝、格堅皇帝、忽都篤皇帝、亦憐真班皇帝聖旨：大都南北兩崇國寺，天壽寺，香河隆安寺，三河延福寺，順州龍雲寺，遵化般若寺，各寺房舍，使臣不得安下，亦不得責其鋪馬祇應。諸寺税糧勿納，園林、碾磨、典鋪、浴堂、人口、頭疋，他人勿倚氣力奪要云云。

案：元諸帝生時用國語上尊號者，太祖曰成吉思，没後所上者世祖曰薛禪，成宗曰完澤篤，武宗曰曲律，仁宗曰普顔篤，英宗曰格堅，明宗曰忽都篤，俱見於史。窩闊台則太宗御名。亦憐真班則甯宗御名，元史或作懿璘質班，或作懿璘只班。蓋無號者即稱名，猶泰定帝本紀載其即位詔，稱英宗爲碩德八剌皇帝，即英宗御名也。余前于慶壽寺碑辨太宗曾號合罕皇帝，而此復稱名者，蓋太宗之號，至正時已不見於紀載，宜乎修史者之不能詳也。西莊集。

碑陰崇國寺常住莊田事産記存。正書。

大都路總管府判官宋侯墓志存。歐陽元正書，至正十四年立。在固安駝頭村。

祭酒毛煜等題名存。正書左行，至正十六年六月，在國子監加封制碑陰。

重修文廟記存。馬克忠撰，正書，至正二十三年。在大城學宫。

東安州重修廟學記存。孔克堅正書，至正二十四年六月。在學宫。

崇國公隆安選公傳戒碑存。危素撰并正書，張瑾篆額，至正二十四年九月。在護國寺。

右大崇國寺壇主空明圓證大法師隆安選公特賜澄慧國師傳戒碑，資政大夫、中書參知政事、同知經筵事、提調四方獻言詳定使司事危素奉敕撰文并書丹，集賢大學士、光禄大夫、滕國公張瑾奉敕篆額。碑述戒本授受源流最詳，善選卒於憲宗壬子歲至正二十三年，以宣政使帖古思不華請追賜國師之號，立碑崇國寺，寺今名大隆善護國寺，每月之七日、八日、十七日、十八日、二十七日、二十八日，陳設百貨，都人雜沓，謂之西廟市。予在都門久，從未一至所謂市者。寺有元碑四通，此其一也。予好訪碑，又惡市之囂，公事之暇，不值市期，則往觀焉。歲或一至，或間歲一至，寺僧皆黄帽，所謂喇嘛班第者，客至了不迎送，不交一言，獨來獨往而已。攷四方獻言詳定使司，至正十七年置，有使、副使、掌書記，而中書官提調之。元之末季，中外多故，正宜納諫以通上下之情，而設官以別擇之，又命省臣提調之，讜言之得聞者寡矣，宜乎不旋踵而亡也。碑稱丞相厦里者，蓋在太宗時於史無所見，姑記之以俟攷。潛研堂金石文字跋尾。

碑陰宣政院劄付二道存。正書。

右宣政道劄付二道，刻於碑陰之上方。其一云：皇帝聖旨：裹宣政院，至正廿三年十月廿三日，哈喇章怯薛第一日明仁殿有時分云云。後題右劄付大崇國寺准此。蓋紀帖古思不花院使陳奏及敕命危素撰文等事。其一云：皇帝聖旨：裹宣政院，至正廿六年正月□□日，完者帖木兒怯薛第一日云云。後半漫漶不能讀。劉氏帝京景物略、孫氏春明夢餘録載此碑，而不及碑陰，故略書之。潛研堂金石文字跋尾。

護國佑聖王廟加封聖號宣命記未見

畿輔新志：童梓撰，吴雲正書，張堪篆額，至正二十五年十二月。在都城隍廟。

加封昭祐靈惠公廟碑存。夏以忠撰，邢庸正書，璋珥篆額，至正二十五年歲在上已□三月。在涿州張將軍廟。

長明燈記未見

畿輔新志：正書，至正二十六年十日。在都城隍廟。

國子監公試題名記存。張翥撰，正書。

舊稱至正十九年己亥四色進士題名碑。今諦審碑額篆書，係□□庚□□子□□試□□記十二字。試上公字，記上名字，下半尚存，且題名所列，俱正副榜，並無進士，與後丙午公事題名碑同，其爲國子監公試題名記無疑。己亥或庚子之譌，以碑額有庚子可證。題名現存者正榜蒙古止五兒等二人，色目止神保等四人，餘多剥落，惟漢人郭永銘等六人無闕，副榜蒙古四人，色目四人，第一名俱不可辨，漢人余植等十二人，亦多磨滅。國子監志。

國子監公試題名記存。正書，至正丙午。在國子監。有記，無撰書人姓名。碑列正榜蒙古賜正六品出身、授承直郎哈剌燕只哥等七人；色目賜從六品出身、授承務郎宋嘉閭等六人；漢人賜正七品出身、授承事郎蔡元等七人；副榜六人，俱蒙古姓名，均剥落難辨。國子監志。

蘭亭敘帖存。無刻石年月，並無題跋。在國子監。御書樓下。

仁宗睿皇帝御案：孫承澤春明夢餘録，唐太宗好右軍書，魏徵言蘭亭敘在僧辨才處，遣御史蕭翼賺之，收入秦府。貞觀十年，命諸臣臨本，歐陽詢、褚遂良流傳最著。後所謂定武本，歐臨也，所謂唐絹本，褚臨也。定武本刻石禁中，當時每紙已值錢數萬。石晉時，遼人輦之而北。慶曆中，李學究得之。其子負官緡，宋景文守定武，以帑金代償，納石於庫。熙甯間，薛師正出牧，刊別本以應求者，郡遂有真贋兩刻。其子紹彭又模之他石，潛易古刻，又剔損古刻湍流帶左右五字以識。大觀中，詔其子嗣昌取龕宣和殿後。靖康時，金人取石鼓及蘭亭敍輦致燕。見宋姜夔蘭亭考。中石鼓在國學，而蘭亭不知所在，今在國學者，疑是薛師正翻刻本，或紹彭所刻本，雖非古刻，然元人不能也。此石一云明初出天師菴土中，一云元順帝北還，棄諸路，徐達取置國學。承澤稱博古鑒藏家，因臨雍偶題是石，録其説爲識。國子監志。

趙孟頫臨樂毅論帖存

刻在蘭亭帖背，無歲月題識，末署孟頫二字，下有趙氏子昂印。在御書樓下。國子監志。

趙孟頫臨争坐位帖存

凡二石，文刻兩面，一石刻首尾兩段，一石刻中兩段，今首段缺八行，尾缺九行，孫承澤、朱彝尊並云趙孟頫臨。在御書樓下。國子監志。

黄庭經佚

金石考：在國子監。

張平叔金丹四百字佚

金石考：在國子監。

周子祠堂碑佚
郝經撰。見陵川集。
太極書院記佚
郝經撰。見陵川集。
御書奎章閣記佚
虞集撰。見道園學古録。
順州儀門記佚
元明善撰。見清河集。
劉正奉塑記佚
虞集撰。見道園學古録。
創建黑龍潭碑記佚
歐陽原功撰。見圭齋集。
大萬壽寺開山傳法歷代宗師實跡碑記佚
金石考：在青廠永光寺。
劉諫議祠記佚

昌平宋志：許有壬撰。

邵家莊鄉學記佚

東安李志：李繼本撰。

元崇德祠堂記佚

金石考：史志經撰。在長生觀。

中書右丞相領通惠河都水監政蹟碑佚

歐陽元撰。見圭齋集。

京畿都漕運使政蹟碑佚

虞集撰。見道園學古録。

平章政事王伯勝墓碑佚

文安楊志：在縣岳村。

法興寺提點榮公塔銘未見

金石考：僧圓瑩撰，在薊州。

少林寺住持威公塔銘未見

金石考：僧圓瑩撰，在薊州。

重修法興寺碑記未見

金石攷：僧圓玉撰，在盤山少林寺。

涿郡漢昭烈皇帝廟碑佚

郝經撰。見陵川集。

勝因寺碑佚

析津志：閻復撰。

張天師象贊碑佚

金石考：在京師。

張天師碑佚

天下金石志：趙孟頫書。

黄籙大醮碑佚

天下金石志：虞集書。

張天師大道歌佚

天下金石志：虞集書。

檀柘寺碑佚

金石考：危素撰。

大都路漷州隆禧觀銘佚

王惲撰。見秋澗集。

宋本墓銘佚

金石考：謝端撰。在城西三十里。

馬鞍山俊公和尚塔銘存。正書，在宛平戒壇西峯寺塔下。

□法師塔記經幢存。正書，記文年月俱泐，可辨者有以姓黄氏、固安縣等字。在房山。

石經山幽燕奥室石碣存。正書，無年月。

崇禄大夫守司徒侍中宗主師靈塔存。正書，無年月。在房山甘池東北十五里瓦井村。

重修天香妙禪寺碣佚

盤山志：天香妙禪寺，唐建，有元時重修石碣。

碧雲寺賣地幢未見

青谿踏雪志：碧雲寺有小石幢，本當時賣地券也，演作韻語，末云：賣與中丞阿里吉。吉作平聲，蓋從國語讀。

心經幢存。正書，八面刻。在京師外城南横街東岳廟。

仙枕石題字存。呂贄正書。在昌平。

按：元陳孚題仙枕石詩：居庸萬馬繞山前，未許蒼苔睡晏然。見説華山風日好，何如移伴白雲眠？則是刻在元時。

德勝門石牓未見

燕都游覽志：趙孟頫正書。

丹稜沜斷碑佚

薊邱集：湖東有古祠，斷碑尚存，乃元大都路制使朶里真撰文，上有丹稜沜字，餘皆磨滅。

石刻旃檀佛像未見

燕都游覽志：鷲峯寺在城西牆畔，寺頗湫隘，然供旃檀佛，其中像爲旃檀木，衣無縫天衣，目上視，手左昂右頫，相好端嚴，覺異常造。歷代以來，每隨建都之地而供養之，元鐫旃檀佛像於石，而樹碑墀間，恣人搨請。

耶律氏祠刻佚

金石考：在香山七真洞壁。

序志

江陰繆荃孫纂

清受天命，撫有方夏，因元、明之故都，於燕京定鼎。東撫遼瀋，接龍興之舊疆，南絶粤海，北度大漠，撫喀爾喀内外諸扎薩克，西開玉門陽關二萬里，古之疏勒、莎車，盡爲郡縣。地球之上五大洲，大小數十國，或自達，或附屬輶軒之使，琛賨之貢，咸輻輳於京師。京師之地，王化所始，巨之郊廟、貢舉、漕河、兵衛之制，細之禮器、樂舞、風尚、玩好之事，靡不先行畿甸，後及薄海，地大物博，稱曰首善，而領之以順天府尹，與總督分治。蓋秦内史、漢京兆尹、洛陽尹之遺制也。府轄兩道、四廳、五州、十九縣，幅員之廣，政令之繁，特異於他府。顧自建都以來，元則有燕京志、析津志，明則有北平圖經、北平志，書皆不傳。存於今者，只萬曆間沈應文所撰順天府志耳。書僅六卷，草創荒略。同治壬申，今文華殿大學士肅毅伯直隸總督合肥李公奏修畿輔通志，調取各府州縣志書，而順天獨闕。前吏部尚書德化萬文敏師、前湖北巡撫彭丈祖賢，創議重修，聘分纂，購書籍，輯長編，函商李爵相，籌寄經費，延今兩廣總督張孝達師擬定條例，授荃孫照例編輯。彭丈開藩豫章，今通政使宜興周丈家楣接任，奏請開局，得旨俞允。光緒辛巳，孝達師巡撫山西，令荃孫專任其事，固辭不獲。適周丈再涖任，催二十四州縣采訪册，書牘並發，舟車踵接。荃孫復引兵部郎中德清傅君雲龍、武進舉人屠君寄爲助。周旋瑣屑，經理終始，則順天府經歷山陰范君思本、國史館謄録宜興李君棣林之力居多。始於辛巳，訖於乙酉，凡成書一百三十卷，總綱十一，子目六十有九。而冠之以京師志者，紀卜宅之隆規，敷睿治之丕烈，邦畿千里，游泳聖澤，使薄海内外，聲教所訖，莫不瞻雲就日，奉爲依歸，是以序述規模，恭紀卷首。次之曰地理志，規畫區域，脈絡山川，郛郭建置之方，治所興廢之跡，因近以綴遠，託小以著大，使人覽形勢阨塞，則思握險控禦，防患於未然。驗風俗盛衰，則思與民休息，維之於不敝。庶幾如澄止水，而無潁惛之患也。次之曰河渠志，永定貫乎中，清河界其南，白河流其北，文、霸之間舊爲澤國，是在窮其源，極其委，勤板築，通淤塞，使隄有金石之固，而防無絲縷之罅，則沮洳皆化上腴，黔首于以永謐也。廟堂之碩畫，官吏之功績，所宜日載而月紀也。次之曰食貨志，財出於土，土繫於人。通乎天時，盡夫地利，定則壤之經制，税斂之法，勝國苛政，首先蠲除，使民知耕鑿之樂，效輸將之忱，而沐仁澤於無涯也。次之曰經政志，官吏之廢置，倉儲之虛實，漕運之更變，典禮、學校之制，錢法、鹽法之章，兵汛、驛傳之籍，編輯公牘，搜訪故事，使人觀其得失而補敝救偏。至若西北叢山擁衞合沓，金鐵之利，見於前史，硝磺之産，訪諸土人。而今僅以煤著，無亦地利之未盡，人謀之未臧乎？故事志者，由今溯昔，綱舉條繫，識大識小，各具勸懲。若夫兵事之成敗，形勢不可不講也。天時之祥異，政令不可不洽也。防患於微，宜慎也哉！官師志者，典城佐治，各有專責，居位之久暫，考最之黜陟，序爵里，述事實，采善鉏醜，意在於斯。人物志者，鴻儒偉德，生必間世，涵山澤之淳英，稽枌榆之故實，百世之下，仰高山，慕景行，而心爲之嚮往也。豐功偉烈之不容没也，潛德幽光之必待發也。若身厠科目而無所表見，甚且引以爲誡，抑又末矣。曰藝文，擬四部之編録，仿七略之解題，盧牟羣哲，捃拾綈緗，雖一家之説，雜流之言，皆有取焉，所以使人博覽旁搜，抱殘守缺，求前喆之秘文，而毋敢弁髦視也。曰金石，其大者足以補史乘之漏，其斷石零墨，亦可徵軼事，表芳躅。深巖窮谷，古刹荒冢，披沙抉蘚，日出不窮，所以爲好古之士導其先路也。斤斤焉宣其要賾，總其紀綱，引而伸之，不避複沓，以自明其意，使後之莅此者，求先典而秩如，徵庶績而咸苦，前者可傳，來者可續，百務條通而輻輳，如百川之貫於江河，無不滲漉，是則盡詩人周爰之善，効愚者一得之益。乃爲敍志一篇，以終其事焉。古之志都邑者，僅存乾道、淳祐、咸淳三志，偏隅南渡，具體而微，豈若今日大一統之規，躋中興之世，徵今考古，沕成此編。文不敢慕夫高潔也，惟求其賅；辭不敢尚夫華縟也，惟取其徵信；事不敢專企夫雅峻也，惟重其足以敦厲浮俗。世有學人才士，知言之選，必能實事求是，以匡不逮，是所深幸也夫。爰爲之敘曰：金城湯池，虎踞龍蟠。宅中圖大，長治久安。貢達梯航，瑞輯躬桓。是曰天府，厥論不刊。志城池第一。

千門萬户，建章是營。巍巍翼翼，宏我漢京。志宫禁第二。

靈沼靈臺，與民偕樂。奎藻雲章，輝皇巖壑。志苑囿第三。

大圜不矩，呼吸相聯。肅肅祇祇，誠通槱煙。祖功宗德，稽古同天。夙夜匪懈，明禋潔蠲。志壇廟第四。

六宗羣神，首見堯典。肸蠁呵護，捷於睇眄。及羣小祀，祭亦豐腆。作之敬恭，格於幽顯。志祠祀第五。

七棘三槐，星張棋布。遠溯元明，廣稽掌故。志衙署第六。

漢家羽林，唐代府兵。桓桓步伐，肅肅干城。投石超距，伐鼓揚旌。如火如荼，衞我神京。志兵制第七。

八旗子弟，奇丁卓犖。既習武備，兼擅文學。冬夏詩書，春秋禮樂。回緬遠人，亦歸雕琢。志官學第八。

生財有道，務本節用。以告大農，兼權合綜。志倉庫第九。

關市有征，首嚴譏察。匪曰取盈，藉懲豪猾。志關榷第十。

鰥寡孤獨，王政所先。舍以室宇，食以粥饘。興及蠶桑，利莫大焉。經營籌畫，賴彼高賢。志廠局第十一。

朝市南北，衢巷西東。三條五劇，雨集雷轟。竹埪、雙藤，西崖、四松。前賢遺躅，欽挹高風。志坊巷第十二。

湖名净業，河號大通。發源玉泉，萬派朝宗。液波颸碧，溝葉流紅。維郭守敬，成此大功。志水道第十三。

琳宫貝宇，參差相望。紺碧雲中，精藍天上。寂寂鐘魚，峩峩龍象。轉大法輪，是曰寶藏。志寺觀第十四。

禮儀好尚，各有所宜。時勢盛衰，風會轉移。茂矣美矣，陶之淑之。補偏救弊，意在於斯。志風俗第十五。

盧龍大藩，涿鹿左界。面山負海，杜平扼隘。境拓封圻，跡存營砦。環顧甸服，朗若圖畫。志疆域第十六。

恆嶽西來，田盤東峙。小郭大宫，鬱鬱齒齒。瀵泉徐衍，尋原極委。經山緯川，班志是擬。志山川第十七。

名山枕堞，平地疏渠。劼之鞏之，以奠閭閻。志城池第十八。

弗謂傳舍，爾盡爾職。卽以荻障，詎無慙色？堂記知愧，齋名古墨。景行前賢，曰攸好德。志治所第十九。

今之縣邑，古之子男。百神鑒臨，調和嚌甘。明粢芳醴，申命再三。何以格之？令德無慙。志祠祀第二十。

峩峩隆福，曾駐鑾輿。赫赫上方，創自隋初。禪宗達摩，梵宇佉盧。經幢塔記，寶勝瓊琚。志寺觀第二十一。

金陵奉先，明陵天壽。樱黍猶薦，松楸永茂。下至公卿，纍纍道右。巨碣豐碑，縱横碧獸。志冢墓第二十二。

都鄙形體，均之遂人。遐綜邇緝，如絲伊綸。出入守望，安我編氓。古城故瀆，纖悉具陳。志邨鎮第二十三。

軍都古陘，潮河大川。故壘遺屯，消歇烽煙。海波一角，摇動全燕。輪舸礮臺，鎖鑰鉤連。志邊關第二十四。

齗齗舊俗，于于土風。密邇皇都，以洽大同。志風俗第二十五。

於菟楚言，登來齊語。體别陰陽，音諧徵羽。略分清濁，强生齟齬。疏證明通，騎驛今古。志方言第二十六。

以晷占天，以表量日。經度緯度，立法縝密。遠近高下，得諸寔測。勿言占驗，流於方術。志天文表第二十七。

幽都宛延，州以山名。秦漢以降，代有分并。緯以大事，記以旁行。二千餘載，陳蹟分明。志沿革表第二十八。

酈亭水經，注於大代。直隸河渠，創於大戴。東原先生 山川脈絡，溝澮向背。願以一心，上溯千載。經流支瀆，搜求破碎。古道舊堨，考訂茫昧。我思古人，力愧未逮。志水道第二十九。

密楗填淤，樹板分崖。時奉廟謨，庶民子來。隄長束虹，杵急喧雷。金石同堅，灑沈澹災。志河工第三十。

水畢除道，駟見成梁。勿憂沮洳，均達康莊。志津梁第三十一。

戾陵立堨，荆山開渠。道園立法，潞水著書。欲變斥鹵，盡化膏腴。求民瘼者，尚其鑒諸！志水利第三十二。

一男三女，著於職方。休養生息，字育繁昌。雞鳴犬吠，四境相望。何以涖之，俗阜民康。志户口第三十三。

四擾三種，宜於幽州。功程勤惰，性辨剛柔。泉温育硫，山深産鏐。今之利器，尚其講求。志物産第三十四。

勝國重賦，盪滌一新。耕田鑿井，長沐皇仁。春歛其庸，秋税其畝。維正之供，奔走恐後。則壤有經，愠解財阜。志田賦第三十五。

旗租一項，掌於有司。董而理之，如析亂絲。志旗租第三十六。

官多民擾，官省民玩。損益得宜，成章可按。志官吏第三十七。

豐年登穀，餘三耕九。亦有凶荒，以裨高厚。蓋藏敗蝕，責在典守。擴而充之，惟民父母。志倉儲第三十八。

轉漕東南，以實帝倉。河運海運，監以倉場。州名曰通，取義孔長。利弊纖悉，記述必詳。志漕運第三十九。

昔産五金，今惟石炭。鑿險縋幽，功資執爨。志礦厰第四十。

蘆臺玉砂，寶母之靈。亦供天廚，用佐籩硎。志鹽法第四十一。

軍興財乏，乃造大錢。緣何京師，其用獨偏？銷鑄宜禁，子母兼權。幾時復古，跂彼高賢。志錢法第四十二。

五禮五庸，鬱鬱彬彬。陶情淑性，以牖吾民。志典禮第四十三。
鴻都雅化，膠序成林。圜橋之士，釋耒鳴琴。幽燕剛氣，冶爲南金。穆穆醇風，悠悠我心。志學校第四十四。
拱衛京師，不忘武備。步伐之齊，披擊之利。星布百屯，雲迴萬騎。居安思危，聖人遺意。志營制第四十五。
傳記乘驛，孔言置郵。去如風發，捷似星流。朝令夕聞，借箸運籌。附以電報，制度尤周。志驛傳第四十六。
三千餘年，大事可記。規仿龍門，綜微期備。志時政第四十七。
幽燕形勝，兵所必争。借觀龜鏡，庶弭亂萌。志兵事第四十八。
商瞿再傳，而得周醜。微言已渺，人自不朽。漢家韓盧，昭代黄朱。行爲人師，學爲純儒。志學派第四十九。
陰陽爕理，職在三公。嘉禾瑞麥，蝕日流虹。休徵咎徵，感應則同。勿謂細微，息息相通。志祥異第五十。
逸事瑣聞，街談巷語。風雨一燈，乞靈故楮。聊示勸懲，間有取與。志怪談玄，皆所弗許。志雜事第五十一。

澤我一時，報君千古。我思古人，杜母召父。春社壺觴，秋郊鼓舞。善政可尋，往哲是與。志官師傳第五十二。

紆青拖紫，爲百族師。僉曰吾良，行則委蛇。頌聲闃寂，似知不知。何如循吏，身往名垂。後有來者，尚其思之。志歷代職官表第五十三。

高山巨川，鍾毓嘉德。行爲士範，言爲世則。宇宙增華，簡編生色。魯國山陽，先賢法式。發潛顯幽，以儀四國。志先賢第五十四。

雜人一傳，創自歐陽。據事直書，法誡毋忘。志雜人第五十五。

昔何光遠，作鑒誡録。著爲殷鑒，以囿薄俗。志鑒誡第五十六。

株檽欂櫨，公輸材之。精神獨到，遂炫瑰琦。技進於道，神通以思。曲藝可名，庸庸胡爲！志方伎第五十七。

表以石窌，昭我彤華。區明風節，揚榷柔嘉。如金百鍊，如玉無瑕。女貞猗猗，庇蔭幽遐。志列女第五十八。

運期遠游，幼安避地。樂土可遷，一枝是寄。志僑寓第五十九。

唐志真系，宋録傳燈。惟彼二氏，不没其稱。志釋道第六十。

漢重選舉，唐分科目。赤水求珠，荆山采璞。三輔黄圖，王政所先。聖皇側席，野無遺賢。桑梓之華，俊乂高騫。志選舉表第六十一。

礪山帶河，孔鼎悝鐘。上古及隋，或王或公。有明成祖，入紹大宗。書爵書世，不及虚封。志爵封表第六十二。

嚴顔斷頭，宏演納肝。賚命蹈義，若饑就餐。揞拄天壤，大節同完。薦以苾芬，浩氣鬱蟠。志昭忠表第六十三。

望高北斗，品重南金。祀之黌宫，以式士林。志鄉賢表第六十四。

廣搜地志，兼録故事。自周迄今，事蹟大備。志紀録順天事之書第六十五。

編分甲乙，簿録經史。佚存並列，記其緣起。燕山勃海，鍾毓秀良。毋寶燕石，而遺琳琅。志順天人著述第六十六。

聖製星炳，天章雲麗。刻石鏤金，昭示萬世。志御碑第六十七。

商周遺器，頒自上方。岐豐石鼓，遷於汴梁。下迄元代，共寶珪璋。深巖壞刹，時露幽光。志成後，復得唐、遼、金、元多種。我思古人，惟趙、歐陽。志歷代金石第六十八。

洪武圖經，煙雲散逸，萬曆府志，尚留完帙。露纂雪鈔，迨二千日。重啟規模，終嫌牣率。書訂奇零，事搜放失。慎言闕疑，敢云著述？匡厥讓陋，大雅竢質。志序第六十九。

修書略例

第一　宜典核。或摘要，或總録，或類記，或分正坿，一列正文，一爲夾注。其必應依年編次者，亦宜簡要，不得徒事排比録鈔類長編也。

第二　宜徵實。多考典，少空文。

第三　以地爲主。與土地稍遠者，即從略，京師門尤甚。

第四　以官文書爲据。

第五　古事宜備，今事有關土地、人民者詳，餘略。

第六　各門統名曰志，不立雜名。用華陽國志、臨安志例。書成，用元和郡縣志、元豐九域志、乾道淳祐咸淳志例，標名曰光緒順天志。

第七　圖表散歸各卷，圖先表後。

第八　引書憑古雅者。若廣輿記之屬，及明人陋書，不以爲据。

第九　引書用最初者。不得但憑類書。其無原書者，不在此例。

第十　羣書互異者，宜考訂。詳説夾注。

第十一　一人一事，兩地俱收者，宜考證，不得沿誤濫收。

第十二　采用舊志及各書，須覆檢所引原書。

第十三　引書注明第幾卷。

第十四　關涉兩門者，互見分詳略。用鄭夾漈通志例。

第十五　徵引繁多者，辨證者，牽連旁及者，多用夾注。用史通說。公牘繁而必録者同。

第十六　紀事須具首尾，具年月。

第十七　各子目須紀實，不得但存一名。如寺觀，畧仿洛陽伽藍記；物産畧仿南方草木狀之類。舊志止列一名而已。

第十八　典禮則例，非專爲順天設者，不録。如文廟祭器樂章之類。

第十九　生存人姓名、事實、著述不録，奏疏公牘不在此例。

第二十　文辭必宜古雅，亦不可過於僻澀險怪。

第二十一　文字有褒貶抑揚處，須從衆議，不得偏執獨見。

第二十二　國朝經制事例，有空闕無從鉤考者，本卷子目下注明止某年。

第二十三　采訪日久不齊，中多空闕者，先纂成書，續到日别爲補編，坿當卷後。

第二十四　大例不改，子目細例應改併增補者，隨時酌議。

第二十五　凡一目而事實繁重，篇葉過多者，分上下卷。

第二十六　每卷標纂書人名於大題後行，書成照刊。某縣某人纂。

第二十七　全書俱頂格寫。擡頭處一例平擡。

右通例

第一　諭旨關修志者冠卷首。此外，詔旨、宸章，分隸各門。書成，奏聞時所奉之旨，恭載卷首，以勅撰書御集冠首。奉旨，分隸各類。日下舊聞考，宸章，亦分見各門。

第二　諭旨必確係專爲順天者，方敢恭載。

第三　諭旨宜擇要恭録，不必全録。史館例，諭旨不許改，而許節。纂書與則例，義例有別，不必徑類案牘。

第四　京師門不宜過繁。與宋咸淳臨安志不同，彼因都城無專書，今已有日下舊聞考，嫌重鈔。

第五　八旗事專載歸順天府管理者，餘畧。已有八旗通志。列女訪册，間有駐防一例，録入窮嫠苦節，易於漏略，以待續修八旗通志采取，並非自亂其例。

第六　圓明、清漪、南苑之類，歸苑囿。行宫坿。

第七　陵園在遵化、易州境，其名目處所，亦宜坿見京師門。坿見太廟下。

第八　外國公署坿載京師衙署之後。以著事變。

第九　京師寺觀止載敕建者，名勝酌載。

第十　宣武門内敕賜額天主堂坿載寺觀後。餘教堂不録。

第十一　增方言一目。用靈壽志、雲南通志例。

第十二　地圖府屬一總圖，一縣一分圖。

第十三　圖地理須用目驗實測，聘通算學者爲之。不得憑成書及約畧揣度。

第十四　地理門止載確關土地者，餘別出。

第十五　河渠立專門，其地理門内山川，止具大畧。出何山，入何水，過地幾何，如漢志式。

第十六　賦出於地，役出於民，故户口物産，先於賦税，前代舊制、近日積弊，均爲詳采。不得僅紀建置年月處所。

第十七　故事非他門可隸，今立專門。用咸淳臨安志紀事一門例。瑣事立雜事一目隸之，用禮記雜記例。

第十八　官師門多歸表，少立專傳。立表以省傳。

第十九　人物以朝代爲次，不分州縣。

第二十　人物不分賢否，理宜並載，但以子目區別之。史例與經制不同。

第二十一　人物門昭忠鄉賢入祠者爲一表。

第二十二　人物門賢者隸先賢一目；不分孝義、忠烈、隱逸、儒林、文苑等目。不賢而著聞已久者，隸鑒誡一目；無咎無譽者，隸雜人一目。用漢藝文志雜家例。

第二十三　人物門，君長此地，如燕昭王之屬。無可隸，立封國一表，虚封不載。

第二十四　人物門，流寓元以前通載，明永樂以後止載寓京城外及各州縣者。

第二十五　人物門，語語皆須据書采輯，不增一字，當句下注出典。以免褒貶口實。

第二十六　遼、金、元三史，人名、地名從乾隆敕改本，仍注原本作某字。

第二十七　藝文門，每書撰一提要，注明存、佚、未見、未刊四等，以時代爲次，不分經史子集。
第二十八　古今詩文有關考證者，擇要分坿各門。
第二十九　金石門，金文止録專爲本地鑄造，及確係此地出土者，石刻元以前全録。國朝止録御碑。
第三十　金石門，以時代爲次，注見存、拓本、存目三類，各綴考釋。如潛研堂金石跋尾式。
第三十一　各門前爲小序一則。
第三十二　最後爲略例一卷。

光緒順天府志恭引

御製欽定書目
聖祖仁皇帝御製文集
欽定歷代紀事年表
御製皇輿表
欽定大清會典
欽定廣羣芳譜
欽定全金詩
世宗憲皇帝上諭
高宗純皇帝樂善堂詩集
欽定遼金元三史國語解
欽定明史
欽定綱目三編

御選明臣奏議
御批通鑑輯覽
欽定勝朝殉節諸臣録
欽定大清一統志
欽定熱河志
欽定日下舊聞考
欽定歷代職官表
欽定盤山志
欽定續通典
欽定皇朝通典
欽定續通志
欽定皇朝通志
欽定續文獻通考
欽定皇朝文獻通考
欽定皇朝禮器圖式

欽定國朝宮史
欽定四庫全書提要
欽定天禄琳琅書目
欽定中樞政考
仁宗睿皇帝御製文二
欽定明鑑
欽定大清會典事例
欽定畿輔安瀾志
欽定全唐文
欽定大清通禮
欽定漕運全書
欽定天禄琳琅書目後編
宣宗成皇帝聖訓
欽定國子監志
文宗顯皇帝聖訓

穆宗毅皇帝聖訓
欽定國史賢良傳
欽定國史循吏傳
欽定國史儒林傳
欽定國史文苑傳
欽定國史貳臣傳
欽定國史逆臣傳

光緒順天府志引用書目

周易
周易馬融注 張惠言輯
周易虞翻注 張惠言輯
周易正義 孔穎達等
漢上易傳 朱震
易林 崔篆
尚書
尚書大傳
尚書鄭玄注 黄奭輯
尚書正義 孔穎達
古文尚書疏證 閻若璩
逸周書
毛詩
毛詩鄭箋
毛詩草木蟲魚疏 陸璣
毛詩名物圖記 徐鼎
毛詩稽古篇 陳啟源
毛詩傳疏 陳奐
韓詩章句 馬國翰輯
周禮
周禮鄭注
周禮疏 賈公彦
周官總義 易祓
儀禮鄭注

禮記
禮記鄭注
蔡邕月令章句蔡雲輯
大戴禮盧辨注
夏小正
左氏傳
左傳服虔注李貽德
左傳杜預注
公羊傳
穀梁傳
論語
論語集解何晏
論語義疏皇侃
孟子章句趙岐
孟子音義孫奭
爾雅
爾雅郭璞注
爾雅補郭翟灝
爾雅正義邵晉涵
爾雅義疏郝懿行
小爾雅
爾雅翼羅願
埤雅陸佃
廣雅疏證王念孫
通雅方以智
鄭志鄭小同
經典釋文陸德明
九經集解雷學淇
三蒼任大椿輯
蒼頡篇孫星衍輯

方言 揚雄
盧校方言 盧文弨
續方言補 程際盛
説文解字注 段玉裁
説文新坿考 鈕樹玉
玉篇 顧野王
聲類 嚴可均輯
集韻 丁度
韻會舉要 熊忠
六書故 戴侗
急就篇注 顔師古
服虔通俗文 臧庸輯
五經文字 張參
經籍纂詁 阮元
史記集解 裴駰

方言郭璞注
方言疏證 戴震
説文解字 許慎
説文義證 桂馥
釋名 劉熙
釋骨 沈彤
廣韻 孫强
韻補 吴棫
韻會小補 方日升
急就章 史游
字林攷逸 任大椿
陽承慶字統 馬國翰輯
復古篇 張有
史記 司馬遷
史記索隱 司馬貞

漢書 班固

漢書疏證 沈欽韓

新斠注漢書地理志 錢坫

漢書地理志補注 吴卓信

後漢書 范曄

後漢書補表 錢大昭

三國志補注 杭世駿

三國疆域志 洪亮吉

晉書音義 楊承宣

晉地理志補正 畢沅

晉宋書故 郝懿行

梁書 姚思廉

北齊書 李百藥

隋書 魏徵等

北史 李延壽

漢書蕭該音義 瞿中輯

漢書地理志稽疑 全祖望

新斠注漢書地理志集釋 徐松

補漢兵志 錢文子

後漢書疏證 沈欽韓

三國志 陳壽

三國志攷證 潘眉

晉書 唐太宗御撰

晉畧 周濟

宋書 沈約

齊書 蕭子顯

魏書 魏收

周書 令狐德棻

南史 李延壽

唐書 劉昫等

舊唐書校勘記 岑建功等
新唐書 宋祁、歐陽修
五代史 薛居正
新五代史記 歐陽修
宋史 托克托等
遼史 托克托等
遼史拾遺 厲鶚
遼史拾遺補 楊循吉
金史 托克托等
元史 王褘、宋濂等
補宋金元三朝藝文志 倪燦
補三史藝文志 金門詔
補元藝文志 錢大昕
明史 張廷玉等
明史藁 王鴻緒
竹書紀年
穆天子傳
漢紀 荀悦
後漢紀 袁宏
資治通鑑 司馬光
通鑑目録 司馬光
通鑑攷異 司馬光
通鑑地理通釋 王應麟
通鑑補 嚴衍
續資治通鑑 畢沅
明通鑑 夏燮
建炎以來繫年要録 李心傳
九朝編年備要 陳均
宋季三朝政要
續通鑑綱目 商輅

東華録蔣良騏
明紀陳克家
通鑑紀事本末袁樞
宋史紀事本末陳邦瞻
綏寇紀略吴偉業
逸周書
東觀漢記
通志鄭樵
契丹國志葉隆禮
續後漢書蕭常
南宋書錢士升
元史類編邵遠平
國語三君注汪遠孫輯
戰國策釋地張琦
五代史補陶岳

續東華録王先謙
周年編略黄式三
三朝北盟彙編徐夢莘
元史紀事本末陳邦瞻
明史紀事本末谷應泰
世本秦嘉謨輯
帝王世紀宋翔鳳輯
東都事略王偁
大金國志宇文懋昭
續後漢書郝經
史外汪有典
國語
戰國策
國策地名攷程恩澤
煬王江上録

奉天録 趙元一
二申野録 孫之騄
唐大詔令 宋敏求
魏貞菴年譜
陳句山年譜
竹汀居士年譜
孫淵如年譜
散樗老人自訂年譜 蔣祥墀
雷塘盦主弟子記 張鑑等
閻潛邱年譜 張穆
曾文正公年譜
高士傳 皇甫謐
元名臣事略 蘇天爵
革除遺事
吾學編 鄭曉
談往 知村看行侍者
聖武記 魏源
歷代名臣奏議 黄淮、楊士奇等
朱竹垞年譜
南崖府君年譜 朱錫經
弇山先生年譜
洪北江年譜
胡書農年譜
顧亭林年譜 張穆
駱文忠公年譜
英雄記 王粲
歷代名臣言行録 朱熹
功臣録
遜國名臣記
酌中志 劉若愚

宮史呂毖
畿輔人物志孫承澤
明儒學案黄宗羲
北學編黄叔琳
臣鑑録蔣漣
己未詞科録秦瀛
文獻徵存録錢林
國朝詩人小傳鄭方坤
續疇人傳羅士琳
顔氏學記戴望
金姬别傳
山陰吴氏譜
奉使行程録許允宗
北狩行録蔡絛
西游記李志常

廣名將傳黄道周
宋元學案黄宗羲
彤史拾遺記毛奇齡
東林列傳陳鼎
滿漢名臣傳
鶴徵録李敬
學案小識唐鑑
疇人傳阮元
先正事略李元度
安禄山事蹟姚汝能
孝感屠氏譜
大興朱氏譜
使遼録張舜民
攬轡録范成大
中堂事紀王惲

松亭行記 高士奇
吴越春秋 趙煜
九國志 路振
南唐書 陸游
碧血録
甲申傳信録
崇禎長編
明季南略 計六奇
十國春秋 吴任臣
夏小正
帝京歲時紀勝 潘榮陛
故宮遺録 蕭洵
大内規制紀略
晉太康地志 畢沅輯本
元和郡縣志 李吉甫

有正味齋日記 吴錫麒
十六國春秋 崔鴻
南唐書 馬令
肅皇外史 范守已
烈皇小識 文秉
甲申小記
崇禎遺録 王世德
明季北略 計六奇
東國史略
玉燭寶典 杜臺卿
禁扁 王士點
明宮殿額名
王隱地道記 畢沅輯
括地志 孫星衍輯
元和郡縣志逸文 周夢棠

太平寰宇記樂史
元豐九域志王存
大明清類天文分野之書
地圖綜要
天下郡國利病書顧炎武
乾隆府廳州縣圖志洪亮吉
地理韵編李兆洛
畿輔新志
江南通志趙宏恩等
萬曆順天府志沈應文
宛平縣志王養源
良鄉新志陳嵋
永清縣志周震榮
東安縣志李光昭
通州志高天鳳

輿地廣記歐陽忞
元混一方輿勝覽
明一統志李賢等
輿地名勝志曹學佺
方輿紀要顧祖禹
今古地理述王心言
畿輔通志唐執玉
山西通志覺羅石麟等
廣東通志郝玉麟等
大興縣志張茂節
良鄉縣志楊嗣奇
固安縣志陳崇砥
永清續志李秉鈞
香河縣志劉深
通州志稿閻興邦

通州志高建勳
武清縣志吴翀
寶坻縣志洪肇楙
甯河縣志丁符九
光緒昌平志宋文
密雲縣志薛天培
懷柔縣志吴景果
涿州續志吴履福
房山續志王爾琨
霸州志朱作梅
文安縣志楊朝麟
保定縣志成其範
薊州志張朝琮
平谷縣志朱克閲
湖州府志

三河縣志陳泉
武清續志蔡壽臻
甯河縣志關廷牧
昌平州志吴都梁
順義縣志黄成章
密雲縣志丁符九
涿州志吴山鳳
房山縣志佟有年
房山志料高驤雲
同治霸州志周乃大
大城縣志張象燦
可也簡廬筆記高驤雲
薊州志沈鋭
平谷續志陳景伊
黄岡縣志

易州志

水經注釋 趙一清

續行水金鑑 潘錫恩

續永定河志 朱其詔

文安隄工録 劉寶楠

九邊圖説 許論

鴻雪因緣圖記 麟慶

昌平山水記 顧炎武

歷代山陵攷 朱孔陽

燕都游覽志 孫國敉

析津日記 周篔

宸垣識畧 吴長元

燕京雜記

都門雜記

翰苑羣書 洪遵

水經注 酈道元

行水金鑑 溥澤洪

永定河志 李逢亨

渠陽水利 程璇

三邊機務總要

沿海圖説

盤山志 僧智朴

上方山志 僧自敵

帝京景物略 劉侗

天府廣記 孫承澤

芹城小志 李因篤

潞河考古録 劉錫信

都門記畧

六典 唐元宗御撰，李林甫注

翰林記 黄佐

職官分記 孫逢吉
水部備考 周夢暘
樞垣紀畧 梁章鉅
唐會要 王溥
宋會要 徐松輯
明會典 張居正等修
漢官舊儀 衛宏
續文獻通考 王圻
漕運則例纂 楊鈞
禮部則例
光禄寺則例
畿輔水利初案
長蘆鹽法志
郡齋讀書志 晁公武
文淵閣書目 楊士奇

工部志 朱長芳
石壩須知 李炳
通典 杜佑
五代會要 王溥
元典章
明典彙 徐學聚
通考 馬端臨
户部則例
江北運程 董恂
畿輔條鞭賦役全書
畿輔營田圖說
捕盜營章程
劉向別録 馬國翰輯
書録解題 陳振孫
内閣書目 張萱

菉竹堂書目 葉盛
世善堂書目 陳第
述古堂書目 錢曾
抽燬書目
稽瑞樓書目 陳揆
金石録 趙明誠
菉竹堂碑目 葉盛
天下金石志 于奕正
金石録補 葉九苞
金石萃編 王昶
授堂金石三跋 武億
寰宇訪碑録 孫星衍
鐵橋金石跋 嚴可均
平津讀碑記續
古誌石華 黄本驥

天一閣書目
絳雲樓書目 錢謙益
汲古閣書目
道藏目録 白雲霽
集古録目 歐陽棐
寶刻業編 陳思
金石林時地考 趙均
金石文字記 顧炎武
金石後録 劉青藜
潛研堂金石文字跋尾 錢大昕
授堂金石文字續跋 武億
京畿金石考 孫星衍
平津讀碑記 洪頤煊
平津讀碑記再續
金石續編 陸耀遹

補寰宇訪碑録 趙之謙
畿輔石刻目 樊彬
廿二史考異 錢大昕
廿二史劄記 趙翼
荀子 荀況
法言 楊雄
楊泉物理論 錢保塘輯
説苑 劉向
吴子 吴起
齊民要術 賈思勰
九穀考 程瑶田
千金翼方 孫思邈
本草綱目 李時珍
本草衍義
名醫別録

玉雨堂碑目 韓泰華
八瓊室金石補正 陸增祥
十七史商榷 王鳴盛
紀元編 李兆洛
賈子 賈誼
鹽鐵論 桓寬
新序 劉向
三魚堂賸筆 陸隴其
韓子 韓子
農書 王禎
素問 王砅注
名醫類案 江瓘
本草拾遺
本草釋名 陳藏器
太元經 楊雄

圖畫見聞志郭若虛

宣和畫譜

續圖繪寶鑑

畫徵録張庚

讀畫閒評

山家清供

泉志洪遵

墨子墨翟

吕氏春秋吕不韋

顔氏家訓顔之推

穀城山房筆麈

容齋五筆洪邁

野客叢書王楙

日知録顧炎武

陔餘業考趙翼

宣和書譜

圖繪寶鑑 夏文彦

書史會要 陶宗儀

無聲詩文姜紹書

墨香居畫識

香乘 周嘉胄

飲膳正要和斯輝

尸子章宗源輯

淮南子漢淮南王劉安撰，高誘注

平書王源

古今注 崔豹

演繁露程大昌

疑耀張萱

養新録顔大昕

讀書雜志王念孫

述學汪中
過庭録宋翔鳳
癸巳存稾
論衡王充
夢溪筆談沈括
曲洧舊聞朱弁
老學庵筆記陸游
硯北雜志陸友
明水軒日記高道素
筆録王鏊
戒庵漫筆李詡
六研齋筆記李日華
春明夢餘録孫承澤
居易録王士禎
香祖筆記王士禎

讀書叢録洪頤煊
癸巳類稾俞正燮
吹網録葉廷琯
封氏聞見記封演
東軒筆録魏泰
避暑録話葉夢得
鶴林玉露羅大經
卮言楊慎
四友齋叢談何良俊
寶顔堂筆記陳繼儒
五雜俎謝肇淛
湧幢小品朱國禎
書影周亮工
池北偶談王士禎
分甘餘録王士禎

筠廊偶筆宋犖
在園雜志劉廷璣
石鼓齋雜録
人海記查慎行
簷曝雜記趙翼
西清筆記沈初
恩福堂筆記英和
雲煙過眼録周密
少室山房筆叢胡應麟
藝文類聚歐陽詢
羣書治要魏徵
太平御覽李昉等
古今姓氏書辨證鄧名世
紀纂淵海潘自牧
玉海王應麟
查浦輯聞查嗣瑮
蓉槎蠡説程哲
金鼇退食筆記高士奇
茶餘客話阮葵生
東皐雜鈔董潮
藤陰雜記戴璐
橋西雜記葉名澧
遵生八牋高濂
寄園寄所寄趙吉士
初學記徐堅
元和姓纂洪寶
册府元龜李昉等
海録碎事葉廷珪
截江網
侍兒小名録温豫

山堂肆考彭大翼
燕丹子
朝野僉載張鷟
大唐新語劉肅
隋唐嘉話賈餗
唐摭言王定保
鑑誡録何光遠
南部新書錢易
澠水燕談録張舜民
玉壺清話釋文瑩
續世説孔平仲
癸辛雜識周密
至正直記孔齊
青樓集
菽園雜記陸容

潛確類書
西京雜記葛洪
國史補李肇
因話録趙璘
雲溪友議范攄
三水小牘皇甫枚
北夢瑣言孫光憲
涑水紀聞司馬光
湘山野録釋文瑩
唐語林王讜
桯史岳珂
歸潛志劉祁
輟耕録陶九成
水東日記葉盛
雙槐歲鈔黃瑜

金臺記聞陸深
涇林周元暐
説鈴吴震方
今世説王晫
此君軒漫筆
柳南隨筆
松軒隨筆
嘯亭雜録
艮齋筆記
履園叢話錢泳
止園筆談
見聞隨筆
夢園叢談方濬頤
蜨階外史高繼珩
拾遺記王嘉

長安客話宋啟明
暖姝由筆徐克
玉堂薈記楊士聰
蓴鄉贅筆
古榆閣叢談
屑玉叢談
閲微草堂筆記紀昀
嘯亭續録
有正味齋日記吴錫麒
竹葉亭雜記姚元之
池上草堂筆記
見聞續筆
次廬雜識陸以湉
蕉軒隨録方濬師
搜神記千寶

闕史高彦休
夷堅志洪邁
燕山叢録徐昌祚
冥報拾遺
述異記東軒主人撰
廣異記
續新齊諧袁枚
博物志張華
酉陽雜俎段成式
法苑珠林釋道世
華嚴經音義釋慧苑
現果隨録釋戒顯
列子注張湛
莊子莊周
符子周廣業輯

太平廣記李昉奉敕修
續夷堅志元好問
耳談王同軌
觚賸鈕琇
簷雲樓雜記陳尚古
秋燈叢話
齊東妄言俞夢蛟
續博物志李石
廣宏明集釋道宣
一切經音義釋玄應
高僧傳釋贊甯
列子列禦寇
列子釋文殷敬順
司馬彪莊子注茆泮林輯
列仙傳劉向

真仙通鑑

亢倉子 庚桑楚

楚辭 屈原

楚辭章句 王逸

楚辭補 洪興祖

張楫子虛賦注

蔡中郎集 蔡邕

楊盈川集 楊炯

盧昇之集 盧照鄰

張燕公集 張説

顔魯公文集 顔真卿

獨孤毘陵集 獨孤及

權文公集 權德輿

韓昌黎文集 韓愈

柳河東文集 柳宗元

李文公集 李翱

元氏長慶集 元稹

白氏長慶集 白居易

樊川文集 杜牧

司空表聖文集 司空圖

六一居士集 歐陽修

范文正公集 范仲淹

范石湖集 范成大

遺山集 元好問

湛然居士集 耶律楚材

陵川集 郝經

吴文正公集 吴澄

秋澗集 王惲

牧菴集 姚燧

雪樓集 程鉅夫

清容居士集袁桷

石田集馬祖常

道園學古録虞集

揭文安公文粹揭傒斯

圭齋集歐陽元

誠意伯文集劉基

雙崖集周忱

青溪漫稿倪岳

南濠集都穆

四部稿王士禎

天問閣集李長祥

定山堂集龔鼎孳

佳山堂集馮溥

帶經堂集王士禎

憺園集徐乾學

雲林詩集貢奎

清河集元明善

燕石集宋褧

黄文獻公集黄溍

金臺集迺賢

逃虛子集姚廣孝

懷麓堂集李東陽

王文恪公集王鏊

桂文襄集桂萼

鄒元標集

吴梅村詩集吴偉業

疑雨集王彦泓

青箱堂集王崇簡

西陂類藁宋犖

王文靖公集王熙

寄園集趙吉士
愚山集施閏章
曝書亭集朱彝尊
鈍翁續稿
湯文正公集湯斌
魏叔子文集魏禧
天啟宮詞陳悰
文端集張英
敬業堂集查慎行
方望溪文集方苞
楊文定公全書楊名時
畫山樓文集儲大文
賜硯堂集齊召南
道古堂集杭世駿
鮚埼亭文集全祖望

午亭文集陳廷敬
西河集毛奇齡
鈍翁類稿汪琬
對巖集秦松齡
西溟文集姜宸英
青門集邵長蘅
三魚堂集陸隴其
有懷堂集韓菼
查浦詩鈔查嗣瑮
懷清堂集湯右曾
質園詩集商盤
歸愚文集沈德潛
紫竹山房集陳兆崙
笏山詩集申甫
鮚埼亭外集

小眠齋集汪沆
陳學士文鈔陳儀
素修堂詩集吳蔚光
抱經堂文集盧文弨
知足齋文集朱珪
銅鼓書堂集查禮
惜抱軒文集姚鼐
潛研堂文集錢大昕
靈巖山人詩集畢沅
存素堂集法式善
南澗文集李文藻
東原文集戴震
南江文集邵晉涵
有正味齋詩集吳錫麒
實齋文集章學誠

小倉山房文集袁枚
紀文達公遺集紀昀
玉芝堂集邵齊燾
頻羅菴遺集梁同書
笥河詩文集朱筠
復初齋集翁方綱
春融堂文集王昶
西莊集王鳴盛
忠雅堂詩集蔣士銓
香亭文稿吳玉綸
兩當軒集黃景仁
勉行堂文集程晉芳
雨村文集李調元
雙藤書屋集何道生
問字堂文集孫星衍

研經室全集阮元
船山詩集張問陶
虛谷文集武億
試畯堂集王蘇
三松堂集潘奕雋
邃雅堂集姚文田
覺生詩鈔鮑桂星
淵雅堂集王芑孫
小重山房集張祥河
太乙舟集陳用光
今白華堂詩録童槐
記事續稿
𧮙𧮫亭集祁寯藻
鐵橋漫稿嚴可均
檉花館文集路德

卷葹閣集洪亮吉
谹林館詩葉繼雯
小峴山人集秦瀛
碧溪文集朱文藻
游道堂集朱彬
茗柯文集張惠言
左海文集陳壽祺
亦有生齋集趙懷玉
小萬卷齊文集朱珔
求是齋詩集胡承珙
衎石齋記事稿錢儀吉
尚絅堂集劉嗣綰
崇百藥齋文集陸繼輅
香蘇山館詩集吳嵩梁
程侍郎遺集程恩澤

窮恥齋詩鈔 宗稷辰
禮部遺藁 黃富民
定菴文集 龔自珍
柏梘山房文集 梅曾亮
壺園詩鈔 吴清皋
太鶴山人集 端木國湖
端虛勉一凥集 張成孫
東洲草堂集 何紹基
玉井山館集 許宗衡
文選 梁昭明太子蕭統
文苑英華 李昉等
元文類 蘇天爵
列朝詩集 錢謙益
元百家詩 顧嗣立
湖海文傳 王昶

真有益齋文編 黃安濤
頤道堂集 陳文述
東溟文集 姚瑩
聽松廬文鈔 張維屏
習苦齋集 戴熙
郘亭詩鈔 莫友芝
彭文敬公遺集 彭蘊章
甘泉鄉人集 錢泰吉
謫麐堂遺集 戴望
文選注 李善
中州集 元好問
玉山雅集 顧瑛
詩觀 鄧漢威
山左詩鈔 盧見曾
宋詩紀事 厲鶚

舊雨集管幹珍
永清文徵周震榮
國朝詩人徵略張維屏
鄂城表忠詩鈔
唐詩紀事計有功
五代詩話王士禎
西河詩話毛奇齡
槐廬詩話汪沆
全唐詩話
蒲褐山房詩話王昶
聽松廬詩話張維屏
雨村詞話李調元
泰雲堂詞孫爾準
唐馬君起造石浮圖銘
王叔平王仲堪墓志銘

昭代名人尺牘
畿輔詩傳陶樑
津門詩鈔
本事詩孟棨
懷麓堂詩話李東陽
辛齋詩話陸嘉淑
古懽堂詩話田雯
隨園詩話袁枚
紅豆樹館詩話陶樑
蒓鮫詞話錢芳標
詞苑叢談徐釚
花間集
高士鄭忠墓碑
清河張仁憲神道碑

巴州代成縣新移文宣王廟頌
涿州雲居寺四大部經記
劉祁史公神道碑
王諤郭公先塋碑
會福寺石幢

遼乾統重修三河學記
史氏慶源碑
段紹先史進道神道碑
王思誠檀州文廟碑記

如皋戴應泰校

序

同里周通政小棠，先後尹順天六年，勤政愛民，勞心憂國，凡在婦孺，咸所景仰。歲己卯，襄事山陵典禮；壬午，主秋闈；癸未，闔境大水；乙酉，籌備海防。事無不辦，辦無不善，經費無不節省。上恤僚屬，無賠墊之憂；下恤閭閻，無追呼之擾。其間開義學，立粥廠，施醫藥，增書院膏火，購書籍，修學宫，增樂舞，創蠶桑局。俾京畿之民勉有餘，補不足，日鼓舞於和風甘雨，而莫知所以然。事之大者，原委均載入志。惟志限斷於甲申之冬，乙酉春初之事，不能越例而紀；且章程公牘，例不備書。乃志甫刊行，而通政遽殁。今無錫薛大京兆裒集通政任内公牘，薈萃一編，援章實齋湖北通志附録掌故之例，令棣林刊於志後。嗚呼！茇舍甘棠之敬，邱山華屋之思，翰墨猶新，懷思曷已！世之讀是編者，幸勿以贅旒爲誚也。光緒丙戌六月李棣林序。

光緒順天府志附録

奏孤貧放欵請改支銀兩疏

奏爲孤貧放欵，擬請照案改支銀兩，核實散放，以期惠及困窮，恭摺具陳，仰祈聖鑒事：竊照京城兩縣五城，原額孤貧九百零六名，每名口每月支銀三錢、米三斗，每季共支銀八百十五兩四錢，米八百十五石四斗。遇有小建，每名日扣銀一分、米一升；閏月加銀三錢，米三斗。雍正四年，經原任府尹劉於義會同原任步軍統領阿齊爾奏准，每季飭令大興、宛平兩縣及五城司坊官細查，將孤貧名數，造册彙送順天府衙門查核咨部，給發銀米，由兩縣五城司坊官親身散給，若有餘剩銀米，給發普濟、養濟、育嬰三堂收領。又乾隆五十九年十月内，准户部知照各衙門：應支公費銀兩，業經奏明，酌籌積錢案内暫行滿支錢文，每兩以一千文核給，俟積錢支銷完竣後，再行改支銀兩。所有孤貧口糧，向係照公費之例支給，自應一體以錢文改支。即於是年秋季起，核明錢數，赴部關支各等因，先後轉飭遵照，歷經按章辦理領放，逐年題銷在案。惟查此項放欵，向由該縣及五城司坊承辦，並由臣衙門添派教佐首領等官，協同稽察。臣等以事關加惠困窮，隨時訪問如何散放情形。據派出教佐首領等官聲稱：大、宛兩縣係官同屬，尚可彼此期會；至五城司坊，歷屆奉飭前往稽察，各司坊官僉稱業經放竣，無從稽核。此等恤孤贍貧之項，該司坊官斷不忍有所侵染，而似此辦法，恐難免日久弊生。至錢法因時制宜，撥之現時銀價，每兩以一千文核給。無論當十大錢，既屬大相懸殊；卽以從前制錢核計，亦覺爲數不符。查乾隆五十九年奏明，酌籌積錢案内暫行滿支錢文，每兩以一千文核給，原係聲明俟積錢支銷完竣後，再行改支銀兩。今積錢支銷，早經完竣，自應按照原奏，改支銀兩。雖此節係照各衙門公費一體核給，現議改支銀兩，或同公費一並改支。或因公費係各衙門堂司各官所領，出入所關者小，而孤貧每月三錢之項，直若與性命有關。專議將此項查照原奏，改支銀兩，則司農之度支所增無幾，而孤貧之生計裨益良多，似亦推廣皇仁之一端也。應請飭下户部核議，自光緒九年春季爲始，按原額孤貧九百零六名，每名口月支銀三錢之例，查照乾隆五十九年奏定原案，改支銀兩領放。至如何核實散放，務期實惠及民之處，再由臣等詳細擬定章程，飭令兩縣五城司坊官及協同稽察各員遵照辦理。所有孤貧放欵，請照奏定原案改支銀兩緣由，理合恭摺瀝陳，伏乞皇太后、皇上聖鑒。謹奏。

奏順天府署建設候質公所疏

奏爲順天府衙門建設候質公所，以杜私押諸弊，擬請照案歲提經費，日支口糧，恭摺會銜具陳，仰祈聖鑒事：竊念詞訟之累民最甚，而各案之原告牽連之人証及户婚田土無關罪名之訴訟，其無辜受累，更爲可憫。京畿地居首善，廣土衆民，易滋訟獄，加以旗民有交涉，二十四屬有上控，兼之户部、刑部、都察院、内務府、步軍統領及五城察院各衙門，常有移交案件，除應禁、應押外，一凡應候質訊諸人，有時令取保，而保人難得，將結案而案証未齊，羈候遷延，弊端恐由此叢生，卽日用亦何以能給？至於大興、宛平兩縣，於不應管押、不能保釋之人，不得已而派差看守，謂之差帶，益易滋弊。京師之諺有曰：不怕宛平縣，只怕到後店。店以棲止，並非羈囚之地，而有此語，必非無因。是以臣周家楣於前任府尹時，往往就案提查訪察，於宛平縣左右地方跡疑近是者，逐加搜剔。經前任宛平縣知縣王啓俊、蔡壽臻於署東另租民房，以棲案證，並黏告諭，倘有差役爲虐，卽令大聲呼喊，該縣卽聞而親究，其弊漸革。此次到任，復加體察，於接見僚屬時，舉以相警，仍恐耳目未及之處，或於僻静地方、民舍、僧寺，竟作此惡慮，無從徧爲搜訪。大興縣知縣趙文粹謂設候質所，凡順天府及兩縣案證等人，悉棲於此，詳立章程，專員管理，與治中及兩縣彼此稽察核對，可除此弊。臣等公同商議，所見皆然。卽令經歷范思本，相度地基，逐一布置，於府署頭門内迤東適有隙地，可就營建，遂各捐欵興辦。於本年三月二十二日開工，六月杪工竣，共建房屋二十二間，并備木版潤榻、及應用棹櫈器具，妥定章程，遴派明慎正印委員兩員，刊給木戳鈐記，駐所專司其事。自七月初一日開辦，所有順天府衙門及兩縣無關罪名應候質訊各人證，均於此棲息。臣周家楣於每日進出署門，胥經其地，即可就近查察。每案交收提還，各憑刊印，驗票編號，標明時刻，一有不符及中漏號次、遲延時刻，立卽嚴究，按舊管、新收、開除、實在四柱，十日一報。臣順天府衙門查核治中、兩縣與委員彼此往返，逐案、逐人稽核，有無挂漏弊混，在所稍有弊端，准其就近喊訴，庶幾私押之弊從此可除。仍飭府、署、讞局及治中、大、宛兩縣於所訊各案，速爲清釐，勿因在案人等居處可安，稍任延宕。至於在押、在獄案犯，並飭各屬一體加意矜恤，以廣仁施，而重民命。伏查光緒二年二月，貴州巡撫黎培敬奏設軍民待質公所，請推廣各省，一體照章准予提欵籌辦，所需經費，從藩庫撥欵，方可經久，每名口食錢糧若干文，按季支銷各節。奉旨：該部議奏。旋經刑部等部議覆，請旨飭下各直省督、撫、府尹，各就地方察看情形，可否倣照籌辦，詳細查明具奏。是年閏五月二十五日，奉旨：依議。欽此。今臣等察看地方情形，亟應照辦，況在京畿，親依輦轂，尤應仰體皇仁，俯恤民隱。惟因順天府衙門鮮可提之欵，業經酌歸捐辦。除順天各員捐欵外，並據鹽運使銜候選知府王海捐銀壹千兩。該員尚有另案捐欵，應俟另行陳奏。謹將順天各員捐數，開單恭呈御覽。至於各名口應領食米，按季咨部，由京倉預領，核實報銷。所需常年經費，核計每年需銀六百兩，照案由直隸藩庫撥解，以期經久。所有順天府衙門，照案建設候質公所緣由，謹會同署直隸總督臣張樹聲合詞具陳，伏乞皇太后、皇上聖鑒，恩准施行。謹奏。

奏開辦京城平糶疏

奏爲開辦京城平糶，恭摺具陳，仰祈聖鑒事：竊照本年順直水災太廣，京城糧價日昂，經巡視中城給事中安祥等會陳救荒之法，平糶爲亟，擬請撥欵購米運京、設局平糶等因。欽奉諭旨：著户部速議具奏。經户部奏覆，請飭直隸總督於機器局經費項下撥銀四萬兩，洋藥税銀項下撥銀四萬兩，各省將軍、督、撫，於洋藥釐金項下，酌提銀一、二萬兩，或採買米石，或撥解實銀，迅速運赴天津，由直隸總督李鴻章查照光緒三年採購奉天米粟成案，購辦運京，並分顧順天，採置米石經過關卡，概行免徵税釐，行知崇文門監督，嚴飭胥役，不得苛索阻撓。至應如何解京設局，如何定價發糶，請飭直隸總督、順天府府尹，遴選得人，速議妥章，奏明舉行等因。奉旨：依議。欽此。經李鴻章派員赴京妥商一切，並與臣畢道遠、臣周家楣往返函商，會同奏陳。以北省民食本以雜糧爲宗，惟京城情形稍有不同，流寓者慣食大米、麥麵，貧者多食雜麵，若運往高粱、小麥等項，必須發交糧鋪碾磨出售，糧鋪居奇盤剥，流弊滋多。上屆堆儲雜糧，無甚銷路，遂減價轉發糧店承售出糶，虧折價脚不少，而於窮民生計，仍未必有所裨益。此次順屬災狀既重，貧民過多，賑撫至急，是以户部議令分顧順天，實爲救荒全局起見。若以指撥直隸之欵，先行凑辦順屬賑撫，則近畿一帶，赴京就食之民自少。順天奉撥京倉米四萬石，因災區積水未退，由京領赴各屬，運費浩繁，欵無所出；且節節阻滯，一時亦未易轉運。擬請將此項米四萬石，暫存京倉，俟察看情形，陸續領出，以供京城平糶，或用粟米，或撥粳秈，隨時由府尹臣酌度咨商倉場辦理，仍於平糶之外，酌撥近京州縣濟賑，及留備來年春撫之需。各省關協撥銀、米，並以籌備順直賑撫爲大宗，量力兼營平糶。如此斟酌變通，庶順屬災黎可期迅速拯救，而京城平糶亦得隨宜酌辦。如蒙俞允，卽由臣鴻章將另行籌撥銀十萬兩解交臣道遠、臣家楣及時濟賑。其平糶事宜，卽由臣道遠、臣家楣就近籌辦，於事較便。容再妥爲察酌，何時應行開辦，卽遴派委員，擇定地方，切實經理。至各省關協濟銀、米各欵，仍當會同催解撥用。等因。奉旨：著照所請，該衙門知道。欽此。又於九月十五日奉上諭：御史文海奏，糧價日昂，請設局平糶一摺。聞奉天收穫甚豐，請飭李鴻章，委員前赴奉省採買雜糧，運至通州，由順天府派員接運來京，設局平糶等語。著李鴻章酌度辦理。欽此。由直隸督臣李鴻章咨行臣等查照察酌籌辦。臣等悉心商酌，京城内外地面，分隸步軍統領及五城御史，户部原議應如何解京設局，如何定價發糶，既經奏准由直隸總督及臣等遴選得人速議妥章，奏明舉行。直隸督臣與臣等會陳奏准，由臣等就近籌辦，則何處設局，應先議定，隨卽面商步軍統領臣麟書，以應照成案，由外城設局爲宜，謂内城無須設局。復經定期與五城御史面議，並經往返函商，飭臣等派出辦理平糶委員，糧馬通判周之辰、候補同知周文仝、候補通判馬序東與五城委員，擇定正陽門外之虎坊橋天和館，及崇文門外之磁器口舊糧店，先行分設兩局。所定糶價，由臣等與五城御史先定開辦出糶之價，以後每十日察看情形，隨時增損發糶之數，每人所糶，以十斤爲限，每局每日以五十石爲準。所需之米，先以京倉粟米並咨商倉場，於四萬石撥米中改撥粳秈一萬六千石運出，分别開糶。至需用雜糧，俟開設後，由臣等與五城御史察看情形，需用何項雜糧，擬先由臣等就近購運若干到局，試行出糶。如果所購旺銷，卽由臣等知照李鴻章，派員前往奉天採買，以免購多銷滯，空費巨欵之弊。一切運費、經費，及各員薪水，由臣等先從賑欵墊撥，俟各省關協濟賑糶銀兩解到，再行各歸各欵。臣順天府衙門於派委各丞倅辦理外，並添派佐雜，常住局中，隨同經理，各局應用司賬、量米、收錢、换銀各項經管人等，由臣衙門委員募充，另由五城派員隨時稽查彈壓。所收糶價，按日分報順天府及五城查核，並由各衙門分飭兵役彈壓。開辦日期，卽以十一月初一日爲始。此臣等與五城御史會議辦法之大概情形也。至於各省關撥濟賑糶各欵，户部原議解運天津，由直隸總督派員採辦，並分顧順天。臣等與督臣李鴻章會陳，則以籌備順直賑撫爲大宗，量力兼營平糶。此時順直冬撫雖經舉辦，分撥各州縣款項，亦時以災重欵少，稟請增撥，所需能否勉敷，尚難核計。兼之春撫需欵甚巨，平糶經費、運費、採辦各需，均須開設後察看情形辦理。經臣等函商李鴻章，平糶、賑需，各分協欵一半備用，由李鴻章統收分撥。現在臣等與五城御史已經商定開局日期，應卽飭令臣等派委各員，會同五城派員，安置一切，屆時舉行。一面知照督臣會催各省關協撥之欵，以資採運；一面知照五城，出示曉諭。如有隨時商辦事宜，再由臣等會同籌酌，以期糧價得平，人情安貼。並咨步軍統領，飭令營汛各官，會同彈壓；及咨倉場，改撥米石，以符原議。所有臣等開辦京城平糶情形，理合繕摺專陳。是否有當？伏候皇太后、皇上聖鑒，訓示。謹奏。

奏統陳順天境内辦理各工疏

奏爲通州運河兩岸堤埝，去秋被水漫缺，現經撥欵，以工代撫，並將和各莊疊道工程一併興修，以資保衛，恭摺陳明，仰祈聖鑒事：竊照本年順天境内應辦各河工、隄工，所有通州張家灣迤東之北運河，應辦新河各工，業經臣等會核籌辦，奏陳聖鑒在案。其文安、大城堤工，係督臣歷年派員興修，仍由督臣派員辦理。順屬最大最要之工，以北運河青龍灣及筐兒港兩減河暨沿河堤工並寶坻、薊州河堤各工，關係直順大局，此項工需用至叁拾餘萬兩，由部庫撥銀五萬兩，督臣協撥銀壹萬兩外，均由順天賑需撥用。緣河工爲督臣專責，商由督臣籌定辦法，遴派大員督辦，應由督臣詳悉奏陳。鳳河工程，欽奉諭旨，飭籌疏築，計工需，累經詳勘，應用銀貳萬四千餘兩，由順天賑需撥銀壹萬兩外，均由督臣籌撥，應由督臣會同臣等奏報。此外，宛平縣境龐各莊一帶壹百貳拾村溝洫，由欽派監放粥廠大臣太常寺卿徐樹銘就近籌辦，由臣等撥米以工代撫。霸州之中亭北堤、六郎堤，雄保交界之猫兒灣，清河北岸缺口，均由奏明留辦賑務分發補用道金福曾，督同各該州縣印委各員，一律修築。涿州之永樂等村堤工，普利壩工，由該州知州查光泰稟請撥欵修築。㯽柳等村溝渠各工，由該州商同協賑南紳助教銜候選訓導嚴作霖，相度開濬，先後工竣。以及一切橋梁道路，隨時籌辦者，統歸於春撫、工撫案内次第辦理，不及專案奏報。兹查通州運河兩岸堤埝，及和各莊疊道，爲附近各村保障，上年水勢漲發異常，致有漫溢沖缺處所，必須一律修築，方爲妥協。惟前項工程，本係民築民修，現因工程浩大，災民困苦，力有未逮，委難循舊捐辦，而事關漕運民生，未便因需欵較鉅，稍事延緩。經臣等商酌，飭委通永道薛福辰，派委熟悉工程之員，會同通州知州，切實估計，核入春撫案内，妥爲辦理。去後，旋據通永道薛福辰稟稱，據該委員等詳加勘議，此工東岸自李辛莊起，至小屯止，計工長四十餘里，西岸自鑾子營起，至南定福莊止，計工長二十餘里，兩岸沿河堤埝，均經上年伏、秋大水沖缺盪平，存者寥寥，若無此堤埝約攔，一遇河水出槽，兩岸居民田廬，即有漫淹之患。今擬撥欵興修，以工代賑，力圖保衛，以全數十萬生靈。惟詳度形勢，通州城基，地勢較低，若下游兩岸堤埝太高，恐一遇河水漲發，難免無下壅上漫之虞。通城爲倉儲重地，關繫甚鉅，尤宜上下兼顧，徹底勘估。裁灣取直，總以距河百丈，即至近者亦須五六十丈修築，堤高五尺，頂寬三尺，底寬一丈爲度，總不得高於舊堤。放寬河身，不惟河水漲發時該處堤埝賴距河稍遠，易爲修守，而下游河面展寬，水行暢達，上游通城，亦無漫溢之患，庶爲兩顧之計。惟認真核實勘估，兩岸約需土方亦在十萬方内外，即以每方價約銀八分計之，需銀八千兩上下，經費已屬浩大。此外尚有應修和各莊疊道工程，爲費亦屬不貲等情，稟請核示前來。臣等查前項工程，雖需費較多，而獲益良非淺鮮，即稱民力實有不逮，未能循舊捐修，自應及時籌辦，以工代賑，俾利漕運，而恤民艱。當由順賑項下籌欵，照撥銀八千八百八十二兩七錢，飭令該道，督同各委員，切實經理，妥爲修辦。兹據該道詳報工竣，並派東路同知郝聯薇驗收，委係工堅料實，應請照案免其造册，歸入春撫、工撫案内列單請銷。理合會同前大學士署直隸總督臣李鴻章恭摺具陳，伏乞皇太后、皇上聖鑒，訓示。謹奏。

奏光緒九年順天水災籌辦賑撫收支米糧銀錢棉衣照案開報疏

奏爲查明光緒九年順屬水災籌辦賑撫案内，收支米糧銀錢棉衣實數，照案開單彙報，恭摺奏陳，仰祈聖鑒事：竊照光緒九年順屬被水，綦重且廣，當經臣等查明通州等州縣被水輕重情形，亟籌拯濟，渥蒙特恩，撥漕備撫。復經臣等於是年七月十五日奏明，將光緒二年災案賑餘銀一萬五千四百三十餘兩，酌量災情，選派委員，延請紳士，攜銀分赴各屬，會同各牧、令，妥爲辦理，並於摺内聲明，事竣，將動用實數開單奏明，援照光緒四年水災成案，免其造册報銷在案。旋於光緒九年八月初四日，欽奉皇太后懿旨，賞撥中秋節欵銀五萬兩。十一月二十三日欽奉特旨，飭部撥發順直賑需銀四萬兩，内分順天銀二萬兩。又蒙聖恩，累次截留江北漕糧，並賞撥京通各倉米石，分撥賑撫。隆恩曠典，實爲極優至渥。嗣經巡視中城，給事中安祥等會陳救荒之法，平糶爲亟，擬請撥欵購米，運京設局平糶等因。欽奉諭旨：著户部速議具奏。經户部奏復，請飭直隸總督於機器局經費項下撥銀四萬兩，洋藥税項下提銀一、二萬兩，解由督臣購米運京，分顧順天等因。奉旨：依議。欽此。卽經督臣李鴻章與臣畢道遠、臣周家楣往返函商，擬將順天奉撥京倉米四萬石，以供京城平糶。各省關籌撥銀米，並以籌備順直賑撫爲大宗，量力兼管平糶。商經臣等，奏明擇地先後開設平糶六局，並添設六鎮五門粥廠，及各州縣災區粥廠，共五十餘處。一切運費、經費，暨採辦各需，並委員薪水等項，統由順天賑欵内陸續籌撥。嗣以各屬亟撫、冬撫、春撫、以工代撫及應需各欵爲數甚鉅，值此帑用殷繁，部欵支絀，勢難節次請撥，不得不設法籌備，以應急需。當經臣等函致京外官紳，陸續集捐協濟，隨時收入賑需湊用，統計集捐，爲數不貲，除已經各省督撫自行奏請賞給獎敘外，其餘捐賑員紳銀至千兩以上者，亦經臣等奏蒙聖恩給獎，行知並照户部奏准收捐貢監銜封，隨時咨由户部給照在案。至順天境内應辦河工、堤工，以北運河青龍灣及筐兒港、兩減河暨沿河堤工，並寶坻、薊州河工，關係直順大局，此項工需共用三十萬兩上下，由部撥銀五萬兩，督臣協撥銀一萬兩外，均由順天賑需撥用。緣河工爲督臣專責，商由督臣等定辦法，派員督辦，所有工需報銷，應由督臣開報，以符定制。又收户部會同臣等議覆張人駿條陳案内，撥順賑需銀五萬兩，又順天捐局收捐職銜貢監共銀三萬六千六百六十兩，又收直隸督臣奏撥練餉制錢合銀十萬兩，又收直隸籌賑局分撥各省協濟糶賑銀十二萬六千餘兩，均經收入賑需撥用。統計光緒九年水災案内，連捐集各欵，共收銀九十三萬三千八十兩四錢六分七釐零，又收奏明動用糶價京大錢二十一萬九千四十八千七百四十文，又收撥欵成做並集捐棉衣五萬一千一百十五件，統共支發銀八十三萬一千三百九十三兩九錢一釐零，京大錢二十一萬九千四十八千七百四十文，棉衣四萬六千一百五十一件，計應存銀十一萬七千一百二十一兩二錢三分一釐零，棉衣四千九百六十四件。又收粟米十四萬石，老米一萬石，漕米八萬石，白米一萬二千三百九十五石八斗三升，南米四千四十石，高粱一萬六千六百五十石，白麵三萬三千斤。共發粟米十萬九千七百三十石，老米三百石，漕米八萬石，白米一萬二千三百九十五石八斗三升，南米四千四十石，高粱一萬六千六百五十石，白麵三萬三千斤。計應存倉粟米三萬二百七十石，存倉老米九千七百石，又糶剩粟米三千四百五十六石四斗二升，老米一百四十二石，漕米二千九百二十二石九斗六升，白米三千六百九十一石二升。以上放剩銀米棉衣，已歸入本年各屬賑撫，並協撥山東、江西等省賑欵動用。除另案續奏陳明外，臣等查直隷嘉慶、道光年間辦賑皆照定例各給兩箇月、三箇月口糧，奉撥銀米，每至百數十萬，近因帑藏支絀，未能照例給賑，上年近畿地方災廣費鉅，兼賴集捐接濟，所設粥廠、糶局，因本年夏間雨少糧貴，直至本年八九月間，始行先後停撤，各廠就食外來災民，亦經陸續資遣歸耕，一切收支各欵，均由臣等督飭官紳，核寔經理。現開各單，皆係實用實銷，並無浮冒。除京城各門、各鎮仍照向章册報外，相應將收支各寔數，遵照上年七月十五日奏明，免其造册原案，分開清單，恭呈御覽，仰懇天恩，俯予照案准銷，免其造册，以期荒政簡而易行，則任事可無顧慮，於拯救民生良有裨益。理合恭摺具陳，伏乞皇太后、皇上聖鑒，勅部知照。謹奏。

奏通州改設官車局疏

奏爲通州車頭，歷久滋擾，現擬改設官車局，遴委妥員，核實經理，以恤閭閻，而安行旅，恭摺陳明，仰祈聖鑒事：竊查通州地當孔道，差務絡繹，應用差車綦煩，而車頭由此滋弊，擾累閭閻行旅，幾至無車不拏，以致蕩平道路，人皆視爲畏途，由是控告車頭之案，層見疊出，雖經隨時究辦，屢次切飭該州立章補救，出示戒懲，無如積習相沿，罔知畏法。溯查前直隸督臣方觀承，以通州車差滋擾，曾經力求整頓，仍未能諸弊盡除。或昔所裁革，今日復然，積重難返，終不能袪。若不明定章程，設法整頓，實爲地方之害。現經臣等飭行通永道薛福辰，實力釐剔弊端，並令設立官車局，將津貼各項，悉數歸公，其瑣屑不堪者去之。永革車頭名目，另立公所，選派賢員，會同紳士，妥爲經理。所有應差之車，先由局自行置備車騾，支應尋常無多之用，其需車較多，要差應將各車編列號次，輪流雇用，杜豪强之包庇，恤鄉懦之拖累。應給車價，責令按日、按站實給，統由官車局官紳經理其事，不假丁書之手。仍隨時嚴密訪查，如再有妄拏車輛情事，一經訪獲，定卽從重懲辦。如此明定章程，變通辦理，庶錮習可除，而民不擾，於閭閻行旅，均有裨益。惟此事乃丁胥豪猾所恨，此時之阻撓，以後之謡諑，皆在意中。臣等未敢因此猶豫，置民生疾苦於不問，除飭催通永道趕緊籌辦，定於本月二十五日開局經理外，所有禁革通州車頭，改設官車局，派員經理各緣由，理合繕摺奏明，伏乞皇太后、皇上聖鑒。謹奏。

飭順屬被災情形核明稟報札

爲通飭事：照得本年順天各州縣水災，雖情形不一，而極重之處，實有近年所未見者。現在亟求拯濟，已擇極重極苦之處，酌撥銀兩，隨宜設法拯濟，以後卽應辦理賑撫大局。向來災至六分以上者，應分别輕重，分數給賑。五分以下，雖例不辦賑，仍須酌予撫恤，或設廠煮粥，以拯極貧，或出示平糶，以資日食，或酌予緩徵，以紓民力。前據各該州縣稟報災情，卽飭各該廳，派員勘明被災分數，稟報核辦。此時立待通盤籌畫，此節刻不容緩。至被災村莊及各該村莊應賑户口，均應一一詳實查明，以資核給賑撫；惟待查明户口後，再行籌請天恩，撥銀撥米，必有不及。現於亟濟之後，統辦賑撫大局，必先有所憑藉，方能豫爲通籌。至各被災處所，凡有房屋被沖，衣履全失，秋風起矣，嚴寒洊至，無衣卽恐無命，則棉衣在所應備。此等極苦災民，計有若干，亦應分别查明具報。此番元氣受傷，明年待到麥收，亦有青黄不接，中間尚須調劑。以上一切，應查、應辦情形，深恐遲延誤事。現在惟實抵稟明賑米三萬石，而以米不如折普賑，不如以工代賑，惟有不能工作之老病廢疾、孤寡孩幼，必須另籌辦法。通州援成案，用米七千石及運費銀四千兩爲請。此外各屬尚無核計必需銀若干、或米若干、或需銀、又需米若干稟報之件。爲此，飛飭該道、廳，轉飭各州、縣，迅速切實核計本境災情必需應用之數，立卽逕稟本衙門，以資籌畫。如各該州、縣有災不訴，所訴不實，及籌請之數不足拯濟，將來或領銀領米後，不能盡心實惠及民，致有揑冒遺漏，可救不救，救非所救，皆各該州、縣之咎。若各該州、縣災實必訴，所訴必實，籌請之數，足以拯濟，而本部院堂不能照數籌備，俾能盡心紓災活人，則係本部院堂之咎。痌瘝各求所安，災黎環集而視，天日鑒之，鬼神知之。爲此飛飭該道、廳，轉飭各州、縣，各殫心力，遵照迅速核明稟報，毋得稍有拘泥遷延，致悞賑濟大局。至於各州、縣，必有公正才能紳士，可以邀訂辦事，必有急公好義之人，可以捐助，應由各該州、縣善爲誠請、剴勸。各屬賑撫，各有隨時隨地之宜，其有各村積穀，各州、縣積穀可資粥賑，或積穀不足煮賑，應由官接濟，由紳富捐湊者，應各就所宜，籌辦尤應及早。剴切曉諭，宣佈皇仁，務使安居本境，必能就地妥爲綏輯，斷不忍聽其飢寒不爲之所；若一輕出求生，轉致遺漏賑撫，雖悔何追！

萬勿流離到京，尤爲至要。切切。特札。

飭各屬，水災通籌賑恤條欵札

爲通飭事：照得本屬各被水災區，現在通籌賑撫大局，所擬辦法，各條開列於後：

一、開辦賑撫，首在確查各村莊被災分數。其應賑、應撫之村莊，實在極苦户口若干，其次户口若干，或請銀易錢散放，或請米散放，及設廠煮粥散放，或以工代賑、代撫，方能各照情形確覈，分别辦理。

一、此次急濟以後，凡應賑、應撫之村莊户口，應計共若干里，應以十里立一粥廠。每廠於十里中公舉一公正才能紳士管理，其分助之人，即由其分延幫辦。每日覈計就食若干人，應用若干米，由官請撥賑米，濟以各縣各鄉積穀，並就各縣有力之户，勸捐助濟。總使各得就近就食，免致遠涉。其被災極重，而合計村莊不及十里者，亦應酌設，俾無偏枯。災重各州、縣，並於四門設立四廠，以資城中極貧就食。

一、極貧之户，自不得不就粥賑，而有寒苦士人就粥廠則退然思阻，求果腹則苦於糧貴，此中苦情，亦堪憫惻。應於災重各州縣，官爲平糶，延舉正紳及有守有爲之教佐，經理其事，照未災以前糧價出糶，所收本銀，仍復購糧接濟。每糶不過三升，核計開辦以至收局，應折價本銀兩若干，酌由官撥紳捐項下給發。其市上糧價，應勸其不可居奇，仍不人，應另行查明撫恤。

一、災重各州、縣，有大工應辦，如築堤、濬河之有裨大計者，應由各該州、縣稟明，以工代賑、代撫，分别請銀、請米，並勸捐接濟。惟老幼廢疾、孀婦室女等不能作工之

一、此次水災太驟，有屋舍被沖、衣食一空之户，目下急濟已過，各災民是否各覓寄居處所，或尚可修葺居住，或應覓地搭蓋棚廠，以資度寒棲身之計，均應逐一查明計議。

且轉瞬嚴寒洊至，無衣卽恐無命。其稍得生計，自能力食及奉發賑撫錢文，可以匀出購製棉衣者，尚可自謀。然其中必有極難極苦之人，一襖一袴，無從購備。此等災民，應豫備棉衣，屆時發給。各該州、縣有好善樂施之人，應廣爲勸捐豫備。

一、水災之處，粥廠就食人多，易滋疾病，應官施醫藥。

一、被水沖溺之户，有一家僅遺十歲以内男孩，無人撫養者，應由官爲撫養，資送京師廣仁堂讀書學藝。有一家被溺，僅遺在抱幼孩及十歲以内女孩，應官爲收養，資送京師廣育堂，分别收養、給乳。

一、被水之處，有遺骸未葬，墳墓被沖者，應分别棺埋、修葺。

一、水退之後，亟謀播種，其中有實在無力自備籽種之户，應酌量給助。其次者，酌量

借給，俟收成歸還。應擇各公正首事，分別查明辦理。
一、人心之善皆同，遇此奇災，不論力之盈絀，均思濟助。除爲數無多，由其量力爲善，無從請獎外其捐有銀錢、糧食、棉衣，核有成數，可援照直隸賑捐章程給獎者，應稟明本衙門，奏請虚銜、封典等獎，以資激勸。
以上十條，該州、縣各就本境所宜，迅速詳細體察，稟明核實籌辦。其有各條内未經議及之處，尚有應行籌辦事宜，均應詳悉體察，稟明辦理。並應剴切曉諭，務使各災民就地綏輯，勿致流離到京，轉於本境賑撫有所遺漏。切切。特札。
飭各屬量撥賑銀米札
爲通飭事：本屆賑務，自被災以來，卽行通飭，詳實開報災分、户口，有災必報，報必實。需銀、需米，有請必足。乃至今各屬稟報未齊，或有大概情形而無災分，或有災分而無户口，或有户口亦祇憑鄉保首事造送之數，卽請撥銀米，迄今尚未到齊。試問：憑何分撥辦理？若必待催齊户口，再行准定撥銀撥米，則時已入冬，豈不置災民於死地！爲此酌照天津籌賑局辦法，酌定數條，抄粘於後。只得照此實力辦理，庶尚有濟。至此次據各州、縣請撥銀米，核及村莊數目，災分輕重，以極廣之寶坻，極重之武清爲準，寶坻被水九百十一村，有十分一百七十村，九分二百二十三村，原請米三萬石，會奏摺内已聲明，應行核減，而災區既廣，力求足敷拯濟，仍予照准所請。米折三萬石，除先領亟撫銀四千兩，應再放銀三萬八千兩，如有紳賑到順，再行指請到境協賑。武清原開手摺，祗請米二萬石，此次來禀，請米四萬石煮賑，另請柴薪銀一萬兩，即有續增情形，豈能加倍？揆度情勢，自難逾實坻所請之數。先後所開被水村莊，統計被水村莊七百五十九村，即云災重，而數較實坻爲少，應准照實坻米三萬石。煮賑，本指五分以下之災，似此重災，豈煮賑所能辦給？應給米折銀，除已放亟撫三千兩，又一千五百兩以外，再放銀三萬七千五百兩。如酌度情形，實係缺米，就中酌請本色若干石，准撥京倉粟米。又有紳賑已到，攜銀三千兩，已准來信，續會銀一萬兩。因續報各村，亟需撫卹，並於此一萬兩未經會到，墊撥銀五千兩，俾資應用，以後隨時接濟。又由本衙門撥給棉衣一萬件，又購運柴薪、高粱，減價賤售。又由薛道禀請，每村酌建茅屋六七間，以資棲止，並准籌辦。又有京紳設河西務粥廠，所費均在外核計，禀請四萬之米、一萬之銀，數已過之。通州被水三百六十七村，前經陳牧援照舊案米七千石、銀四千兩爲請，應准撥京倉米七千石，銀四千兩。以其所請較少，前撥亟撫銀二千兩，無庸扣除。並由本衙門酌撥棉衣五千件，屆冬令發交，擇無衣尤苦之人核實散放。並有城内例設粥廠，本年加請米石。另有京紳設張家灣粥廠，以資酌劑。薊州被水四百六十二村，請米二萬石，並請銀八千兩，比較寶坻、武清所請較奢。該州領米不便，所需運費太大，從寬照准給米折兩萬石，除已給亟撫銀三千兩外，再放銀二萬五千兩。三河被水二百五十三村，情形較輕，准如所請，撥京倉米五千石，銀三千兩。如以津米已無可撥，京倉米艱於轉運，煮賑又不適用，應准領米折銀，同原請之銀，一並查實散放錢文，亟撫銀一千兩，無庸抵扣。甯河被水二百五十九村，災分尚輕，准照所請，撥京倉米四千石，所請銀二三千兩，即准給三千兩，所請之米，如領米折，亦聽其便。香河被水三百十五村，若以寶坻相較，祇應請米一萬石，且已發亟撫銀四千兩，所請米二萬餘石，銀千餘兩，如果照給，無以對寶坻。從寬不扣亟撫銀兩，准給一萬五千石，米折銀兩。此東路各州縣撥欵，着通永道、東路廳通籌詳核，如有必應增撥之處，稟明核辦。文安縣來稟，請米三萬石，銀二萬五千兩，經費、運費在外，並亟撫銀三千兩。本衙門先已撥銀一千兩，前往探明災情，即行拯濟。嗣又撥銀三千兩，已逾所請之數。又發搶險米麵價值，另購柴薪濟急。該令稟内所述十分災五十一村，九分災一百二十八村，七分災二十六村，六分以下一百二十七村，情形原重，而比照上年一萬餘石，此次應請加倍，既云加倍，則應二萬石，所請三萬，當係筆誤。既已請二萬米數，何以又須銀二萬五千兩？亦未聲明其故。恐未知有請必准之苦心，姑爲此説，以待核減。現已撥定津局米一萬二千石，其八千石准給米折，仍擬扣去亟撫銀四千兩，以如原稟加倍給賑之説。今加核災情，並免扣抵亟撫銀四千兩，仍給米折八千石銀兩。大城稟災村約略其詞，謂縣屬二百八十餘村，被水者十居八九，今始稟明被災二百九十五村。以寶坻例之，米不應滿萬，所請米一萬五千石、銀六千兩，從寬撥定津米八千石，其餘七千石准給米折，先發亟撫銀一千兩，已批明應扣，今加核災情，仍准免扣。保定所請米二千五百石，米數不多，以村莊甚少，災分亦輕，已撥定津米二千石，以其最稱瘠苦，米數亦少，所需運費准其核實請領。以上三屬，去本道較遠，因籌賑局金道駐工最久，辦賑最熟，已一面屬其督辦賑務，一面商請督部堂，札委辦理。以文、大多年被災，恐從寬給賑，尚有未敷，另由金道携江浙閩廣善捐賑欵前往自賑。又撥天津舊存賑欵銀一萬兩，由金道於文、大兩處另加紳賑。如果文、大官賑應添撥銀兩，亦由金道核請。正辦札間，據金道共請撥銀三萬四千兩，除已撥舊存賑銀一萬兩外，准由籌賑局續撥銀二萬四千兩，備文、大、寶三屬賑需。另撥一萬兩，辦理平賣柴薪等用，已撥五千兩，其餘五千兩，候續撥。霸州先經本衙門延友撥銀一千兩，辦理亟撫，用過八百餘兩，又經藩司撥銀一千兩亟撫，均無庸扣抵。照該牧所請米五千石，已由津局撥定，運米經費銀二千兩，津米到霸，由籌賑局給費，由霸分赴各村。照籌賑局舊章核計，無須二千兩，惟該牧所請不奢，如有所餘，卽可酌量放錢或備棉衣之用。固安請撥米八百石，照撥京倉粟米，或領米折，聽便。東安請銀二千兩，准其照撥。此南路稟請已到各屬撥欵。西路涿州，已撥亟撫銀一千兩，所請撥米六千石，已撥定津局三千石，京倉粟米三千石，銀六千兩，照撥。良鄉請撥銀二千兩，房山請撥銀一千兩，均准照撥。此西路各屬撥欵。北路順義，被水一百四十八村莊，所請米六千石，准其照撥京倉粟米，如領米折，亦聽其便。銀二千五百二十兩，准其照撥，仍准照北路廳所籌賑務諸條酌量辦理。以上各該州、縣撥欵，著霸昌道、南路、西路、北路各廳，通籌詳核，如有必須增撥之處，稟明核辦。永清、懷柔、大興、宛平、密雲，俟續據稟請，再行核撥。其放米運費，及委員薪水經費，章程照粘抄各條，遵照辦理。本屆災情既廣且重，上荷皇太后、皇上深仁厚澤，撥銀、撥米，並承户、工部及言路之協籌，各省督、撫、紳士之助濟，督閣部堂之寬撥廣籌；本堂殫竭心力，百方籌維，極情呼籲，始得定此大局。各道、廳務須切飭所屬，共盡知能，各殫天良，勉求實際。各該州、縣鑒此苦衷，共拯民命，稍有不當，參撤立至，所不待言，且天其容之，鬼神其聽之乎！爲此通諭知之。再，現據永清請撥米五千石，銀四千兩；懷柔請米一千一百六十九石二斗八升，米折銀七百一兩五錢六分六釐，一併照准辦理。特札。

高大京兆萬鵬莅任年餘，廢政具舉。以是書流傳未廣，籌欵重印百部，遍頒道、廳、州、縣，俾識掌故而資觀感。惟原板尚多亥豕之訛，命州牧林紹清，縣令殷謙、謝裕楷、錢錫寀、魯人瑞、熊以功覆校全書，而命光泰暨署大興縣劉枝彦、宛平縣蔡壽臻綜理其事。于是林與殷分校地理、食貨、人物諸志，魯與熊分校京師、官師諸志，謝校經政、故事志，錢校藝文、金石志，劉校河渠志之水道河工，蔡校人物志之先賢傳。未數月，諸人皆遷擢出都，校對甫畢，未盡精詳。光泰爲之總校，詳查史籍志乘，計改削添補之字二千四百有奇。官師表之近今三十年並爲校正，涉疑似者闕之。惟天文表暨田賦等志，林紹清核算精密，恐刊改太多，原板滅裂，特刻校勘一紙，各附卷末，以資考證。其他尚有疏漏，未暇再校，亟付手民，刊削完善，並誌顛末。光緒十五年正月，順天府治中海昌查光泰謹識。